ISBN 978-0-428-85713-4
PIBN 11316010

Klopstock.

(In Fragmenten aus Briefen von Tellow an Elisa.)

His Flight my Klopstok took; his upward Flight,
If ever Soul ascended. Had he dropt,
That Eagle Genius! o ha he let fall
One Feather as he flew; I then had wrote
What Friends might flatter, prudent Foes forbear.
Rivals scarce damn, and ———— reprieve.
But what I can I must! —

Hamburg,
gedruckt bey Gottl. Friedr. Schniebes 1777.

An Julie Sophie, Gräfin von Holk.

Ihnen — und allen solchen schönen, edlen, der Wahrheit und Natur so getreuen Seelen widme ich dieß Buch. Den Elisen, den Sophien! Solchen Gattinnen, solchen Müttern, solchen Freundinnen; und denen die es verdienen, solche Gattinnen, solche Mütter, und solche Freundinnen zu haben! Es gehört Ihnen mit größtem Rechte, weil an Ihrer Seite, durch die Empfindungen die ich meinen Klopstock in Ihnen wirken sah, durch Ihren Beyfall, der Gedanke den ich längst als meinen Liebling in meiner Brust gepflegt hatte, zum Entschluße reifte.

So oft, so gings mir, und ich glaube es wird Andern nicht anders gehen, wenn ich in den Denkmahlen las von Männern die durch Meisterwerke sich Unsterblichkeit errangen, seufzt' ich sie kennen zu lernen. Ich schlug Biographien auf, und was fand ich als Trockenheit und Dürre? Das Skelet ihres Lebens, statt ihres Lebens selbst. — Dann sehnt ich mich einen zu sprechen, der vom

Meere herüber käm, und mir erzählte von den Edlen seiner Nation. Ich hätte ihn tausenderley fragen mögen, denn das Anschaun solcher Männer ist wohl so wichtig als das Anschaun ihrer Werke. Ich interessire mich für sie ganz. Wie dachten sie? Wie empfanden sie? Wie waren sie in jedem Verhältniße ihres Lebens? Was waren ihre Leidenschaften? Wie ihr Ernst? Wie ihr Scherz? Umstände, Gespräche von ihnen! Hast du sie nie gesehen? Lang oder kurz? Mager oder fett? Still, lebhaft, sich ausbreitend? Zerstreut? Wie die Methode ihres Arbeitens? Liebten sie? Kannst du mir von ihrer Liebe erzählen? Von ihrer Kindheit, ihrer Mannheit, ihrem Alter? — — Nichts als daß sie gebohren worden, ein Weib genommen und gestorben? — O geh! so viel weis ich selbst! Du bist nur ein gemeiner Beobachter!

Die Männer haben doch Freunde gehabt, dacht ich. Warum es denn nicht einem von ihnen je eingefallen ist, seinen Freund so anzuschauen wie der Dichter die Natur? Warum nahm nie einer den Griffel und zeichnete ihn da er noch lebte? Es giebt so manche Gattungen der Darstellung: Warum stellte der Dichter stets nur Erfindungen und nie wahre Personen dar?

Soll auch Klopstock nicht dargestellt werden? Er solls! wenn ichs vermag. Jezt vermag ichs, und habe die Mittel dazu in meinen Händen, und wie das zugeht, davon muß ich Ihnen kurz die Geschichte erzählen.

Ich habe einen Freund, er heißt Tellow, Sie kennen ihn. Von ihm darf ich Ihnen wenig sagen; was ich für ihn vorbringen könnte, würde doch nur Eitelkeit und Pärtheilichkeit seyn, und wider ihn wird ohnedieß genug gesagt. Aber desto mehr möchte ich Ihnen erzählen von einer Elisa, die er hatte. Das war eine Seele! Sie ist jezt in ihr Vaterland zurückgekehrt, denn für diese Erde war sie zu gut! Eine Blume — sie stand verpflanzt wo sie blühte, wehrt in dieser Beschattung nicht zu wachsen! das ganze Ideal von Vollkommenheit, das seine trunkne Seele ihm so oft schuf, das er nie zu finden hofte, fand er in ihr. Sie war — was Weiber so selten sind, so ganz ein Weib! Sie schien so wenig Verstand zu haben, und hatte so viel! Sie wollte nichts seyn, und war Alles. Und ein Herz! ach ein Herz! —— Reize, Geist, Empfindung, Thätigkeit in der Tugend, Religion, Anmuth, Gefälligkeit! . . . ich weis nicht — — sie glich Ihnen so!

Tellow und Elisa liebten sich mehr als sich Liebende lieben. Sie war von seiner ersten Jugend seine Gespielin gewesen. Er ward durch das Schicksal von ihr getrennt, daß er nicht den Jammer hätte sie sterben zu sehn! Sie starb in ihrer Blüthe. Ach! die Welt kannte sie nicht, er kannte sie aber, er, der zurück blieb um sie zu beweinen!

Mehr sag ich weder von ihr noch von ihm, aber etwas weitläuftiger muß ich über ihren Briefwechsel seyn.

Ich habe ihn ganz vor mir liegen, Tellow gab mir
ihn, Gebrauch davon zu machen, und den Schmerz zu
entfernen, stets die Erinnerung an verschwundene Glückseligkeit vor sich zu haben. — Nimm ihn, sagte er, und
wenn du es wehrt findest, Sachen darinn, die mehreren
angenehm seyn könnten als dir, so thue damit was dir
gefällt. Ich nehme den Wink an.

Ihr Umgang war überhaupt sehr ernst gewesen.
Wenn das Bild nicht übertrieben ist, das ich mir von Eli-
fas Character mache, so kann man leicht denken, daß ihr
Briefwechsel mit Tellow nicht ganz alltägliche Dinge enthielt. In der That, Empfindungen, leider! von einer
Stärke die selten das Erbtheil der Menschen sind, durch-
drangen beyde. Diese dargestellt, und durchgeführt,
durch die wunderbarsten Situationen des Lebens, machen
einen großen Theil davon aus. Die Briefe betreffen, Leben, Tod, Trennung, Liebe, was Recht oder nicht Recht
ist, und vornehmlich — Menschen. Er schrieb viel; sie
schrieb viel. Sie beobachteten beyde gern, und sagten
sich unverholen alles was sie bemerkten, vorgetragen und
eingehüllt in eine Sprache, die der Zärtlichkeit eigen war.
Unter den Dingen, über die sie sich am häufigsten
mit einander unterhielten, war die Dichtkunst. Und was
mich am meisten freute, als ich diese Sammlung in die
Hände bekam, und sie durchblätterte, war, daß ich in seinen Briefen, so sehr viel über Klopstock fand, daß ich
nunmehro Stoff genug habe, Ihnen und andern seiner

Freunde', allerley zu sagen, das von ihm gewußt zu werden verdient.

Klopstock nehmlich, war von jeher einer der größten und ersten Gegenstände von Tellows Beobachtung gewesen. Sein Bildniß umschwebte ihn oft, wie das Bildniß einer Geliebten. Ihn so zu kennen wie er, dieß Glück ward wenigen. Sein Vater war Klopstocks ältester, liebster, vertrautester Freund. In einer Familie die mit allen Kleinigkeiten von Klopstocks Schicksalen bekannt ist, war dieser sehr oft gegenwärtig und abwesend ihr Gespräch. Er kann nicht so weit in seine Kindheit zurück denken, daß er ihm nicht begegne. Klopstock spielte mit ihm als Knabe, er unterrichtete ihn in manchen, lehrte, strafte ihn da er aufwuchs — izt darf er ihn Freund nennen. Früh sog er mit der Liebe zu ihm die Liebe zu seinen Werken ein. Früh empfand er den ganzen Mann und seine Größe. Und zu diesem allen, der Enthusiasmus der in seiner nicht sehr kalten Seele war, mit in die Wagschaal gelegt, macht es begreiflich, wie er stets so warm, über den Mann denken, reden und schreiben mußte als er stets that.

Elisa, die Klopstock nicht kannte, aber nicht weniger ihn liebte, fand hierinnen an Tellow ihren Mann. Sie bat ihn da er schied, dasjenige wovon sie so oft mit einander geredet hatten, nicht verlohren gehen zu lassen, es zu heften, schwarz auf weis. Dieß könnte einst, wenn

nach seinem Tode noch einmal die Welt dem größten aller Dichter die Gerechtigkeit wiederfahren ließ; die noch
nie ein Prophet in seinem Vaterlande, und bey seinem
Leben ganz genoſſen, der Nachwelt eben ſo wichtig ſeyn, als
es jezt ſo vielen froſtigen Söhnen unſers Vaterlands gleichgültig wäre. Sie bat ihn, was ihm, und wie es ihm bey-
fiele, alles von Klopſtock ihr zu ſchreiben. Die gering-
ſten Kleinigkeiten, Geſpräche, Anmerkungen über ihn,
würden ihr willkommen ſeyn. Beſonders wünſchte ſie,
daß er ihn als lyriſchen Dichter ſie ganz möchte kennen
lehren. Sie bat ihn er möchte ihr Erläuterungen über
ſeine Oden geben, die ſie nicht ganz verſtand, aber ganz
zu verſtehen wünſchte.

Das that Tellow, und ſehr gern. — Und aus dieſen Briefen über Klopſtock, ſamle ich die Fragmente, beſte Gräfin, die ich Ihnen hier vorlege, weil Sie ihn eben
ſo lieben, als Eliſa.

Sie werden, wofern ich Zeit genug erübrige, dieſe
Sammlung zu vollenden, hierinn keine vollſtändige Bio-
graphie des Dichters treffen — nichts weniger! Die ſind
ich in Tellows Briefen nicht und kann ſie alſo auch nicht
geben. Es ſind — wofür ichs ausgebe, Fragmente —
über ſein Leben und ſeine Schriften. — Sie ſind oft ſo
äußerſt nachläſſig hingeworfen, daß ſie ſichtbar die Hand
eines verrathen, der blos einer andern ihm völlig gleich-
fühlenden Seele, etwas mittheilen wollte, ohne ſich zu
kümmern wie ein dritter darüber dächte. Bisweilen

aber auch schiens mir als wäre einiges ausdrücklich ge=
schrieben gewesen, einmal öffentlich bekannt gemacht zu
werden. — Ich fand unter diesen Papieren alle Oden
von Klopstock abgeschrieben, bisweilen mit weitläuftigen,
bisweilen mit kurzen Anmerkungen und Paraphrasen.
Bey diesen Gelegenheiten, unzählich viel Individuelles,
kleine Nachrichten von ihm; Detail der sehr ins kleine
geht. Oft viel Galle wider Klopstocks Feinde. Hier
ein Bruchstück, aus seiner Kindheit, da eins aus seinen
reifen Jahren. — Sie werden sehen. Fragmente! Frag=
mente!! Dieß bitte ich jeden ders lesen wird, nie aus den
Augen zu lassen. Nirgends ein Ganzes! Tellow war ein
sonderbarer Scholiast.

Diese übergebe ich denn Ihnen, als einer der wür=
digsten Freundinnen meines Dichters, die ich jemals ge=
funden, und denke dabey mit mehr als nur Vergnügen an
die Tage, wo ich seinen Messias Ihnen las. Die mir im
Winter zum schönsten Frühlinge wurden! Das hatte ich
lange gewünscht zu sehen, was auf eine solche Seele der
Dichter für Eindrücke wirken würde. Und unsre Vorle=
sungen — dieß Bild verlischt mir nie! In Eßhof, dem
Sitze der Gastfreyheit, neben Ihnen und Ihrem so guten
Gatten, und unserer Freundinn, in dem häuslichen Zir=
kel, vor uns die Kinder, Teffe, das Ebenbild ihrer Mut=
ter, und Conrad, der kleine Lyäus! in einer Gruppe, die
man fühlen nicht mahlen muß — — zu empfinden, was

es heißt: Religion, Tugend, Liebe, dargestellt durch Klopstocks Leyer und Psalterton ... genug! das vergesse ich nicht. Demüthige Seele! Sie waren zu bescheiden, Klopstock zu loben. Aber — wenn ich weg sah vom Buche, eine stillzitternde Thräne in Ihrem Auge, oder ein heiliger schneller Schauer, oder ein tief athmendes Ach, oder ein Halbvollendetes: Das ist ... (das treflich, oder sonst ein Wort der Bewunderung, blieb zurück) — dieß sagte alles. Ich verstand. Und — ja! du sollst die Fragmente heraus geben, dachte ich! Zwar, in der großen Welt wirst du wenige Leser finden, in der gelehrten noch wenigere, aber den Sophien wirds lieb seyn, und die Enkel werdens dir danken, daß du ihnen einige Züge auf behieltst aus dem Bilde des Unsterblichen, den sie so oft beym Namen nennen, und mit den Entzückung Ton vom Grabe her rufen.

———————

Klopstock ist dunkel, sagt man, und man hat Recht. Ich habe ihm das oft selbst gesagt, und ihm, der sich selbst sehr hell ist, mußte das unbegreiflich seyn. Doch als ich neulich wieder davon geredet hatte, sagte er mit seiner gewöhnlichen Bedeutsamkeit: Ich merke wohl, je bestimmter man sich auszudrücken sucht, desto unverständlicher wird man gewissen Leuten. — Unterdessen so unbegreiflich es ihm, und dem erwählten Häuflein seiner Leser seyn mag, so kann das was ist, nicht geleugnet werden.

Warum ers ist, davon gleich mehr. Izt blos von der gemachten Erfahrung. Und so versichre ich dich, ich habe doch schon manchen Mann von Sinn und Belesenheit in meinem Leben gekannt, manchen Dichterfreund, manchen der selbst vor Klopstock die wahrste Achtung trug ihn gern las, ihn liebte — — aber einige wenige, sehr wenige ausgenommen, die selbst Dichter und lyrische Dichter sind, habe ich keinen einzigen gefunden, der ihn ganz verstünde; ich will nicht sagen, die Schönheiten philosophisch entwikeln könnte, sondern nur, was man im eigentlichsten Verstande verstehen nennt. — Du würdest erstaunen wenn ich die Nahmen nennen dürfte, die das mir nicht als ein Geheimniß unter vier Augen, sondern in öffentlichen Gesellschaften bezeugt haben: Klopstock wäre ihnen zu dunkel; sie faßten seine Oden nicht. Keine unbekannten Nahmen — Schriftsteller — — theatralische Dichter — — selbst lyrische! Freunde und Feinde von Klopstock. —

Die ihn selbst noch verstehen, verstehn ihn oftmals zu viel. Davon will ich dir doch von einer Ode ein sehr merkwürdiges Beyspielchen geben.

Ich komme einmal in R… zu L einem Manne, den ich in jeder Betrachtung sehr hoch schätze, einem vortreflichen Kenner der Alten, einem sehr philosophischen Kopf, einem selbst von Klopstocks eifrigen und geschmackvollen Lesern, mit dem ich aber über diese Materie der Dunkelheit oftmals gestritten hatte. Ein Frauenzimmer war dabey, die ihn auch gantz inne zu haben meynte. Als ich hereintrete sind die in einem Gespräche über ihn begriffen, und wollen mir nun eine Nuß zu knacken geben. Weil Sie denn doch viel mit Klopstocks Oden bekannt zu seyn meynen, sagen sie, so kommen Sie doch her, wir haben hier eine, die wir eben vor haben, wollen sehn was Sie davon meynen! — — Ich nehme sie und lese sie, es war die an Cidli aus dem zweyten Buche:

Cidli du weinest, und ich schlummre sicher
   Wo im Sande der Weg verzogen fortschleicht;
    Auch wenn stille Nacht ihn umschattend decket,
     Schlummr' ich ihn sicher.

Wo er sich endet, wo ein Strom das Meer wird
   Gleit ich über den Strom, der sanfter aufschwillt;
    Denn der mich begleitet, der Gott gebots ihm!
     Weine nicht Cidli.

Nun, sag ich, was ist da Schweres? das ist eine Ode an seine Frau, ein Trostgesang .... er war von ihr abwesend.

Ueber seine Abwesenheit an seine Frau! rief er aus, rief sie aus, und schüttelten die Köpfe. Mit nichten, es müßte mystisch genommen werden, es wäre eine Allegorie aufs ewige Leben.

· Da das mir nun gar zu sonderbar vorkam, so nahm
ich mir die Freyheit zu widersprechen, und sie etwas weit:
läuftig zu bedeuten, daß das gewiß nicht so sey, sondern
daß man alles dieß nach dem Buchstaben verstehen sollte,
es käme ja der klärste Sinn heraus. — Ich habe zwar
Klopstocken nie darüber eigentlich gesprochen, aber ich
sehe alles hier viel zu deutlich ein. Das Gedicht ist an
Meta gemacht. · Sie war in Hamburg, er mußte gewis:
ser Ursachen halber nach Copenhagen. Wie sie ihn liebte,
wie sie sich grämte wenn er abwesend von ihr war, das
weis man. Er tröstet sie hier. Ich kann Ihnen sogar
das Locale davon angeben. Der Weg der im Sande ver:
zogen fortschleicht, ist der ordentliche Postweg in Fünen
oder in Hollstein. Den schlummert er sicher. Warum? —
das Schiff liegt im Belte das ihn sicher herüber bringt,
denn der ist das Meer, das von den beyden Inseln ge:
drängt, ein Strom wird. Und über den Strom der sanf:
ter aufschwillt, gleitet er hin. — Ach weine nicht
Meta!

Sie konnten darauf wirklich nichts einwenden, als:
ja denn hieße ja die Ode nichts!

Nichts? sag ich — Nichts? — Eine einfältige
wehmütige Empfindung getrennter Liebe, die der Geliebte
zu beruhigen sucht, durch den großen Gedanken an den,
dessen Aufsehen unsern Odem bewahrt, in so edle Worte
gehüllt, die Situation eines Reisenden durch so ein Paar
individuelle Züge mir vors Auge gebracht, ist das Nichts?

Freylich so sind wir am Ende. So sind wir da, wo man nicht mehr demonstriren, analysiren kann, daß etwas schön ist, wo mans empfinden muß. Sie empfinden nun daß ohne Allegorie die Ode nichts sey, ich empfinde daß sie etwas sey. — Wer soll den Streit schlichten? Wie gesagt, da bin ich am Ende. —

Das einzige aber bitte ich Sie noch zu bedenken. Klopstocks Gedichte sind alle aus dem Herzen gequollen, und seine lyrischen insbesondre fast immer auf besondre Veranlassungen gemacht. Ich habe, hat er mir selbst gesagt, niemals mich hingesezt, und gedacht: Nun will ich eine Ode machen, sondern ein Gefühl hat mich gedrängt; und so sind sie alle entstanden. — Nun weise ich Ihnen die Veranlassung zu dieser. — Aehnlichkeiten erklären am besten. — Die im folgenden Buche von 1766 ist von demselben verwandten Innhalte, bey einer Trennung, so wie diese nach einer Trennung. Er sagt zu Selma:

Weine du nicht, o die ich innig liebe,
　　Daß ein trauriger Tag von dir mich scheidet!
Wenn nun wieder Hesperus dir dort lächelt,
　　Komm' ich Glücklicher, wieder!

Und sie antwortet ihm:

Aber in dunkler Nacht ersteigst du Felsen,
　　Schwebst in täuschender dunkler Nacht auf Wassern!
Theilt' ich nur mit Dir die Gefahr zu sterben,
　　Würd' ich Glückliche weinen? — :

Aller dieser Erklärungen ohngeachtet blieb man da=
bey, es wäre und müßte eine Allegorie aufs ewige Leben
seyn. — Wollen Sie denn wetten? sagte ich. In vier=
zehn Tagen reist B... nach Hamburg, der mag ihn selbst
darum befragen. —

B... kam wieder mit der Antwort, und es versteht
sich mit dem Bescheid, es sey keine Allegorie aufs ewige
Leben. —

O die lieben Alten! Wenn sie einmal zurück kehrten
und unsre grundgelehrten Commentarien sähen! Was die
sich freuen würden über den Reichthum, womit unsre
Scholiasten sie beschenken!

Also: Klopstock ist dunkel, sagt man, und man hat Recht.

Aber wenn man nun sagt: daß er dunkel ist, ist
unrecht, so hat man wieder Unrecht. Er ist dunkel —
ja! — aber es ist ein heiliges Dunkel!

Elisa, alles in der Welt ist verhältnißmäßig. Ich
bitte dich, classificire, so wie das Menschengeschlecht
überhaupt, die Leser der Dichter. Du wirst sehr bald
die unendlichen Abstufungen ihres Erkenntniß und Em=
pfindungsvermögens einsehn. So sehr unendlich, daß
du bald nicht einmal Classen wirst machen können, daß
jeder Einzelne selbst beynah wie ein Geschlecht da steht.
Denn im unsichtbaren Reiche Gottes, im Reiche der Gei=
ster schmilzt alles eben so wohl zusammen, fließen die
Gränzen eben so in einander, wie in der Körperwelt, wo

noch kein Naturforscher hat sagen können: Hier hört das Pflanzenreich auf, und hier geht das Thierreich an.

Doch versuche es einmal und mache Claſſen. - Nimm an eine Menge Leſender. Da ſind welche, die ein Lied am Spinnrocken, ein Gaſſenhauer gar treflich beluſtigt, ohne Sinn und Gefühl für das Ernſthaftere, oder das gebildete Witzige.

Eine andre Claſſe hat ſchon mehr Gedanken und Begriffe geſammelt, und ihr Wohlgefallen erſtreckt ſich weiter. Daher leſen ſie gern und mit Luſt allerhand, das Gegenſtände gewöhnlicherer Empfindung und Erfahrung, mit einem gewiſſen Grade von Deutlichkeit und Leben darſtellt. Das ſind die Leſer, für die Daniel Wunderlich fodert, die ganze Poeſie einzurichten.

Es iſt wohl zu merken, daß das, was dieſer Claſſe hell iſt, der vorigen ſchon dunkel war. Und daß in dieſer Claſſe bey weitem die meiſten Leſer ſind!

Nun aber noch eine dritte! In der finde ich einige Menſchenſeelen, die entweder durch die Natur, oder durch Uebung ihrer Seelenkräfte, oder durch beydes, zu einer gewiſſen Deutlichkeit der Begriffe, einer gewiſſen Erhabenheit und Lebhaftigkeit der Empfindungen gelangt ſind, daß ſie die ſtärkſte Nahrung für ſich verlangen. Was für jene entzückend iſt, iſt für ſie alltäglich. Was ihnen hell iſt, muß den andern nothwendig finſter ſeyn.

Jede von dieſer Claſſe Leſer hat wieder ſeine Dichter. Und die Anzahl dieſer Dichter richtet ſich, wie man denken kann nach der Anzahl ihrer Leser. So wie der Bauern und Handwerker in einem Staate mehr seyn müssen, als der Gelehrten.

Du siehst was ich mit diesen kurzen Anmerkungen sagen will. Es sind eigentlich nur hingeworfene Saamenkörner von Betrachtungen, die sich jeder, der denken will und mag, selbst ausspinnen kann.

Wenn nun also die zwote unzähliche Classe von Lesern schreyt: Ach! die dunkle Poesie! wenn Klopstock doch nur verständlicher wär! wenn . . . was! soll man antworten? dieses:

Lieben Leute, merkt euch, daß alles relativisch ist. Ihr versteht ihn nicht? — Wohl! desto schlimmer für euch. — "Aber warum schreibt er denn, wenn er nicht verstanden seyn will?„ — Verstanden? Ach! verstanden wird er wohl, und ganz gefühlt; aber (in gewissen Theilen seiner Werke, wenigstens) vor einigen nur. Diese einige sind denn aber auch Pfefferkörner. Und wenn Ihr sagt, daß das Unrecht sey, nur von diesen Wenigen verstanden werden zu wollen; kann das die erste Classe von Lesern nicht mit eben dem Rechte an denen Dichtern tadeln, die euch gefallen? Wo soll man hier die Grenzen bestimmen, für wie viele man schreiben will?

Milton, der Edle, bat auch seine Muse:
Still inspire my Song, Urania and find
Fit Audience but *few.*
Fit Audience, but *few!*

B

Warum er aber so dunkel ist?, das wäre denn die Frage!
Ja, meine Allerliebste, da lassen sich verschiedne
Ursachen angeben, die zum Theil schon in dem liegen, was
ich gesagt habe, und über die ich zur Noth eine sehr erbau-
liche Abhandlung schreiben wollte.

Mir wurde einmal eine Stelle eines Briefes von
Gerstenbergen bekannt gemacht, die ich mir mit goldnen
Buchstaben an die Tafel meines Gedächtnisses schrieb.
Sie lautete folgendermaaßen:

"Daß viele von Klopstock nicht vortheilhaft urtheilen, wundert mich nicht, denn einige haben ein gar geringes Maaß des guten Willens, andre ein gar geringes
Maaß des Verstandes „ — und des Gefühls für das,
was groß und schön ist, setz ich hinzu.

Siehe, das ist der Punkt!

Ein gar geringes Maaß des guten Willens! — Es
giebt so viel Neider, Nebenbuhler, Elende, die wohl
wissen, daß sie ihre Waaren nicht zu Markt bringen können, wenn sie nicht vorher das Verdienst schmälern;
Scheelsüchtige, Eigenliebige, kleine Seelen, Nachahmer der Franzosen, schlüpfrige Dichter, denen er, ob er
gleich nur durch sein Exempel sie verdammt hat, ein Dorn
im Auge ist, Rezensenten, Menschengesichter, Schmeis-
fliegen, die nur Aaß lieben, und die Säulen Jupiters
beschmitzen, kurz eine große, unbedeutende verächtliche
Menge, die mir von ganzem Herzen ein Gräuel sind,

und denen ich mit ihm selbst zurufe: Bist du der Haar'
Lieber, so greif dir an deine Ohren, und greifest du recht,
so wirst du finden, ein schön'Paar großer langer runder
Ohren . . . . ,, wiewohl eigentlich das Gleichniß einer
Schlange oder eines Scorpions, auf diese Gesellen noch
paffender wäre.

Ein gar geringes Maaß des Verstandes! Ueber diese
Classe, die, wir wollens zu unserer Ehre hoffen, noch
größer ist, als die vorige, hab ich nun gar wenig zu sagen. Was läßt sich weiter davon sagen, als daß sie weder Ehre geben noch nehmen können. Für sie sind andre
Schriften die schwere Menge in der Welt, als Klopstocks.

Schneide denn erst diese beyden großen Classen von
seinen Lesern ab, und was bleibt denn übrig.

Eine sehr große Menge liebenswürdiger, achtungs-
wehrter, guter Leser, denen er dennoch zu dunkel ist!
Wohl, ich höre das, und muß darauf antworten.

Diese Dunkelheit räume ich ein. Aber erstlich räume
ich sie nur in gewissen Theilen von ihm ein, und dann
behaupte ich, daß diese dunkel seyn müssen, und daß eben
darinn ihre Vortreflichkeit besteht.

Dir brauch ich nur einen Fingerzeig auf einige Dinge
zu geben. —

Die Hauptsachen im Messias zum Exempel sind doch
alle klar. Es kommt blos aufs Vorlesen an. Was gilt

die Wette: Von zehnen die bekennen, wir fassen den Meß-
sias nicht, kanns ein ächter Leser über sich nehmen, neune
dahinzubringen, daß sie in Bewunderung, Erstaunen,
Thränen, heißes Lob ausbrechen. Hätte ich nicht so viele
Erfahrungen vor mir, ich würde hier nicht so apodictisch
sprechen. Eben das übernimmt er in Absicht vieler seiner
Lieder. Was kann aber Klopstock dafür, wenn er nicht
recht gelesen wird?

Uebrigens seine Oden, ein großer Theil .. das ist
wahr. Aber woher kömmt das? Weswegen?

Der Sachen wegen! Sie betreffen Gegenstände,
zum Theil, der allerspeciellsten Empfindung, des allerin-
dividuellsten Nachdenkens. Sie spielen an auf kleine
Umstände seines Lebens, enthalten gewisse Aussichten
über Litteratur, über das Wesen der Dichtkunst, in die
nur sehr wenige sich eingelassen haben und einlassen können. Sie sind voller Bilder, zu denen man gewisse
Kenntnisse haben muß, um ihre Würde, ihre Schönheit
und Größe zu fühlen. Sie sind alle das Resultat von
vieljährigen, bewährten, geläuterten Gedanken, in der
gedrungensten, bestimmtesten Sprache gesagt, in die
kühnsten Bilder gehüllt, voll der lyrischsten Sprünge, daß
es eben so wenig ein Wunder als ein Tadel ist, daß sie
Studium erfodern. Ach! es würde mir ekelhaft seyn,
wenn ich Klopstocken gegen einen Einwurf vertheidigen
sollte, der überhaupt jeden vortreflichen Schriftsteller
jeder Art treffen muß. Daß Pindar schwer und dunkel

ist, wer leugnet das, aber wer hats ihm je zu einem Fehler angerechnet? Oder welchen Schüler würde der Adept
in jeder Wissenschaft nicht auslachen, der sich verlau-
ten ließ, ihre geheimnißvollsten Heiligthümer wären ihm
dunkel, und —

Das schlimmste ist, daß man den Dichter immer
nur als einen Zeitverkürzer ansieht. Das ewige: Werke
des Witzes! schöne Wissenschaften! . . das ist so eine Art
von Brandmark, womit man ihn unter die sogenannten
Brodwissenschaften erniedrigen will — unter die soliden
Wissenschaften! Dort soll Studium erlaubt seyn — hier
nicht? Aber das ist vom Anbeginn der Welt so gewesen,
und wird bis ans Ende so bleiben. Ein ewiger Krieg
zwischen den darstellenden und abhandelnden Gelehrten.
Wenn wird einmal das goldne Zeitalter kommen, wo
sich die zusammen vertragen?

Elisa, diese Dunkelheit läßt Erhellung zu. Aus
diesen kurzberührten Gründen mag auch dir vieles in seinen Oden Dunkelheit seyn; es ist weder gegen deinen
Verstand noch gegen die Oden ein Einwurf. Wenn aber,
nach dem was ich dir drüber schreiben werde, so wie ich
Laune und Lust finde, noch Dunkelheit zurück bliebe; so
säh ich, daß unsre Seelen nicht für einander geschaffen sind.
Geh dann in ein Nonnenkloster, und ich weine dir keine
Thränen nach. Doch es hat gute Wege. Du liebe Den-
kerinn! Adieu!

Ich haffe die allgemeinen Bilder und Beschreibungen.
Sie geben einem niemals einen bestimmten Begriff.
Das ist eine vortreffliche Anmerkung, die Göthe über dieses Capitel macht: "So viel Einfalt bey so viel Verstand,
so viel Güte bey so viel Festigkeit, und die Ruhe der Seele
bey dem wahren Leben und der Thätigkeit. —— ——
Das ist alles garstiges Gewäsche, was ich da von ihr sage,
leidige Abstractionen, die nicht einen Zug ihres Selbst
ausdrücken. „

Weil du es aber denn durchaus haben willst, so
sieh selbst wie wenig das ist, wenn ich dir etwa folgendes Allgemeine über ihn sage:

Eine stille Größe und Erhabenheit ist, so wie der
Character seiner Schriften, so auch der Character des
Mannes selbst. Er hat nie über Gott, über Christum,
über die, die ihm lieb sind ein Wort gesagt, was er nicht
glaubt und fühlt. Er hat Religion; nicht zu wenig und
nicht zu viel; du weißt was ich damit sagen will. Sein
Verstand ist klar, ordentlich, licht, tief. Seine Phantasie ist groß, sein Urtheil noch größer. Die verschiedene Kräfte, die den Dichter bilden, stehen bey ihm in
beynahe gleichem Gewichte, wenn eine die stärkere wäre,
so ists die innige anschauende Empfindung. Sein Herz
ist edel, sanft, zärtlich. Er ist in hohem Grade in allen
Dingen Herr über sich. Ein sehr feiner Bemerker. Sehr
heiter von Natur; mehr zur Freude als zur Traurigkeit

geneigt. Scherzt sehr gern, aber sein Scherz überschreitet nie die Gränzen einer gewissen Ruhe. Theilnehmend, wohlthätig, sich mittheilend. Tadelt und lobt nie stark. Sehr von Natur-Vorurtheilen frey, ohne Gnade und Barmherzigkeit wider jedes System! Kühn, schnell, und unglaublich ausdäurend in allen Unternehmungen. Voll Liebe für die Freyheit, so sehr man sie nur lieben kann und darf. Vaterländisch gesinnt wie die Römer zu Brutus, und wir zu Hermanns Zeit. Nie etwas Aufbrausendes. Stets da wo er ist, und seyn will, und seyn soll! Viel Selbstgefühl; mehr wäre Stolz, weniger wäre bey ihm Kleinheit. Bescheiden? er spricht nie von sich selbst. Erfüllt, mit Durst, nicht mit Geitz, nach Ehre und Unsterblichkeit. Als Jüngling schlug ihm sein Herz laut darnach empor, als Mann hats ihm auch, gehalter nur geschlagen. Nicht leicht bitter, aber kalt verachtend gegen gewisse. . . .

Doch verzeih mirs daß ich das Bild nicht vollende. Armseelige Allgemeinheiten! Kennst du nun Klopstock? du sollst ihn besser kennen lernen. Wir müssen dieß Chaos so nach und nach ein wenig in seine Bestandtheile auflösen.

Aus unserer Geschichte, sagt Rousseau sehr gut, sind alle alltäglichen und kleinen, aber dabey auch zugleich wahren und characteristischen Züge verbannt. Darum erscheinen in unsern Lebensbeschreibungen die Menschen

eben so geschmückt, als auf der Bühne der Welt. Der
Anstand, nicht weniger streng in den Schriften als in
den Handlungen, erlaubt nichts mehr öffentlich zu sagen,
als dasjenige was er zu thun erlaubt, und da man die
Menschen nicht anders mahlen darf, als insofern sie re-
präsentiren, so kennt man sie in unsern Büchern nicht
mehr als auf unsern Theatern. Man mag hundertmal
Leben von Königen beschreiben, Svetone werden wir
doch nicht mehr haben.

Plutarch ist vortreflich in den kleinen Details, in
die wir uns nicht mehr einlassen dürfen. * Er hat eine
unnachahmliche Grazie, die großen Männer in kleinen
Sachen zu mahlen, und er ist so glücklich in der Wahl seiner Züge, daß oft ein Wort, ein Lächeln, eine Geberde,
ihm genügt seine Helden zu characterisiren. Mit einem
Einfall spricht Hannibal seinem Heere Muth zu; Agesi-
laus auf einem Steckenpferde macht erst daß wir den Sieger
eines großen Königes lieben; Cäsar, der durch ein armes
Dorf reist, und mit seinen Freunden kurzweilt, enthüllt,
ohne dran zu denken, den Spitzbuben, der dem Pom-
pejus nicht weiter als gleich seyn wollte; Alexander ver-
schluckt eine Arzeney und sagt kein Wort, das ist der
schönste Zug seines Lebens; Aristides schreibt seinen Namen
auf ein Loos, und rechtfertigt dadurch seinen Beynahmen;
Philopomen, mit abgelegtem Mantel, macht Holz in der
Küche seines Wirths. Das ist die wahre Kunst zu mah-

* Dürfen? warum nicht dürfen? Anm. d. H.

len. Die Physiognomie zeigt sich nicht in großen Zügen, noch der Character in großen Handlungen, in Kleinigkeiten entdeckt sich das Gemüth. — —

Das müßte doch sehr schlimm seyn, wenn die Kunst so zu mahlen ganz verlohren gegangen seyn sollte, wie der gute Mann hier behaupten will. Er hat Recht! sie ist die einzige die den Menschen zeigt, die einzige deren Geheimniß man belauschen muß. — Und siehe, darum zeig ich dir diesen Mann, nicht blos wie er öffentlich erscheint, sondern führe dich in sein Zimmer, seine Schlafstube, sein Kämmerlein. Im Feyerkleide und im Schlafrocke ist er Klopstock, aber ich seh ihn eben so lieb im Schlafrocke.

An Bernstorf.

Hast du jemals eine so lakonische Zuschrift gesehen? Sie ist deß, dem gewidmet wird, und deß, der widmet, gleich würdig. Denn wenn ein Mann an sich so groß ist, wie Bernstorf war, wie könnte den noch ein Rang, oder ein Titel, oder ein Orden erhöhen? Oder wenn ein Mann so groß ist, wie Klopstock, wie schwindet vor dem alle blos menschliche Würde dahin!

Mich dünkt, Güte des Herzens und Größe des Geistes nivelliren jeden Stand, und geben einzig Würde. Das übrige, ohne dieses, ist alles nur Flitterwerk, wofür sich der Rücken, nicht die Seele bückt.

Aber diese Würde hatte Bernstorf in ihrer ganzen Fülle. Wenn ich mir daher Bernstorf denke, so denke ich mir nichts weiter als den Menschen Bernstorf. Der einzige bloße Name sagt genung. Sprich: Es war ein Mensch, in jedem Betrachte des Worts, und du hast genung gesagt. Seines Gleichen seh ich nie wieder!

Ich wünschte mir, meine Liebe, Begeisterung des Dichters, die Wahrheit des Geschichtschreibers, Ciceros Beredsamkeit, und Tacitus Kürze, und ich weis nicht was alles für widersprechende Eigenschaften; dann wollte ich dir von Bernstorf erzählen. So aber muß ich von ihm schweigen. Denn das wenige was ich dir von ihm sagen kann, wird so gut seyn, als ob ich schwiege.

Mich soll verlangen ob nicht einmal jemand aufstehen wird, der das Leben dieses Mannes so beschreibt, wie es verdient beschrieben zu werden. Ob nicht einer kommen wird, in ihm das Bild eines Staatsministers zu entwerfen, das allen denen, die jemals Führer von Königen, Verwalter öffentlicher Geschäfte, Regenten von Königreichen gewesen sind, durch eine nackte, ungeschmückte, prunklose Erzählung, dessen was er gethan, wie er gelebt, wie er geredet, wie er gedacht hat, zum ewigen Beyspiele diene. Aber es gehört viel darzu. Ein Geschichtschreiber, der Herz und Einsicht vereinigt! Ein Mann der nichts blos von Hörensagen, oder aus Memoiren hat; er muß mit allen seinen Verbindungen, Handlungen, und Leben selbst in Verbindung gestanden

haben; er muß ſelbſt Bernſtorfs Freund geweſen ſeyn.
Daß er ihm ſchmeicheln würde, dafür hats keine Noth.
Einem ſolchen Urbilde kann durch eine Copie nicht ge-
ſchmeichelt werden.   Wenn man ihn kannte, ſo war
Grandiſon kein Ideal mehr.

Es war ein Mann der alles in ſich verband, was je
den Menſchen erhöht, den vortreflichſten Verſtand, ein
Herz ohne Gleichen, die aufgehellteſten und ausgebrei-
teſten Kenntniſſe, worinn nicht? und dieß alles in Thätigkeit und Leben geſetzt, auf einer der größten Bühnen,
der weiteſten Handlungskreiſe.   Der in Lagen aller Art,
im Glück und Unglück, bey gelungenen und fehlgeſchla-
genen Unternehmungen, in den größeſten und kleinſten
Scenen des menſchlichen Lebens ſich immer gleich blieb,
nach einerley Grundſätzen dachte, ſprach, handelte, und
das waren die Grundſätze der Religion! Ein Mann Gottes! Ein Gatte! ein Freund! ein Regent, ein Vater der
Armen, ein Helfer! ein . . . . .

Als Miniſter will ich ihn mit einem Zuge darſtellen:
Der im Kriege und der Staatskunſt gewiß große Friedrich nannte ihn das Orakel von Dännemark.

Ach! es iſt eine Wolluſt, einen großen Mann zu
ſehen.   Und ich zähle das zu den Erſten Glückſeeligkeiten
meines Lebens, daß es mir noch ſo gut wurde, ihn, den
ich, aus dem was blos das Gerücht, und Aller Zungen die
um ihn waren, mir ſagten, faſt anbeten mußte, noch

wenige Monate vor seiner Verklärung, so von Angesicht
zu Angesicht kennen lernte. Es sind nur noch dunkle
Züge von diesen Tagen in mir zurück geblieben, aber diese
Dunkelheit ist doch sehr hell. Man muß ihn nothwendig
gesehen, man muß ihn reden gehört haben. Ich lauschte
auf jedes Wort aus seinem Munde! denn die Rede
troff ihm wie Honig und Lenzthau davon herab.

Ich sah ihn eben in einem der wichtigsten und inter-
ressantesten Zeitpunkte seines Lebens. Er lebte als Privatmann in Hamburg, so allgemein dort geliebt, wie in
Coppenhagen. Er genoß diese einzige Belohnung seiner
Arbeit, seiner Mühen, seiner Tugend, so sehr als jemand
ihrer genießen kann. Da er fiel, (wiewol man eigentlich sagen muß, der Staat fällt, nicht so ein Mann, der
so dem Staate geraubt wird) war in der ganzen Nation
ein großes Misvergnügen. Nichts ist natürlicher, als daß
ein Minister, der immer von hundert Bitten nur eine ge-
währen kann, der sich, wenn er rechtschaffen handeln
will, gegen Vorurtheile, Cabale, Absichten des Eigen-
nutzes, der Selbstsucht, der Dummheit stemmen muß,
Feinde hat. Allein Bernstorf hatte beynahe keine Feinde.
Von der Hauptstadt bis in die entlegensten Provinzen
war alles eine Stimme über ihn, ein Lob, eine Bewun-
drung, ein allgemeines Klaggeschrey, lautes und leises
Gemurmel, da er abgieng. Die Großen waren misvergnügt, die Bürger seufzten, der Pöbel fluchte. Wo er
durchkam ward er wie im Triumphe empfangen, und be-

gleitet. Mit dieser Belohnung gestraft, zog er sich in
sich selbst zurück, und wartete besserer Zeiten.

Diese kamen denn auch. Er sollte es noch erleben,
daß das Reich, welches er so viele Jahre hindurch, durch
seine Negotiationen, seine Rathschläge, seine unwandel-
bare Weisheit, erhalten, vor dem Kriege, der Deutschland
verzehrte, bewahrt, und blühend gemacht hatte, wieder
in den Zustand gelangte, in den es so sehr durch ihn mit
war. Die kühne und große Revolution des siebzehnten
Januars gelang. Die Belialsbrut wurde zerstreut, und
Ruhe, Friede, Glückseligkeit wieder in Dännemark her-
gestellt. Eine Woche nachdem dieß geschehen war, sah ich
ihn in Hamburg.

Ich habe damals viel beobachtet und gelernt. Unter andern gesehen, wie Gerechtigkeit und Menschenliebe,
Selbstgefühl und Demuth in einem Manne wohnen können. Wie sprach er über diese Begebenheit! und was!
Es läßt sich nicht beschreiben. Wie so ein Engel der aus
einer höhern Sphäre auf den kleinen Erdkreis herabblickt!
Ueberhaupt wenn man vor ihm stand, und sich die ganze
Milde und Leutseligkeit seines Angesichts auf einen herunter goß, wars nicht anders als ob man in der Früh-
lingssonne stünde. — So hab ich ihn einige kurze un-
wiederbringliche Augenblicke meines Lebens gesehn.
Denn bald drauf, da er wieder in alle seine Würden
wäre eingesetzt worden, trat er von dieser kleinen Bühne
ab. Der König der Welt nahm ihn zu sich, den Trenen

über viel zu beſtellen; und er ſchied, und überließ das
Ruder das er geführt, ſeinem Vetter, der auch von Herz
und Geiſt und Namen ein Bernſtorf iſt! —

Ich habe dir nichts von ihm geſagt! Ich ſchreibe
auf ſeinem Grabſtein: Deſſen die Erde nicht wehrt war!

Doch wird dir, glaube ich, nunmehro der Inhalt
von Stintenburg deutlicher ſeyn. Wenn man weiß, wie
viel Bernſtorf Klopſtock geweſen iſt, ſo dürfte ein Kurzſichtiger ſich wundern, daß er nicht noch öfter und lauter
von ihm geredet hat. Aber auch nur ein Kurzſichtiger
dürfte das. Denn gerade von gewiſſen Dingen, die ihn
am nächſten und innigſten angehen, redt er am wenig-
ſten, nicht, weil er ſie zu wenig, ſondern weil er ſie zu
ſehr fühlt. Auf Metas und Bernſtorfs Tod hat er kein
Gedicht gemacht.

Auch ſeh ich in Stintenburg den Grund, warum er
nicht loben mag: Wenn man ſo von geliebten Perſonen
ſprechen ſoll, wie das Herz einen reden heißt, ſo glaubts
die Welt nicht. Es iſt von jeher zu viel Weihrauch an
Unwürdige verſchwendet worden. So wie ich gewiß
überzeugt bin, daß, wenn jemand meine Briefe an dich
über Klopſtock läße, er ſagen wird: Er hat Klopſtock ge-
ſchmeichelt! Die Liebe ſoll ja nun einmal blind ſeyn, ſie
ſey auch ſo ſehend als ſie wolle.

Inſel der froheren Einſamkeit,

Geliebte Geſpielinn des Wiederhalls,

Und des Sees, welcher itzt breit, dann, versteckt,

    Wie ein Strom rauscht an des Walds Hügeln umher

Selber von steigenden Hügeln voll,

    Auf denen im Rohr die Moräne weilt,

      Sich des Garns Tücke nicht naht, und den Wurm

      An dem Stahl, leidend mit ihm, ferne beklagt.

Flüchtige Stunden verweilt ich, nur

    An deinem melodischen Schilfgeräusch.

      Doch verläßt nie dein Phantom meinen Geist,

      Wie ein Bild, welches mit Lust Genius Hand

Bildete, trotzt der Vergessenheit!

    Der Garten des Fürsten verdorrt, und wächst

      Zu Gesträuch, über des Strauchs Wildniß hebt

      Sich der Kunst meisterhaft Werk daurend empor.

Neben dir schattet der Sachsen Wald,

    Ihr Schwert war entscheidend und kurz ihr Wort!

      Und um dich glänzten nie Schilde Roms,

      Sein Tyrann sendete nie Adler dir zu.

Ruhiger wandelt in deinem Thal

    Der Göttinnen Beste, die sanfte Hlyn;

      Es erscholl freudigen Klangs Brogas Lied

      Um dich her, mischte nicht ein Rufe der Schlacht.

Ueber dem stolzeren Strome nur,

 Der Ham sich vorüber ins Meer ergießt,

  Da umgab Blut den Bardiet, ließ den Speer

   Mit des Lieds schreckendem Dröhn fliegen der Gott!

Aber wenn Hertha zum Bade zog

 So eilete Braga zu dir zurück,

  So begann Lenzmelodie, ließ der Gott

   Bey des Lieds Tanze dahin sinken den Speer.

Seines Gesanges erschallet noch;

 Mich lehret er älteren deutschen Ton,

  Wenn entwölkt wallet der Mond, und es sanft

   Um das Grab derer ertönt, welchen er sang.

Horchend dem lehrenden Liede, säng

 Ich deinen Besitzer, o Insel, nähm

  Ich des Hains Flügel, und eilt', heilig Laub

   In der Hand, Ihm, wo der Ruhm ewiget, nach!

Aber entweihet, entweihet ward

 Die Leyer, die Flüge des Lobes flog!

  Dem Verdienst selten getreu, rauschte sie

   Um das Ohr deß, der an That dürftig, verschwand.

Leyer des heiligen Bardenhains,

 Verwünsche des Ehreverschwenders Lied,

Der zuerst, trügenden Glanz, den besang,
　　Und der That lautes Verbot, das nicht vernahm!

Kühner Verschwender, nun glauben sie
　　Der edleren Dichter Gesange nicht;
　　　(Es verweh; so wie der Staub jenes Maals,
　　　　Deß Ruin sinket, es geh unter dein Lied!)

Täuschen sich, kältere Zweifler noch,
　Wenn jeden geflügelten Silberton,
　　　Der den Schwung über des Hains Wipfel schwingt,
　　　　Das Verdienst dessen gebot, welchen ihr sangt.

Ja du Verschwender! nun strömt mein Herz
　　In höhern wahren Gesang nicht aus!
　　　Es verweh, so wie der Staub jenes Maals
　　　　Deß Ruin sinket, es geh unter dein Lied!

Bernstorf hatte drey Güter, Wotersen, Dre-Lützow und Stintenburg, auf denen Klopstock mit ihm wenige, aber sehr angenehme Tage seines Lebens zugebracht hat. Vornämlich hat er mir seinen Aufenthalt in Stintenburg gerühmt, das eine der herrlichsten romantischsten Lagen in einer bezaubernden meckelnburgischen Gegend haben soll. Du kannst dich mit deiner Phantasie erheben, das weis ich, aus dieser Ode dir die Lage zu denken. Es ist rund

C

um mit Wald voll heiligem Schauer umgeben, an einem
großen Landsee, in dessen Mitte eine kleine Insel das
Auge entzückt, und, wenn man ruft, Echos erschallen
läßt. Klopstock liebt die Echos sehr, und wenn er auf
den Fluren wandelt, sucht er stets welche zu entdecken.
Er hat eine starke Stimme, und wie manchmal haben
wir beyde unsre unter freyen Himmel zur Wetteiferung
angestrengt, in Sandholm, in Caden, in Bernstorf!

Insel der froheren Einsamkeit! Geliebte Gespielinn
des Widerhalls, und des Sees, der, bald breit, bald
versteckt und verengt, an des Walds Hügeln umher-
rauscht! des Sees, der selbst von steigenden Hügeln voll
ist, * auf denen die Moräne weilt, sich dem tückischen
Garne nicht naht, und den Wurm an der Angel zur
Aetzung ausgehängt, mit ihm leidend nur von fern beklagt,

Flüchtige Stunden verweil' ich nur an deinem melodischen Schilfgeräusch! Doch das Phantom, das du in mir
schuffst, verläßt nie meinen Geist! Es ist so unsterblich
wie ein Bild, das mit Lust die Hand des Genies bildete,
und das der Vergessenheit trotzt! Denn unvergänglich ist
ein solch Denkmal! Es geht alles unter auf der Welt,
nur die Werke des Genius nicht. Mag der Garten des

---

* Die feine Bemerkung der Natur! Einige Seen haben einen
flachen Grund, andere, wie der stintenburger, sind unter
dem Wasser voller Berg und Thal, und diese Verschiedenheit selbst bestimmt die Gattungen der Fische, die sich darinn nähren.

Fürsten verdorren, und zu Gesträuch werden; das Denk=
mal bleibt! über des Strauchs Wildniß hebt doch der
Kunst meisterhaft Werk, sich daurend empor!

Neben dir schattet der Sachsen=Wald! * (das wa=
ren Männer, unsre Ureltern! Ihr Schwert war entschei=
dend, und kurz ihr Wort!) Um dich glänzten nie Schilde
Roms! Die Tyrannen Roms sendeten nie Adler dir zu!

Ruhiger wandelte, nicht durch Kriegsgeschrey ver=
scheucht, in deinem Thal der Göttinnen Beste die sanfte
Hlyn. Es scholl da, mit freudigem Klange Bragas Lied,
und mischte keine Rufe der Schlacht mit ein. **

Ueber dem stolzeren Strome nur, jenseits der Elbe,
die Ham vorüber sich ins Meer ergießt, da machte der
Schlachtgesang, daß Feindes Blut floß, da ließ der Gott sei=
nen Speer mit des Liedes schreckendem Drohn fliegen! ***

---

* In der Gegend wo St. liegt, wohnten vormals die An=
gelsachsen.

** Hlyn war bey unsern Vorfahren die Göttinn der Freund=
schaft. Das macht unsern Vorfahren Ehre, daß sie sich
eine solche Göttinn wählten. Man konnte sie mit der Irene
der Griechen vergleichen. Braga, Bragar, war der
Gott der Dichtkunst, und weil er den Schlachtgesängen,
den Bardieten der Barden vorstand, auch des Krieges.
Der Apoll der Deutschen.

*** Die Römer sind mit ihren Eroberungen, ihren kurzen Er=
oberungen nie weiter als bis zur Elbe vorgedrungen. Sie
wurden blutig zurückgeschlagen. Wo also St. liegt, war
immer Friede, da konnte Hlyn und Braga ruhig wandeln.—

C 3

Aber wenn Hertha zum Bade zog, so eilte Braga, zu
dir, o geliebte Insel, zurück; dann begann Frühlings-
gesang! dann ließ der Gott bey des Lieds Tanze den Speer
dahin sinken! *

Es tönen. noch einzelne Laute von seinem Gesange
an deinen Ufern. ** Ich habe sie belauscht! Mich hat
Braga den ältern deutschen Ton gelehrt; in den Stunden der Weyhe, wenn der Mond entwölkt wallt, und
der alte Bardensang mir noch um das Grab der Urväter
zu ertönen scheint, denen Braga sang.

Diesem lehrenden Liede horchend, sang ich gern, o
Insel deinen Besitzer, meinen Freund! nähme die Flügel
der Sänger in den Hainen! eilte mit Eichenlaub in der
Hand, ihm dahin wo der Ruhm seinen Nahmen verewi-
get nach!

Ham: so nennt Klopst. die Gegend um Hamburg. Diese
Benennung ist noch übrig. Eine gewisse Gegend bey dieser Stadt heißt jetzo noch der Ham und Horn.

* Hertha, die Venus der Deutschen, badete sich jährlich,
und das war, so lautet die alte mythologische Sage, ein
großes, durch Tanz und Lieder gefeyertes Fest. Bisweilen
wurde es großen Helden erlaubt, bey diesem Bade gegenwärtig zu seyn; sie mußten aber gleich drauf sterben. Diese
Erlaubniß ward als die höchste Belohnung der Heldentu-
gend angesehen. Warum sollte der Dichter nicht dichten
dürfen, daß der stintenburger See gerade der sey, in dem
sich Hertha gebadet hat!

** Seines Gesanges erschallet noch) wie Luther sagt: Er
gab ihm etwas Honigseims.

Aber ich kanns nicht! ich mags nicht! Denn so oft ward die Leyer entweyht, die Flüge des Lobes flog! Selten dem wahren Verdienste getreu, rauschte sie um das Ohr Unwürdiger, die arm an Thaten, wie ein Schatten verschwanden! *

O Leyer des heiligen Bardenhains! Verwünsche solcher Ehreverschwender Lied! die zuerst, blos trügerischen Glanz besangen, und es nicht hören wollten, daß die Kleinheit der gleißenden Handlungen selbst, laut es verbot, sie zu feyern. **

---

* Ich brauche wohl nicht zu sagen, von wie vielen Dichtern auch leider unter uns! dieß gilt.

** Trügenden Glanz den besang — lautes Gebot, das nicht vernahm) Eine der schönsten Sprachkühnheiten, die Klopstock allein gewagt hat. Trügenden Glanz, den! lautes Verbot, das! das Pronomen nach dem Subjecte, .. es legt einen erstaunlichen Nachdruck darauf. Ich merke es an, weil ich weis daß viele kundige Leser dabey angestoßen sind. Er braucht dieß oft: Zum Er. im Meßias (16 Ges.)

  wir brachten dir Farren,
Sie mit Blumen der Thale geschmückt! wir brachten
  dir Widder,
Sie mit Laube! -
So auch an einem andern Orte, ebendas.
  Der aufgeschwollne Verbrecher
  Hatte seinem Volke die heiligen Rechte der Freyheit.
  Sie mit Schlangenentwürfen, und Klauen des Löwen entrissen.

C 3

Kühner Verschwender, nun glaubt man auch der wahren edlern Dichter Gesänge nicht mehr! — Ha! ich hasse dein Lied! Es verweh, wie der Staub vom Grabmaal der Unwürdigbesungnen schon verweht ist, dessen Trümmer schon dahin sinkt; so geh unter dein Lied!

Nun täuscht man sich; (man ist durch euer falsches Lob zu noch kälteren Zweiflern geworden!) hält euer Lied für Lug, auch dann, wenn selbst wahres Verdienst desjenigen, den ihr sangt, den erhabensten Flug heischt, und jeden geflügelten Silberton fodert, der seinen Schwung empor über des Hains Wipfel schwingt!

Und Bernstorf hat so viel wahres Verdienst! und ich mag und darf ihn nun nicht singen. Denn wird mans mir glauben wenn ichs thue?

Ja du Verschwender! nun strömt mein Herz
In höhern wahren Gesang nicht aus!
Es verweh, so wie der Staub jenes Maals
Deß Ruin sinket, es geh unter dein Lied!

Elisa, hätte doch niemals ein Dichter gelogen oder geschmeichelt, so schriebe vielleicht Klopstock Bernstorfs Leben!

———

Klopstock stand eben damals an einem Scheidewege seines Lebens. Er hatte das, was man gewöhnlich, mit einem sehr schiefen Ausdrucke, seine Studien vollenden nennt, gethan. Er mußte sich nun, da er kein Vermögen besaß, zu etwas bestimmen, und war im Begriff

in dieselbe Laufbahn zu treten, in die verschiedne andre seiner
Freunde und Bekannten, Ebert, Gärtner, Zachariä sich bege=
ben hatten, eine Stelle am Karolino in Braunschweig anzu=
nehmen, wozu ihm Jerusalem mit seinen Einflüssen am
Hofe behülflich seyn wollte, und ihm auch von freyen
Stücken den Antrag gethan hatte. Laufbahn, sage ich?
das ist ein sehr uneigentlicher Ausdruck. Für ihn würde
das gewiß eine Bahn sehr langsames Ganges gewesen
seyn, denn entweder der Dichter hätte in ihm den Ge=
lehrten, oder der Gelehrte den Dichter verschlingen müssen.

Fragst du mich: warum? so ist fürwahr die Antwort
sehr leicht. Darum, weil ein jeder, der ein Mann ist,
die Sache die er seyn will, ganz seyn muß, und weil die
Eigenschaften der Seele, welche den einen und den an=
dern zu irgend etwas Vollkommenem bilden, so widerspre=
chend sind, daß sie einander gerades weges aufheben,
und fast niemals, wenn man sie vereinigen will, fehlen
können, ein unseelig Mittelding von beyden hervorzu=
bringen; darum, weil der, der als abhandelnder Gelehr=
ter, und als ein Mann der bürgerlichen Welt groß seyn
will, beständig mit dem ruhigen Verstande, derjenige
aber, der als darstellender zu nützen und zu strahlen hoft,
mit dem Herzen und den Leidenschaften wirksam seyn muß.
Aus dieser gewiß ungezweifelten Erfahrung löst sich denn
auch das Räthsel, warum von jeher zwischen diesen bey=
den Gattungen von Wesen, ein so tröstlicher Krieg ge=

führt worden ist; wobey nach dem Urtheile des größern, wiewohl nicht des denkendern Haufens, der letztere immer verlohren hat; weil er der kleinere Haufe gewesen ist.

Denn was, meine Liebe, soll der Gelehrte? Er soll in einer Bahn fortschreiten, in der alles für ihn schon so gut wie vorausbestimmt und festgesetzt ist. Er ist genöthigt sich in tausenderley Kleinigkeiten einzulassen, ohne Aufhören Kenntnisse, oft sehr geringfügige, unwissenswürdige, die aber als Grundlage zu größern nothwendig sind, einzusammeln, zu ordnen, zusammen zu setzen. Tausend Bücher zu lesen, sie mit der schärfsten Aufmerksamkeit zu prüfen, zu excerpiren, zu sceletiren, die ihm sonst nicht nöthig seyn würden. Je ruhiger und gelassner dazu sein Geist, je sanfter seine Leidenschaft, je gemäßigter seine Einbildungskraft ist, desto besser wird ihm das von Statten gehn. Je mehr er sich von dem lebendigen Antheile, den das Herz an Begebenheiten nimmt, von der Freude, von der Traurigkeit, von der Liebe, von was nur irgend die Seele bewegt oder erschüttert, zurückzuziehen weis, desto zweckmäßiger für ihn. Er hat seine täglichen vorgeschriebnen abgemeßnen Geschäfte, die zwar alle mit seinen übrigen Beschäftigungen homogen sind, sie erleichtern, sie zur Reife bringen, aber dem ungeachtet ein gewisses Ebenmaß, eine gewisse gleiche Stimmung aller Kräfte zu diesem Entzwecke fodern. Da ferner die Art, wie er arbeitet nicht ruckweise seyn darf, und überhaupt, so zu sagen, eben wie sein Nutzen, in der Exten-

sion nicht Intension bestehet, so muß er so viel möglich
ununterbrochen arbeiten, auf jeden Augenblick seiner Zeit
geitzen, und aus der Welt sich gern in sein Studierzim-
mer zurück ziehen. Thut er das und hat dann doch Licht
im Kopfe und Wärme im Herzen, so wird er ein guter,
ein nützlicher, ein verehrungswürdiger Mann seyn, und
in seiner Classe ein eben so großer, als es der Dichter
auf einem ganz verschiedenem Wege in der seinigen wird.
Ueber den Vorzug aber dieser beyden Classen zu streiten,
ist eine der thörlichsten Controversen, die ich kenne, weil,
sie zu entscheiden, nichts geringers als der Blick der All-
wissenheit aufs Ganze erfodert würde, weil allemal jeder
Kaufmann seine eigne Waare lobt, sich selbst für den
nützlichsten hält, ein Mensch ist, seine Lieblingsbeschäf-
tigung vorzieht, und über alles andre setzt, und dieß mit
den scharfsinnigsten unwiderleglichsten Gründen zu unter-
stützen weis; daher auch hier nichts mehr zu empfehlen
ist, als die liebe Toleranz; daß man jedem überlasse,
nach seinen Einsichten und Gewissen zu handeln, seinem
innren Berufe zu folgen, und den vortreflichen und höchst-
billigen Vorschlag zur Güte anzunehmen, den ein Alder-
mann von gleich großer Redlichkeit des Herzens als Weisheit und Einsicht des Verstandes, bey Gelegenheit des
verstümmelten Gesetzes von der Eule und der Nachtigall,
gethan hat: "Wir wünschen beyden Partheyen fortdau-
rende Neigung zur Friedfertigkeit. Denn so viel scheint

C 5

uns ausgemacht zu ſeyn, daß die deutſchen Gelehrten,
auch dadurch vor den Gelehrten anderer gebildeten Nationen einen Schritt weiter auf der großen gemeinſchaft-
lichen Bahn der Ehre thun würden, wenn ſie nicht gleich
ihnen, durch ihr Betragen gegen einander, die Bande
auflößten, durch welche die Wiſſenſchaften ſelbſt vereinigt ſind. „

Hingegen der Dichter, was iſt der, wenn ich mir
ihn denke in ſeiner Kraft? Von allem dieſen das Gegentheil! das wunderbarſte der Geſchöpfe. Seine Seele
ſcheint eine Menſchenſeele zu ſeyn wie andre, und iſts
doch nicht. Von der Flamme des Himmels durch-
glüht, ſcheint er auf Erden zu leben, und lebt im Aether.
Eben die Kräfte des Geiſtes wie jener, aber ſo ganz anders modificirt! Sein Verſtand iſt hell, ſcharf, und wahr.
Er ſieht die Dinge und ihre Verhältniſſe, aber anſchau-
end wie ein Gott, nicht ſymboliſch. Er entwickelt die
Ideen nicht, ſie ſind ſchon entwickelt! Er geht nicht
langſam, und Schritt vor Schritt, von einem Begriffe
zum andern, von einem Schluſſe zum andern fort, ſondern eilt, wie auf Flügeln des Sturms. Seine Bahn
iſt die Bahn eines Cometen, durch die Weltſyſteme durch.
Mit einem Worte: er ſchaft.

Ich vermag ihm nicht auf ſeinem Wege zu folgen.
Wer könnte ſich mit dieſer Phantaſey erheben! Die in
einem Augenblicke vom Himmel zu der Hölle, vom Schöpfer zum Geſchöpfe, ſich aufſchwingt und niederſteigt!

Die jede Minute die disparatesten Dinge vergleicht, die entferntesten Aehnlichkeiten wahrnimmt, nie geht, stets springt, von Gegenständen der Speculation auf Gegenstände der Empfindung, und umgekehrt! Bald im Himmel und bald auf der Erde, unter den Orionen und Plejaden, bey den Blumen des Frühlings, und dem Eise des Winters. Die keine Ruhe noch Rast kennt, im Schlafen wacht und im Wachen träumt, stets Ideale sieht, Welten mit leichter Mühe baut, und zertrümmert, und aus den Trümmern neue hervorgehn heißt.

Sein Buch sind nicht menschliche Bücher, sondern die Natur und Gesellschaft. Er liest auch, aber wie? Von Fleiß weis er nichts.* Die gewöhnlichen Kenntnisse ekeln ihn. Es muß neu, es muß groß, es muß selbst Schöpfungswerk seyn, was er mag. Dann liest er nicht,

---

* Nichts? das ist sehr unbestimmt gesagt! Als wenn diese beständige Beschäftigung der Seele mit Einem Gegenstande nicht auch Fleiß wäre? oder als ob es eben auf den Ort ankäme, wo man arbeitet? — Ich weis dergleichen unbestimmte und ungereimt scheinende Aussprüche, von welchen viele Stellen dieses wunderbaren Briefwechsels wimmeln, mit nichts anders zu entschuldigen, als mit dem, was mir Tellow zur Antwort gab, da ich ihm sie einmal vorhielt. — Mein Ausdruck ist nun einmal so, sagte er. Man wirft in der Eile des Denkens und Schreibens manches Allgemeine hin, und überläßt es dem, der Sinn hat, gehörig zu limitiren. Elisa verstand mich auß halbe Wort, meinen Ernst, meinen Scherz, meine Paradoxien, und wer mich nicht verstehen kann wie sie, mit einem Körnlein Salz, für den schreibe ich nicht. Anm. d. H.

dann verschlingt er. Sein Geist eilt seinen Augen zuvor.
Bey jedem Gedanken, der ihm dargestellt wird, hat er
selbst tausend. Er wendet gleich alles an, bezieht alles
auf sich, mit der Unruhe, die sein unterscheidender Character ist.

Er soll malen, und die Natur. So muß er sie denn
kennen. Darum liebt er sie so! Darum wandelt er am
Bache und weint. Darum geht er aus im Lenze auf den
Blüthengefilden, und sein Auge fließt von Thränen über.
Ihn erfüllt die ganze Schöpfung mit Wehmut und Wonne.
Er irrt umher wie ein Träumender vom Gebirge ins Thal.
Wo er einen Bach sieht, verfolgt er seinen Lauf, wo ein
umkränzter Hügel sich erhebt, muß er ihn erklimmen.
Ein Fluß ... ach könnte er mit ihm in den Ocean stürmen! Ein Felsen ... o säh er von seinen zackichten Spi-
tzen in die umliegenden Fluren hinab! Ein Falke schwebt
über ihm .. ach hätte er seine Flügel, und schwebte so
viel näher an den Sternen! Stunden lang steht er bey
einem Blümchen still, betrachtet ein Moos, wirft sich
ins Gras nieder, umkränzt seinen Hut mit Kornblumen
und Eichenlaub. Er geht aus in Mondenschein und besucht die Gräber. Da denkt er sich Tod und Unsterblichkeit und ewiges Leben. Nichts hält ihn auf in seiner Betrachtung. Es ist nichts bey ihm ohne Beziehung. Alles
Bild, jedes sichtbare Ding wird von einem unsichtbaren
Gefährten begleitet, er fühlt alles um sich, so warm, so
ganz, so nahe!

Wenn er in der Gesellschaft ist, so ist er nicht minder wunderbar. Denn anstatt zu genießen, beobachtet er seinen Genuß. Da sieht und vergleicht er die Charactere, hat Acht mit Absicht auf die Handlungsweisen. Er sondert das Gewöhnliche von den Seltnen, prägt dieses sich tief ein, faßts, und verwandelts in sein Eigenthum. So lernt er wie Menschen handeln und denken, in was für Worte sie ihre Empfindungen kleiden, da studirt er den Dialog. Da lernt er den Ausdruck fremder Leidenschaft, unbekannter Gefühle, vom Throne bis zum Spinnrad. Da belauscht er Witz der Toilette und der Kirmeß; hört das Gespräch der Hofdame und der Bauermagd, wird ein Vertrauter des Königs und des Bettlers. Wozu ers einmal brauchen wird, weis er noch nicht, aber er beobachtet; er nimmt da einen Zug und dort, verwahrt ihn in seinem Schatze; genug .. da lernt er, das ist sein Studium. So wurden die Richardsone, die Fieldinge, die Sternen gebildet.

Und was endlich die Hauptsache bey seinem künftigen Gebäude ist, was allem ein Leben ertheilen muß, die wahre innige Empfindung .. die schöpft er aus seinem eigenem Herzen. Wenn er uns erschüttern soll, so muß er selbst erschüttert seyn. Wenn er Leidenschaften darstellen muß, so muß er sie selbst empfunden haben. Hier darf er nicht mahlen, hier muß er selbst das Gemählde seyn. Will er mich weinen machen, so muß er selbst geweint haben. Will er Christengefühl entflammen, so muß er

mehr als ein gewöhnlicher Chriſt ſeyn! Will er Petrarca
werden, ſo muß er eine Laura haben.

Wenn er nun endlich weis was er will, und ein
Werk empfangen hat, das ſeiner wehrt iſt, welch ein ſon⸗
derbarer Schmerz der Arbeit, welche Wehen der Geburt!
Ein beſtändiges, unabläßiges Hinhängen der Seele nach
dieſer Schöpfung, ein langer ſüſſer und bitterer Traum!
Wie er immer bildet und knetet, und verwirft und an⸗
nimmt! Zwar anfänglich iſt das ſüß. So von goldnen
Ideen umflattert zu ſeyn, tauſend neue Gedanken, neue
Anwendungen, neue Bilder, heimliche Empfindungen
zu haben, das ſind die Wolluſte der Empfängniß! Aber
dann wenn er die Feder ergreift, auch auſſer ſich ſeine
Schöpfung darzuſtellen, ſo fühlt er die Schwierigkeit.
Dann kömmt die Angſt der Erfindung, dann wärmt ihn
ſein Feuer nicht mehr, dann brennts ihn. Oh! des Mis⸗
vergnügens, wenn das was er ſo ſüß ſich dachte, nun
auf dem Papiere ſteht, und ihm da ſo kahl, ſo gewöhn⸗
lich, ſo wenig dünkt. Wenn er alle ſeine Sünden ſich
denkt, fühlt, jeden kleinſten Fehler, den kein Kunſtrich⸗
ter zu entdecken vermag, fühlt, den unendlichen Abſtand
von der Idee zur Ausführung! Wenn ihm die Sprache
zu arm wird, wenn er neue Wörter ſchaffen, neue Wen⸗
dungen erſinnen, tauſend Federn haben möchte, alle
ſeine Phantaſien auszugießen, mit tauſend Zungen reden!
Sein Kind geht wohl aus in alle Welt, aber was ihm
Geburt und Erziehung gekoſtet hat, weis nur er.

Daher läßt sich denn alles Uebrige erklären. Der Mensch ist nur Mensch und die Eingeschränktheit ist sein Erbe. Wenn er ein Dichter seyn soll, so kann er nichts weiter seyn. So ists. Thorheit ihm vorzuschreiben, wie er arbeiten soll, und wenn, und was, und wie viel. Er arbeitet nicht wenn er will, oder wenn er kann, sondern wenn er muß. — Und da das sehr schwer den Menschen einwill, so wird er auch darum so leicht ein Stein des Anstoßes. Man umzäunt ihn von allen Seiten mit Regel und Vorschrift. Aber er bricht durch durch alles. Seiner Kunst opfert er sein Leben, seine Ruhe, seinen Schlaf, sein Brodt. Das ist kein Verdienst an ihm, es ist Drang, es ist Muß. Man gehe die Lebensgeschichte aller dieser Männer durch, und man wird immer diese Erfahrungen mehr oder weniger bestätigt finden.

Ist dieß das Bild eines Dichters, (wies denn das ist!) so sage selbst, wie könnte ein Dichter ein Gelehrter seyn, oder die Dienste eines Gelehrten thun? Man dürfte mich mit Beyspielen widerlegen wollen, und ich weis welche du im Sinne hast. Gut! Aber Ausnahmen sind keine Einwendung gegen die Regel, zu geschweigen, daß ich die Ausnahmen leugne. Denn ich redte itzt nur von solchen Dichtern, die das darstellen, was man ein Werk von langem Athem nennt; auf andre paßt meine Beschreibung nicht. Zudem paßts alles auch nicht auf die, die nur in einem gewissen Zeitpuncte ihres Lebens Dichter waren, und hernach die Leyer an die Wand häng=

ten, um der bürgerlichen Gesellschaft zu leben. Das
Letzte ist auch edel und groß, und hat seinen sichtbaren
Nutzen, aber von der Zeit an hörten sie auf Dichter zu
seyn. Seit Lessing als Bibliothecar die wolfenbüttler
Seltenheiten durchkramt, bleibt er immer der Ersten
einer in seinem Fache. Aber seit er keine Emilien mehr
macht, hat er aufgehört Deutschlands Schackespear zu
seyn. O daß der Brutus so eingeschlummert ist!

Da wars denn also eben zu rechter Zeit, daß der
Genius von Deutschland Bernstorfen erweckte, diesen
weit denkenden Mann, der aus dem ersten Anfange von
Klopstocks Werk seine ganze zukünftige Größe vorher sah.
Es waren von ihm nur erst drey Gesänge des Messias
in den bremischen Beyträgen gedruckt, diese hatte Bernstorf gelesen. Er sprach darüber mit seinem Freunde
Moltke, der der geliebteste Freund und Oberhofmarschall
bey Friedrich dem Fünften war. Sogleich entschlossen
sie sich diesem besten der Könige —, von dem muß ich
Dir noch viel erzählen! — Klopstock zu empfehlen.
Beyde schrieben an ihn, er möchte es noch anstehen lassen, sich zu etwas zu bestimmen, sie hoften für ihn in
Coppenhagen einiges zu thun, und luden ihn ein zu ihnen zu kommen. Dieß machte daß Klopstock seine Reise
beschleunigte, und sich nicht so lange in der Schweitz auf-
hielt, als er gesonnen war. Er ging ab nach Coppenhagen, wo man ihn mit offnen Armen empfing, und ein
anständiges Gehalt gab, das ihn der Nahrungssorgen

überhob, und in den Stand ſetzte, ſeine ganze Muſſe dem
großen Geſange zu widmen, zu dem er ſich früh beſtimmt
hatte. So wurde der König der Dänen der Pflegevater
der deutſchen Muſe, und that etwas, wovon unſere Fürſ-
ſten .... doch über dieſes Capitel ein andermal!

Auf dieſer Reiſe war es, daß er ſeine Meta kennen
lernte, und der Grund zu der Liebe gelegt wärd, die
durch ſo viele Denkmahle unſterblich geworden iſt, und
wohl einen der wichtigſten Einflüſſe auf ſeinen Character
und ſeinen Genius gehabt hat. Cidli! — — O wie
ſchlägt mir mein Herz bey dem Nahmen! Dieſe Periode
iſt wohl in eines jeden Menſchen Leben die wichtigſte, aber
was muß ſie nicht in eines Dichters Leben ſeyn, dieſe
zweyte Geburt der Seele, in der ſie wie die Erde im Frühlinge, alle ihre verborgenſten Keime entfaltet und zur
Reiſe bringt. Wenn Er einmal ſein Leben ſchreibt, ſo
wünſche ich, daß er ſich über nichts ſo ausbreiten möge,
als über dieſe Geſchichte. Aber wird ers zu unſerer Befriedigung thun? Ich zweifle! Er hat nichts davon aufgeſchrieben, alle ihre Briefe ſind verlohren oder verbrannt;
und wie kann das bloße Gedächtniß dieſe einzelnen zerſtreuten Züge wieder zu einem Ganzen zuſammen ſetzen?
Ach! es war eine Liebe! Es waren zwey Seelen, ganz
für einander geſchaffen, ſo ſchnell, ſo wunderbar zuſammen geführt! — — Die Veranlaſſung, und ihren erſten
Anfang hat er mir einmal an einem Herbſtabende erzählt.

D

Er kam auf seiner Reise durch Braunschweig. Hier traf er seinen lieben Giseke an. Giseke war ein Hamburger und kannte Meta als Freund. Meta war eine der enthusiastischsten Leserinnen von Klopstock, seine ganze Bewundrerinn. Sie hatte den Messias zuerst aus einer Papillotte kennen lernen. Ein Umstand den ich von ihrer Schwester weis. Sie kömmt zu einer Bekanntinn, sieht geschnittene Haarwickel liegen, nimmt eine in die Hand, liest ein paar Zeilen — ey! was ist das? ruft sie aus. — Oh! dumm Zeug, sagt die Andre, es kanns kein Mensch verstehen! — So? sagt sie; sie verstehts gleichwohl, erkundigt sich näher nach dem Buche und dem Manne, läßts holen, verschlingts, von dem Augenblicke an kömmts ihr nicht von der Seite, Tag und Nacht liest sies, weidet ihre ganze Seele daran, denkt, spricht, schreibt von nichts als von Klopstock; und besonders will sie durch Giseken viel von ihm wissen. Da nun Giseke Klopstocken sieht, sagt er zu ihm: Wenn Sie auf ihrem Wege nach Hamburg kommen, so müssen Sie ein Mädchen kennen lernen, eine Mollern, die sich sehr freuen wird, Sie zu sehen; ich will Ihnen einmal einen Brief von ihr zeigen. Klopstock nimmt den Brief, liest ihn; er enthält beynah nichts als Critiken über den Messias. — So? sagt Klopstock, indem er den Brief scherzend zurück giebt, sie wollen mir da ein Mädchen wehrt machen, und zeigen sie mir gerade als meine Tadlerinn? Thut nichts! antwortet Giseke kalt, lernen Sie sie nur kennen, ich will Ihnen eine Adresse an sie mitgeben. — Klopstock nimmt die Adresse, wie man so ein Empfehlungsschreiben zu nehmen pflegt, und reist ab.

Er kömmt nach Hamburg, vermuthet nichts. Nun war seine Hauptidee da, Vater Hagedorn von Person kennen zu lernen. Indeß, da er den nicht gleich sprechen konnte, so fällt ihm seine Adresse ein. Er schickt hin, läßt sich melden. Meta ist eben mit ihrer Schwester beschäftigt, Wäsche zusammen zu legen und zu platten. Wie sie die Adresse kriegt: Klopstock! ruft sie aus, und springt hoch auf vor Freude. Je wir können ihn doch unmöglich so aufnehmen, sagt die Schmidten, das ganze Zimmer ist ja unordentlich und ... Ey was? sagt Meta — Klopstock! Er soll den Augenblick kommen! (sieh! eben wie ich das schreibe, Elisa, fahr ich auf vor Freude wie Meta und zerschlage meine Pfeife in tausend Stücken! Da liegen die Scherben umher!) Die Wäsche wird holter de polter in die Kammer geräumt, und dem Bedienten gesagt: Sein Herr.... je eher, je lieber! —

Sein Herr langt denn da an, und diese beyden längst schon mit einander vertrauten Seelen... ja das beschreibe dir ein anderer! Drey Tage blieb er nur da, konnte nicht länger, Bernstorf hatte ihn zu freundschaftlich geladen; aber in den drey Tagen waren ihre Seelen auf ewig vereinigt. Es ward den andern Tag ein hamburgisches Gastmahl angestellt, Meta drängte sich an ihn, jedes Wort war ihr Gold, interreßirte ſich für ſein Leben, ſeine Schriften ſeine Schickſale, frug ihn nach Fanny, ſie wurden warm, ſie fühlten im Voraus was ſie einander ſeyn könnten, er zerkrümelte einmal in Gedanken, mit ihr ſprechend, einen Teller voll Zuckerwerks, ſie nahm da er weggegangen war den Teller, ſetzt ihn in einen Schrank, verwahrte ihn wie ein Heiligthum, und gab lange nach= her, wenn Freunde ſie beſuchten, eine Priſe von den zer= brockten Macronen — "die hat Klopſtock zerbrockt!„ — Hagedorn wurde beynahe vergeſſen — er mußte weg, eine Correſpondenz ward feſtgeſetzt, und ehe er über die Velte iſt, hat er ſchon dreymal von den Stationen an ſie geſchrieben.   So ging das zu.

Der Nachahmer.

Schrecket noch anderer Geſang dich, o Sohn Teutons,
  Als Griechengeſang, ſo gehören dir Hermann,
    Luther nicht an, Leibniz, jene nicht an,
      Welche des Hains Weyhe verbarg,

Barde, ſo biſt du kein Deutſcher! ein Nachahmer
  Belaſtet vom Joche, verkennſt du dich ſelber!
    Keines Geſang ward dir Marathons Schlacht!
      Nächt' ohne Schlaf hatteſt du nie!

Zwey kurze ſtolze Strophen!

Sohn Teutons! Deutscher Dichter, wenn du glaubst,
daß irgend eine Nation die, in der Dichtkunst fürchter=
lich sey, als die Griechen, so bist du, Kleinmüthiger,
deines Volkes nicht wehrt, nicht wehrt der großen Män=
ner unsers Vaterlands, Hermanns, Luthers, Leibnizens und
den alten Barden, ach! deren verlohrnen Gesänge die
Weyhe des Hains verbirgt! Barde, so bist du kein Deut=
scher! als ein knechtischer Nachahmer, verkennst du dich
selber! Keines edlen Dichters Gesang ward dir was Ma=
rathons Schlacht für den Themistocles ward!* Nächte
ohne Schlaf hattest du nie!— Geh nur hin und bewun=
dre Voltairen!

Ich würde dich längst schon gebeten haben, an ihn zu
schreiben, wenn ich nicht zuverläßig wüßte, daß du
keine Antwort wieder bekämst. Denn auf der Welt haßt
er nichts so sehr als das Briefschreiben. Das ist nun
einmal seine Schoossünde, oder wie er davon denkt, seine
Schoostugend. Es mag denn auch wohl bey ihm Tugend
seyn, denn wenn er sich das nicht einmal zur Regel ge=
macht hätte, keinen freundschaftlichen Brief zu schreiben,

---

* Der edle große Sieg, den Miltiades über die Perser ge=
wann, entflammte den Themistocles so sehr, daß er nach=
her den Xerxes bey Salamin eben so schlug.

und zu beantworten, so würde sein ganzes Leben nur eine lange Correspondenz seyn müssen. Es läßt sich nicht sagen, wie sehr diese kleinen Geschäfte des menschlichen Lebens den Geist zerwirren und von großen anhaltenden Arbeiten des Genies abziehen. — Doch muß ich Ge= schäftsbriefe abrechnen, und wenn er jemand einen Dienst erweisen kann. Darinn ist er so genau und ordentlich als einer.

Die Materie des Briefschreibens ist eine der gewöhn= lichsten seines Scherzes.

Besonders müssen die Stolberge viel drüber herhal= ten. Das Briefschreiben ist der ganzen Familie wie an= geboren, besonders aber dem ältesten, und Augusta. Feder und Dinte! ist das erste wornach der ruft, so bald er in ein Wirthshaus tritt. Zuhause, auf Reisen, wo es auch sey! Schreib ihnen, und du hast den ersten Posttag Antwort. Augusta — vom Morgen bis in Abend laufen die Depeschen bey ihr ein, wie bey einem Staatsminister, und werden sorgfältiger abgefertigt, als in einer Can= zelley.

Letzthin allegorisirten wir darüber. Wo ist nun die Gräfinn wieder? fragte Klopstock.

Oben. Schreibt Briefe.

Das ist wahr! Die Stolbergs! — Sie liegen am Briefschreiben recht krank darnieder.

Freylich, sagt ich, es ist eine Krankheit zum Tode.

Kl. O! sie sind schon gestorben.

Ich. Und begraben darzu.

Kl. Was? Sie sind schon auferstanden.

Ich. Ey! Sie sind schon seelig.

Kl. Ja nun kann ich nicht weiter.

Drauf kam sie herunter. Wir sprachen, sagt ich, eben zusammen von Ihrer Krankheit, Begräbnisse, Auferstehung und Seeligkeit.

Wie so?

Ja, gestehen Sies nur, sagte Klopstock, Ihr Briefschreiben ist doch eine wahre Krankheit, eine Seuche, eine Schwachheit, liebe Gräfinn.

Sie mögen aber doch wohl selbst gern Briefe haben?

Das mag ich wohl, sagte er. — O das Briefelesen ist eine vortrefliche Sache; aber das Schreiben! — Es ist eine Schwachheit, ein Fehler, sag ich, aber eine liebenswürdige Schwachheit! — Wenn sich die Briefe selbst schrieben!

Sponda.

Der Deutschen Dichter Hainen entweht
Der Gesang Alcäus und des Homer.
Deinen Gang auf dem Kothurn, Sophokles,
Meidet, und geht Jambanapäst.

Viel hats der Reitze, Cynthius Tänz
Zu ereilen, und der Hörer belohnts;

D 4

Dennoch hielt lieber den Reihn Teutons Volk,
Welchen voran Bragor einst flog.

Doch ach verstummt in ewiger Nacht
Ist Bardiet! und Skostiod! und verhallt
Euer Schall, Telyn! Triomb! Hochgesang,
Deinem sogar klagen wir nach!

O Sponda! rufet nun in dem Hain
Des ruinentflohnen Griechen Gefährt,
Sponda! dich such' ich zu oft, ach! umsonst;
Horche nach dir, finde dich nicht!

Wo, Echo, wallt ihr tönender Schritt?
Und in welche Grott' entführtest du sie,
Sprache, mir? Echo, du rufst sanft mir nach,
Aber auch dich höret sie nicht.

Es drängten alle Genien sich
Der entzückten Harmonie um ihn her.
Riefen auch, klagten mit ihm, aber Stolz
Funkelt' im Blick einiger auch.

Erhaben trat der Daktylos her:
Bin ich Herrscher nicht im Liede Mäons?
Rufe denn Sponda nicht stets, bilde mich
Oft zu Homers fliegendem Hall.

Und hörte nicht Choreos dich stets?

  Hat er oft nicht Sponda's schwebenden Gang?

    Geht sie denn, Kretikos tönt's, meinen Gang?

    Dir, Choriamb, weich' ich allein!

Da sang der Laute Silbergesang

  Choriambos: Ich bin Smintheus Apolls

    Liebling! mich lehrte sein Lied Hain und Strom,

    Mich, da es flog nach dem Olymp.

Erkohr nicht Smintheus Pindarus mich

  Anapäst, da er der Saite Getön

    Lispeln ließ? Jambos, Apolls alter Freund,

    Hielt sich nicht mehr, zürnt', und begann.

Und geh nicht ich den Gang des Kothurns?

  Wo ... Baccheos schritt in lyrischem Tanz:

    Stolze, schweigt! Ha, Choriamb, töntest du,

    Daktylos, du, tönt' ich nicht mit?

Mit leichter Wendung eilten daher

  Didymäos, und Päone daher:

    Flöge Thyrs' und Dithyramb schnell genug,

    Rissen ihn nicht wir mit uns fort.

Ach, Sponda! rief der Dichter, und hieß

  In den Hain nach ihr Pyrrhichios gehn.

D 5

Flüchtig sprang, schlüpft' er dahin! Also wehn
Blüthen im May Weste dahin.

Denn, Sponda, du begleitest ihn auch
Der Barden vaterländischen Reihn,
Wenn ihn mir treffend der Fels tönt', und mich
Nicht die Gestalt täuschte, die sang.

Sasso * kam zu mir, der selbst Dichter ist, und einer von den Köpfen die Klopstock verstehen müßten, wenn er sich ohne Studium verstehen ließ. Er traf mich eben bey den Oden, o, sagt ich, nehmen Sie doch einmal Sponda, lesen Sie sie, und sagen mir ob und wie Sie sie verstehen?

Ja das werde ich vielleicht nicht können. — Nun so versuchen Sie doch wenigstens. — Er thats, setzte seine Brille auf, und durchlief sie mit dem kleinen feuervollen Auge.

Fertig? Nun was sagen Sie. (als er sie gelesen hatte.)

Der Sinn soll wohl ohngefähr seyn, daß wir die Sponden nicht haben.

Richtig! Aber: wohl! ohngefähr! das ist mir nicht genug. Erklären Sie mir die ganze Ode, detailliren Sie

---

* Sasso. — Bey einigen mit Fleis veränderten Nahmen, würde sich der Leser vergebens bemühen die Personen zu errathen. Anm. d. H.

mir den Gang der Gedanken, entwickeln Sie mir genau den so sehr bestimmten Sinn und gedachten Sinn jeder einzelnen Strophe. Denn so geht es den besten scharfsichtigsten Lesern Klopstocks, sie sehen wohl Licht schimmern, aber das volle Licht leuchten selten.

Das konnte er doch nicht.

Nun so setzen Sie wieder auf Ihre Brille, sagt ich, und lassen Sie uns einmal die Ode zusammen analysiren; wie das nur irgend ein Grammatiker thun könnte, oder ein Professor der seinen Zuhörern ein Collegium drüber lesen wollte. Stellen Sie sich vor, hier wäre eine Anatomie. Wir wollen den schönen nervenvollen fleischigten Körper seciren.

Aber ehe wir die Ode vornehmen, muß ich Ihnen ein Paar Anmerkungen machen, die zum Verständnisse und den Inhalte des Ganzen fast unentbehrlich sind.

Erstlich: die Griechen und Römer können mehr Spondäen machen als wir. Durch die Position z. E. werden bey ihnen Sylben lang, die es bey uns nicht sind, noch werden können, weil bey uns (und das ist an und für sich eine Vollkommenheit unserer Sprache) die Position die Quantität nicht verändert. Daher wir in unserm Hexameter statt des Spondäen Trochäen mit einmischen, und einzumischen gezwungen sind. Dadurch hat nach Klopstocks Meynung * der homerische Vers, oder

* Siehe seine Abhandlung übers Sylbenmaaß, vor dem 3ten Bande des Messias.

der Hexameter der Griechen und Römer, einen Vorzug
vor dem unsrigen, weil der langsame Spondäus die
Schnelligkeit des Dactylus mehr aufhält, als der kür=
zere Trochäus. Unsere Dichter können zwar diesem Man=
gel dadurch gewissermaaßen abhelfen, daß sie sich bemü=
hen Gebrauch von den Spondäen zu machen, die wir
durch Hülfe unserer einsylbigen Worte haben können.
Klopstock hat darüber auf eine erstaunliche Art in den
letztern Theilen des Messias raffinirt.* Aber der Man=
gel ist doch, und bleibt, und den beklagt der Dichter in
dieser Ode.

Zweytens: was seine Betrübniß vermehrt, ist: Daß
allem Vermuthen nach, ehemals in unserer Sprache, be=
vor sie durch so unendliche Revolutionen seit Hermanns
Zeiten bis nun, das geworden ist, was sie ist, weit meh=
rere lange Sylben gewesen sind, als itzt, daß folglich die
Barden mehrere Spondäen gehabt haben, als wir, und
sich der Vollkommenheit der griechischen Sprache in die=
sem Stücke noch mehr haben nähern können. Beweise
dieses Satzes hat mir Klopstock oft angeführt; ich kann

---

* Ich meine damit solche und viele andre Verse, in denen
allen so sehr viel der Sache angemessener Ton und Zeit=
innhalt ist, die auch das ungeübteste Ohr bey declamiren
empfindet, ob gleich nur der Geübtere den Grund davon
zu geben weis, als:

. . . . . dumpf,
Weit, hallts nach, voll Entsetzens nach, in die Klüfte
Gehennas.

sie hier nicht auseinander setzen. Es war eine Zeit, wo ich einmal selbst ziemlich im Otfried und den übrigen Denkmählern umher wühlte, und ich erinnre mich sehr wohl, daß ich unterandern die Bemerkung machte, wie viel mehr Wohlklang und Melodie damals unsre Sprache gehabt, als jetzt. — Elisa, wie viel schöner tönt es nicht, zu sagen: ih libenota dih als: ich liebte dich?

Nun sehn Sie auf einmal den ganzen Inhalt: Der Dichter klagt, daß wir jetzt so wenig, und so mühsam gemachte Spondäen haben, und: daß wir ehemals mehrere gehabt haben. So nacket und trocken drückt sich der abhandelnde Gelehrte aus. Aber wie der Darstellende?

Siehe da! der Spondäus wird auf einmal zu einer Göttinn! Sponda! die ist weg! aus unserer Sprache verschwunden! Ihr Liebhaber, der Dichter, klagt drüber, (nicht anders, als wie ich deine Abwesenheit beweine!) Es sind ja aber noch so viel Füße übrig, die ihn über ihren Verlust trösten könnten! Die kommen alle nach der Reyhe, präsentiren sich, — sind auch in Personen verwandelt, zanken, rechten mit ihm, pralen... nichts! der Liebende will nichts in der Welt, die ganze Welt nicht! nur Sie! nur Sie!

Nun lassen Sie uns die Ode einmal vornehmen.

Die ersten drey Strophen sind nur eine Einleitung zu der eigentlich drinn erzählten Geschichte, dogmatisch poetische Abhandlung.

Der Deutschen Dichter Hainen entweht
Der Gesang des Alcäus und des Homer.

Mit andern Worten: Wir Deutschen besitzen noch in unserer Sprache, theils die lyrischen Sylbenmaaße des Alcäus, theils den Hexameter des Homer, diese bestimmten abgemessenen Sylbenmaaße. Was noch mehr? Auch den jambischen Vers!

Deinen Gang auf dem Cothurn, Sophocles
Meidet und geht, Jambanapäst.

Da, seh ich, muß ich mich wieder ausbreiten.

Wir haben und können eigentlich keinen jambischen Vers machen, der prosodisch richtig wäre, behauptet Klopstock, und wirds izt in einer Abhandlung gegen Bürgern weiter ins Licht setzen. Wollen wir also in unseren Tragödien dennoch den jambischen Vers nach dem Beyspiele der Griechen, der Römer und der Engelländer brauchen, so geht das nur auf folgende Art an, daß wir unter die Jamben, Anapästen mit einmischen, und dieß hat er, theils im David, theils im Salomo versucht, und allein versucht. Diesen vermischten tragischen Vers nennt er den Jambanapäst, und der meidet den Gang des Sophocles auf dem Cothurn, weil er von ihm verschieden ist; er geht ihn, weil er doch auch noch ein Jambus ist. Also der ganze Inhalt der Strophe: Wir haben im Deutschen: die lyrische, die epische, die dramatische Versart der Griechen.

Viel hats der Reitze Cynthius Tanz

Zu ereilen, und der Hörer belohnts,

Dennoch hielt lieber den Reyhn Teutons Volk,

Welchen voran Bragor einst flog.

Sie sehen, hier ist ein Gegensatz: Cynthius (Apolls) Tanz, und Bragors Reyhn. Was ist das? Cynthius Tanz: die abgemeßnen Versarten der Griechen, Bragors Reyhn die freyen Sylbenmaaße der alten Barden. Und der Sinn: Die abgemessenen Sylbenmasse der Griechen sind treflich! haben viel Reitze (viel der Reitze, statt: viel Reitze) der Hörer belohnts! durch seine Aufmerksamkeit, seinen Beyfall, sein empfundnes Vergnügen. Aber freylich müssens auch Hörer darnach seyn! Dem ungeachtet liebten die alten Deutschen mehr den freyen Vers, den kunstlosen Vers, der wild, in keine Strophen eingetheilt, vom Felsen ins Schlachtthal herunter tönte, und von dem der Dichter voraus setzt, Bragor sey ihn geflogen. *

Doch ach! Von diesem Schwunge, diesen alten Bardenliedern haben wir nichts mehr übrig! Klopstocks alte und oftmalige Klage.

---

* Auch anderwärts macht Klopstock den Gegensatz zwischen dem gemeßnen Verse der Griechen, und dem ungemessenen unserer Vorfahren: im Wingolf:

Willst du zu Strophen werden o Haingesang? oder

Willst du gesetzlos, Ossians Schwunge gleich

Gleich Ullers Tanz auf Meerkrystalle

Frey aus der Seele des Dichters schweben?

Doch ach! verstummt in ewiger Nacht

Ist Bardiet! und Skofliod, (in der Sprache der
Angeln und Sachsen das uncomponirte Lied
des Dichters; Sangliod, das componirte.
Welche feine Unterschiede in unserer ehema-
ligen Sprache!)

und verhallt!

Euer Schall Telyn, Triomb (Trompete,
der Barden) Hochgesang (der Hym-
nus, zu Otfrieds Zeiten; also dem:
sogar; der wichtigsten Dichtungsart,
wegen ihres Inhalts. sogar! jedes
Wort hat seine Ursache.)

Deinem sogar klagen wir nach!

Nun geht die Geschichte der Ode an.

O Sponda! rufet nun in dem Hain

Des ruinentflohnen Griechen Gefährt,

der neuere deutsche lyrische Dichter nämlich, Er selbst,
denke ich, denn wer hat je über so etwas so nachgedacht?
und des ruinentflohenen Griechen, mit sehr bestimmter
Rücksicht, auf die in voriger Strophe beklagten, dem Ruin
nicht entflohnen Bardengesänge.

Sponda! dich such ich zu oft! ach! umsonst;

Horche nach dir, finde dich nicht!

Er fordert die ganze Natur auf, sie ihm wieder zu bringen!

Wo, Echo, wallt ihr tönender Schritt?

Und in welche Grott' entführtest du sie,

Sprache, (auch die ist zur Person geworden,)
mit? Echo, du rufst sanft mir nach,
  Aber auch dich höret sie nicht!

Von dem, wie der Dichter sie beklagt hat, kömmt er
wieder zurück, zur Fabel der Ode; die übrigen Füße,
die diese Kläge gehört haben, erscheinen, die Genien der
entzückten Harmonie (auch die Harmonie ist personificirt,
sie ist nicht entzückend, erweckt nicht Entzückung, sie selbst
ist entzückt!) ∴.

Es drängten alle Genien sich
  Der entzückten Harmonie um ihn her;

Um ihn, den klagenden Dichter; — und nun sehn Sie,
welch Leben, welche Mannigfaltigkeit! welche Darstel=
lung! wie er jedem dieser Füße, nicht blos Person, son=
dern Character, Leidenschaft sogar giebt! einem Stolz,
dem andern Gesang, dem dritten Zorn! wie das wimmelt!
lebt und webt! welche Einsicht, welche Gelehrsamkeit!

  Riefen auch, klagten mit ihm, aber Stolz
  Funkelt' im Blick einiger auch.

Nun kommen die Füße nach der Reihe:

Dactylus: (— v v)

  Erhaben trat der Dactylos her; sagte:
    Bin ich Herrscher nicht im Liede Mäons?

Bin ich nicht der Fuß, den Homer am meisten in seinem
Hexameter braucht? — Welch Studium des Homer setzt
diese lyrische Anmerkung voraus!

E

Rufe denn Sponda nicht stets, bilde mich
Oft zu Homers fliegendem Hall.

Choreos: (— v) den man nur reden hört:

Und hörte nicht Choreos dich stets? (hörte er
dich nicht stets? kam er nicht gleich auf deine Bitte,
wenn du seiner bedurftest?)

Hat er (Choreos spricht von sich, in der dritten
Person) oft nicht Spondas schwebenden
Gang?

Creticos: (— v —)

Hat sie (Sponda) denn, Creticos tönt's (das
sagte, tönte Creticos)

meinen Gang?

Der Creticos, sehn Sie, ist mit alledem noch sehr bescheiden,
Dir Choriamb, weich ich allein!

Choriambos: (— v v —) das ist nun wieder ein Haupt-
matador, der sich fühlt und desto eifersüchtiger ist:

Da sang (erzählt der Fabulist der Ode wieder)
Der Laute Silbergesang *

Choriambos: Ich bin Smintheus Apolls
Liebling! mich lehrte sein Lied Hain und Strom,
Mich, da es flog nach dem Olymp.

---

* Entweder: Choriambos, der der Silbergesang der Laute ist,
sang, oder: Choriambos, sang im Silbergesange, den Silbergesang, die Silbermelodie der Laute. Beyde Erklärungen sind sprachrichtig, und laufen auf eins hinaus. Doch
scheint mir die Interpunktion den ersten Sinn fest zu setzen.
So wichtig ist Interpunktion.

wenn nähmlich Apoll auf den Flügeln der lyrischen Dichtkunst sich gen Himmel erhob.

Anapäst: (◡ ◡ —). Wieder nur schnell, seine Rede angeführt!

   Erkohr nicht Smintheus Pindarus mich
    Anapäst: da er der Saite Geton
     Lispeln ließ?

Pindarus, der durch den Beynahmen Smintheus hier gar
sehr gelobt wird, brauchte vorzüglich mit den Anapäst.
Jambos: (◡ —) tritt hervor: Merken Sie, wie er die
Charactere wählt; 's ist ein Blitzkerl der Jambos! Zorn
und Gift und Galle ist seine Natur; Sie wissen, er war
zur Satire bestimmt. Man sagt drum: ein stachlichter
Jambos. Horaz sagt: Archilochum rabies armavit
Jambo. — Er hatte lange der übrigen Grosssprecherey
mit verbißnem Grimm zugehört:

   Jambos, Apolls alter Freund
    Hielt sich nicht mehr, zürnt', und begann:
    Und geh ich nicht den Gang des Cothurns?
bin ich nicht der edle Fuß, den Sophocles und Euripides
und Aeschylus in ihren Trauerspielen brauchten?

   Wo . . . .
Er will weiter reden, aber schon kömmt ein andrer,
  Baccheos: (◡ — —) und unterbricht ihn.

    Baccheos schritt im lyrischen Tanz:
   Stolze (sagte er) schweigt!

     E 2

Und indem er sich zu den andern wendet: "Könnt ihr
was für euch selbst machen? Wir sind alle Brüder, und
nur vereint wirken wir. Euer Rangstreit ist so lächerlich,
wie der von den Gliedern in Aesops Fabel!„

    Ha! Choriamb, tönteft du,
   Dactylos; du, tönt' ich nicht mit.?—

Noch mehrere Füße,

Didymáos und Páon (— $v\,v\,v$ —).

    Mit leichter Wendung eilten daher,
    Didymáos und Páone daher:

Sie sagen (und wie fein wird hier nicht des Thyrsos und
Dithyrambs erwähnt!) eben das was Baccheos sagte:

    Flögen Thyrs' und Dithyramb schnell genug
    Rissen ihn nicht wir mit uns fort?

Aber, wie schon gesagt, der Liebende will nichts,
nichts als die Geliebte! Er läßt alle die Stolzen auspra-
len, und bejammert immer den Verlust seiner Sponda.
Er würdigt sie alle nicht einmal einer Antwort, und einer
von ihnen, der arme Pyrrichios! ich bedaure ihn, muß
sich so demüthigen lassen, sie zu suchen. Es ist ein leicht-
füssiger Gesell der Pyrrichios! — Und das Gleichniß!
und der Versgang! Man glaubt das Wehen des Wests
und das Sinken der Blüthe zu sehn.

   Ach Sponda! rief der Dichter — und ließ
    In den Hain nach ihn Pyrrichios gehn;
    Flüchtig sprang, hüpft er dahin! Also wehn
    Blüthen im May, Weste dahin!

Und nun noch die Ursache aller dieser Klagen! Man sehnt sich nicht sehr nach dem, was man nicht gehabt; aber ein verlohrnes Gut ist doppelter Seufzer wehrt. Und wir haben einst mehr Spondäen gehabt! — Die Göttinn hat den Tanz unsers vaterländischen Bardiets ehemals begleitet .. wenn ich nicht irre .. wenn ich im Wiederhalle des Felsens diesen verlohrnen Gesang belauschte, und mich nicht die Gestalt, die mir in geheimen Offenbarungen ihn wieder darstellte, getäuscht hat.

Denn Sponda, du begleitest ihn auch
   Der Bardiete väterlichen Reyhn,
      Wenn ihn mir treffend der Fels tönt', und mich
    Nicht die Gestalt täuschte, die sang.

So haben wir denn, guter Saſto, die Ode secirt, bis aufs kleinste Aederchen. Ich hoffe, Sie sagen nun mit Leſſings Prinzen: Der denkende Künstler ist mir noch eins so viel wehrt!

Ja, sagte er, ich verstehe sie nun ganz — aber ich weis doch nicht: .. es werden noch viele Leute seyn, die sprechen werden, daß er so eine geringfügige Sache, so prächtig besungen .. das ist doch .. —

Das verdroß mich schier sehr. Ich wurde hitzig. So gehn Sie lieber hin, und tadeln unsern Herrn Gott, daß er die Erde erschaffen und den Mond, weil er auch die Sonne und den Sirius gemacht. Wozu Sie mich verleiten! Gott verzeihe mir solche Hyperbeln! — O wie

viel ist mir der Dichter, der auch einen Erdenklos durch
die Flamme seines Genies mit Leben anhaucht, und indem
er mein ganzes Herz erschüttert, auch das abstracteste
Nachdenken meines Verstandes beschäftigt! ———
Aber weiter! Schlägen Sie um, lesen Sie die folgende
Ode. Er las, Thuiskon.

   Wenn die Strahlen von der Dämmrung nun entfliehn,
                und der Abendstern

Die sanfteren, entwölkten, die erfrischenden Schim-
                mer nun

Nieder zu dem Haine der Barden senkt,
       Und melodisch in dem Hain die Quell' ihm
                ertönt;

So entsenket die Erscheinung des Thuiskon (wie Sil-
                ber stäubt

Vom fallenden Gewässer,) sich dem Himmel, und
                kommt zu euch,

     Dichter und zur Quelle. Die Eiche weht
       Ihm Gelispel. So erklang der Schwan
                Venüsin

 Da verwandelt er dahin flog. Und Thuiskon vernimmts
                und schwebt

Im wehenden Geräusche des begrüssenden Hains,
                und horcht;

Aber nun empfangen, mit lauterm Gruß,
    Mit der Sait ihn und Gesang, die Enkel um
             ihn.

Melodieen, wie der Leyer in Walhalla, ertönen ihm
Des wechselnden, des kühnern, des, deutscheren
Odenflugs
Welcher, wie der Adler zur Wolk' itzt steigt,
Dann herunter zu der Eiche Wipfel sich senkt.

Das soll wohl ein Loblied auf diese neuern, kühnern lyrischen Gedichte seyn, sagte er.

Wieder nur halb! sagte ich. Nicht auf unsre lyrischen kühnern Gedichte überhaupt, sondern auf die Sylbenmaaße, die neuern, kühnen, mannigfaltigen Sylbenmaaße unserer Lyrick. Merken Sie doch auf das sehr gewählte Beywort: des wechselnden Odenflugs. Und just
das allerwechselndste seiner Sylbenmaaße hat er zu dieser
Ode gewählt. Drey Dinge, sagt er, sind es, die den
Dichter ausmachen. — Der Wortsinn, in so fern nämlich
die Wörter, als zu Zeichen gewählte Töne, einen gewissen
Inhalt haben; ohne, noch dabey auf den Klang und die
Bewegung zu sehen; das ist, versteht sich, die Hauptsache;
der Tonausdruck, in so fern er den Wohlklang ausdrücken hilft, und der Zeitausdruck in so fern sich die Bewegung einer Sache ausdrücken läßt. Von diesem letztern
ist hier die Rede, und der ists, worüber er so viel und
tiefsinnig in der Abhandlung vom gleichen Verse (s. den
4ten Band vom Messias) nachgedacht, aber noch mehr
ausgeübt als nachgedacht hat, worinn ihm weder ein griechischer römischer noch deutscher Dichter nahe kömmt, und

wovon Engelländer, Franzosen, und Italiener gar nicht
einmal mitsprechen dürfen. Nun ists klar, was er hier
meint. Thuiston, der Stammvater der Deutschen kommt
herab! In der Dämmerung, im Schimmer des Abend=
sterns! Zur melodischen Quelle! Die Eiche weht ihm Ge=
lispel, so sanft wie der Tonfall in Horazens Oden!* Thuis=
ton hörts, o denn nun begrüſſen wir lyrischen Dichter
ihn! mit Gesängen in dem neuen lyrischen Sylbenmaaßen
des steigenden und sinkenden Adlerflugs. — Wir? O Him=
mel! Glaubs nicht Freund; dieß alles gilt ihn allein,
so bescheiden er auch in der mehrern Zahl spricht. Denn
wie mancher auch unter uns in seine Fußstapfen getreten
ist, so hats doch keiner gewagt, wirds auch nicht wagen,
diese Sylbenmaaße zu brauchen! Wer kann dem Herkules
seine Keule aus der Hand winden? — Lieber spricht man:
Es ist keine Keule.

Und daß er denn doch im Grunde in dieser Ode nie=
mand anders gemeint hat, als sich selbst, weil er auch
niemand anders hat meinen können, das werden Sie
deutlicher finden, wenn Sie mit dieser den Bach verglei=
chen. Diese Oden erläutern sich so einander wechsels=

---

* Auf Horazen hält er so viel als Ramler nur je drauf hal=
ten kann. Denn das ist der Schwan Venusin. Horaz
war in einer Stadt Italiens, Venusium, gebohren. Dieß
spielt an auf eine Stelle, in dieses Oden: wo er von sich
selbst sagt, er sey in einen Schwan verwandelt worden, den
Vogel des Gesangs. (album, spricht er, mutor in alitem.)

weiſe; ich möchte eine Concordanz darzu ſchreiben! Leſen Sie! Er las — den Bach. — — * Und da ers geleſen hatte, paraphraſirte ich:

Bekränzt mein Haar, o Blumen des Hains, die am Schattenbach des luftigen Quells ** Noſſas, der Grazie, Hand, ſorgſam erzog, und Braga mir brachte, bekränzt Blumen mein Haar! — Zur Belohnung! Ich bin der Mann der ſich ſelbſt kränzen kann!

(Eine Anmerkung:) Es wendet ſich nach dem Strome des Quells der Lautenklang des wehenden Bachs. Tief und ſtill ſtrömet der Strom, und tonbeſeelt rauſchet der Bach neben ihm fort. Der Strom ſchiene mir hier der Wortſinn oder der Inhalt des Gedichts überhaupt zu ſeyn, von dem ich vorhin ſagte; der Bach, der Zeitausdruck, bildlich, wofern ich Allegorie ſuchen wollte, und nicht lieber die ganze Strophe als bloßes Gleichniß nehme. — Wohllaut gefällt, Bewegung noch mehr. Man ſieht alſo, daß er den Zeitausdruck noch für eine wichtigere Sache am Dichter hält, als den Tonausdruck. —

---

* Ich laſſe, um Erſparung des Raums willen, die Oden die ich im Manuſcripte immer dabey abgeſchrieben fand, von nun an aus; muß aber die Leſer bitten, ſie für ſich nachzuleſen, und mit der Paraphraſe zu vergleichen. Anm. d. H. —

** Klopſt. ſagt luftigen Quelles — wehenden Bachs, wegen des Hauchs der drum her weht. Eiſerne Wunden, weil ſie mit Eiſen gemacht ſind. Sehr kühn!

Nun! diesen Zeitausdruck, diese Bewegung gab Ich Klopstock, dem Herzen zur Gespielinn. Ich wars, der diese Gesänge fürs Herz in diesen neuen lyrischen Syllen maaßen sang. Diesem, dem Herzen, säumt, oder eilet sie nach, — so unzertrennlich ist die Bewegung eines Lieds von der Empfindung in seinem Inhalte! muß langsam seyn, säumen, wenn sie langsam, muß schnell seyn, eilen, wenn sie schnell ist! — Bildern folgt sie, leiseren Tritts, ferne nur: Die Bilder, an denen vornehmlich ihm die Engelländer so reich sind, sind ihm viel weniger werth, als die einige Empfindung, für die allein die Bewegung möglich ist. — Man muß ein wenig denken, diese Strophe zu fassen. Sie ist ganz Theorie.

Und in beyder Absicht, der Bewegung des Herzens und der Töne bin ich unter uns der Erste. — Das ist der Inhalt der folgenden Strophen.

Mir Klopstock, gab Siona Sulamith * an der Palmenhöh den röthlichen Kranz Sarons. Ihr weiht ich zuerst jenen Flug, der in dem Chor kühn sich erhebt. Das sagt er von sich als heiliger Dichter. —

Nun rufet seinen Reihen durch mich, in der Eiche Schatten Braga zurück. Ich bin nicht blos heiliger, ich bin auch vaterländischer Dichter. Sie müssen sich genau in die Zeit hinein denken, da er diese Ode dichtete.

* Siona — die heilige Muse, der er öfter den Beynahmen Sulamith giebt — wie: Pindarus Smintheus — Socrates Addison.

Es war 1766. da er einmal vom Messias feyerte, und nichts als altdeutsche Poesie athmete.

Nun hüllte nicht dauernde Nacht Lieder ein, lyrischen Flug ein, welchem die Höhn des Lorbeerhügels horchten; wären die lyrischen Gesänge der Alten nicht untergegangen — (Horazen rechnet er hierinnen kaum mit,) o schlief in der Trümmer Graun Alcäus nicht selbst, wären die griechischen lyrischen Dichter, (vom Alcäus haben wir nur einige wenige Strophen übrig) nicht auch verloren — denn es ist möglich, daß die mich darinnen noch übertroffen haben, oder mir gleich gekommen sind: So rühmte ich mich kühnern Schwunges, als alle Dichter vor mir! so tönte ich (stolz rühmte ichs mich) uns mehr Wendung fürs Herz, (Wendung fürs Herz, soviel als die Bewegung die dem Herzen säumt oder nacheilt) gesungen zu haben, als — ja als wer? — Als alle griechischen Dichter aller Art! Mehr als Tempes Hirt vom Felsen vernahm, mehr also, als die griechischen Idyllendichter; als Theocritus, Moschus, Bion! und der Kämpfer Schaar am Fuß des Olymp vernahm; mehr also als Pindarus! als mit Tanz Sporta zur Schlacht eilend vernahm; mehr also als die Kriegsliederdichter, als Tyrtäus! als Zevs aus des Altars hohem Gewölk mehr also, als die Hymnendichter, als Callimachus; mehr Zeitausdruckes würd ich mich rühmen als alle die!

Ja ich rühme mich mehr im Zeitausdrucke gethan zu haben, als alle andere Nationen: Mehr als Ossian:

denn, der große Sänger Ossian folgt dem Getöne des
vollen Baches nicht stets, hat nicht genug auf den Zeitausdruck gesehen, Ferne, zählt Galliens Lied Laute nur,
die Franzosen können vollends nichts drinn thun; sie haben gar kein Sylbenmaaß, weil sie gar keine Quantität
haben, und im Versemachen nur blos die Sylben zäh-
len; zwischen der Zahl und dem Maaß schwankt der
Britte, die Engelländer haben nur halbe unbestimmte
Quantität! — und selbst die Italiener brauchen hierinnen ihre Kraft nicht, selbst Hesperinn schläft!

Wie gerecht aber doch auch Klopstock in allem seinen
vaterländischen Stolze ist! Ehre dem Ehre gebührt! und
der italienischen Sprache giebt er die gebührende Ehre!
das ist die einzige europäische, die wenn ihre Dichter sie
genug zu brauchen verstünden, es unserer vielleicht gleich
thun könnte. Darum wünscht er eifersüchtig: O sie
wecke nie die Saite und das Horn Bragäs auf! Möchten sie doch nie, etwa durch unser Beyspiel gereizt, auch
diese Höhen der Lyrik ersteigen wollen! Thäten sies, flö-
gen sie einst deinen Flug, Schwan des Glasoar! (der
heilige Vogel, der Vogel des Gesangs der alten Deutschen) so neidete ich sie. — Aber es hat keine Noth;
denn nicht einmal dein Beyspiel, Flaccus, du Nachahmer, wie es keine Nachahmer mehr giebt! * hat ver-

---

* Feiner ist Horaz wohl nie zugleich gelobt und getadelt
worden. Er ist Nachahmer — schlimm! aber doch ein solcher
Nachahmer, wie kein Anderer, es seyn kann. "Horaz,

mocht sie zu reizen, selbst du erwecktest sie nicht, der du doch ihr Landsmann bist. Graue Zeit währete ihr Schlaf! Wie habe ich so was befürchten können, vom Aufwachen? O er währt immer und ich neide sie nie!

Und wir Deutschen? Wir könnten diese Vortreflichkeit erreichen, wenn wir wollten . . die Sprache haben wir darnach! Schon lange maß der Dichter des Rheins, das Getön des starken Liedes dem Ohr; aber wie viele lyrische Dichter sind denn unter uns, die ihrer Sprache Kraft so verstehn? Doch mit Nacht deckt ihm Allhend, (die volle Harmonie eines Gedichts, die hier in eine Göttinn verwandelt, gewissermaßen einen lyrischen Commandostab trägt,) sein Maaß; die höchstmögliche Mannigfaltigkeit seiner Sprache ist ihm selbst nicht bekannt, daß er des Stabs Ende nur sah! nur sehr wenig davon erreichte.

Aber Ich! — Ich habe ihn heller blitzen gesehen, den erhabenen goldnen lyrischen Stab! — Darum: Kränze du, röthlicher Kranz Sarons, mich! Winde

---

sagt Klopstock (Gelehrten Rep. S. 125.) "nannte die "Nachahmer sclavisches Vieh. Urban war das eben nicht, "und auch sonst nicht so recht in der Ordnung. Denn er "selbst . . (von zwanzig übrigen Versen des Alcäus theils "zehn sogar nur übersetzt) Um mit der Sache recht ins "Gleis zu kommen, so kann Vieh immer wegbleiben; "denn man behält ja an Sclaven genug übrig. Und auch "das ist noch rauh und barsch, aber wahr ist. "

dich durch, Blume des Hains! Jener gebührt ihm für
den Meſſias, dieſe für ſeine Oden.

So ſtolz ſpricht, ſo ſtolz kann und darf der Dichter
ſprechen. Das iſt ſein Vorrecht von Alters her. — Was
in Proſa Eitelkeit wäre, iſt in der Poeſie erlaubt. Friz
Stolberg ſagte einmal zu mir, da wir darüber ſprachen.
Man ſagt wohl: Selbſtlob ─ ─ ─; aber bey uns heißts:
Es duftet wie Morgenthau!

————

So? ſagſt du, beſcheidne Seele, wenn man in Proſa
nicht ſtolz ſeyn darf, warum denn in Poeſie? Es iſt
gut, daß du mich ſelbſt darauf bringſt, denn über den
Punkt habe ich längſt viel nachgedacht, und ich kann wohl
ſagen, nirgends mehr als bey Klopſtocks Character. Alſo
Stolz? Dehmut? was iſt das eigentlich?

Es iſt recht gut, und muß auch wohl ſo ſeyn, daß
der Moraliſt ſich über gewiſſe Dinge ein Syſtem, eine
Theorie baut. Wenn er aber nur nicht immer auch dieß
ſein Syſtem allem was ihm begegnet und aufſtößt, an-
paſſen wollte! Denn da klappts faſt nimmer. Je mehr
Beobachtungen aber man über Menſchen in der Welt
anſtellt, je mehr man Gute und Gute, Schlechte und
Schlechte, und beyde untereinander vergleicht, deſto mehr
kommt man von dieſer Sucht zurück. Wo iſt der Menſch,
der in ſeinem Urtheil mehr als nur einen Theil überſicht,
der aufs Ganze ſein Augenmerk richtet, der nie von einem

Worte, von einer Handlung auf den ganzen Character
schließt, der immer untersucht, wie eine Eigenschaft der
menschlichen Seele die andre bestimmt! nothwendig
macht! wie allemal fast mit gewissen starken Seelenkräf-
ten eine Aeußerung dieses Gefühls verbunden ist, die der
voreilige Urtheiler Stolz nennt, so wie er eben so leicht
die innige liebenswürdigste Dehmut, die gänzliche Resignation seiner angebohrnen Kraft für Schwachheit erklärt. — Doch ich sehe, ich gerathe da selbst in Allgemeines hinein! . . . was meine ich denn im Grunde? dieses: daß man doch erlaube, daß es Verschiedenheit der
Charactere gebe, und daß zwey ganz verschieden scheinende
Eigenschaften an zwey ganz verschiednen Characteren
beyde gleich gut und liebenswürdig seyn können. —

Ich habe wirklich manchmal von Klopstock sagen hören: Er ist stolz. — Und zu meiner Schande muß ichs
bekennen, ich habe es selbst geglaubt. Da ich ihn näher,
und in Absicht dieser Eigenschaft beobachtet habe, seh ich
wie sehr ich irrte. Doch nein! nicht irrte! denn was ich
damals sah, seh ich noch, nur daß ichs jezt, gläub ich,
richtiger beurtheile; Unterschied zu machen weis, zwischen Stolz und Stolz!

Denn ja! er ist stolz und sehr stolz! sag ich immer
vor wie nach. Wie ein Gesunder seine physische Lebens-
kräft fühlt, so fühlt er die Kraft seiner Seele. Aus allen
seinen Blicken, Bewegungen, Minen, selbst aus der Art
wie er die Nachtmütze sezt, wie er wandelt, wie er die

Tobackspfeife in die Höhe hält, wenn er am Ofen steht, strahlt das. — Wenn er schweigt und wenn er redt. Wenn er Leute, die er ehrt, und wenn er Gecken vor sich hat. Wenn er widerspricht, und wenn er nachgiebt. Dieß Gefühl: ich bin Klopstock, ist bey ihm ein so beständig ihn begleitendes, nie verlassendes, unwillführliches Gefühl, daß, er mags zeigen wollen, oder nicht, (obwohl er nichts zeigt und verbirgt) du in der ersten halben Stunde es siehst, wenn du Augen hast. Ungefragt spricht er höchstselten von sich, von seinen Schriften, von seinen Begebenheiten, und selbst in diesem Schweigen liegt Selbstgefühl! Auch nicht einen Schatten einer Prahlerey wirst du in allem finden, was er je geschrieben; aber wo die Gelegenheit kömmt, überall eine Seele die übersieht, nicht entscheidend von unentschiedenen, aber entschieden, und höchst positiv von entschiednen Dingen spricht. Ließ seine Gelehrtenrepublick einmal, mit dem Auge. In Göttingen hatte uns einmal die Parodiesucht befallen, Hahn wandte einen Vers aus dem fünften Gesang auf ihn an: "Klopstock dachte sich selber, und den Sünder des Rezensentengeschlecht! „ Das war profan, wirst du ausrufen! Je nun, im Scherz der Gesellschaft läuft manches so mit unter. — Unsterblichkeit! den großen Gedanken! des Schweißes der Edlen wehrt! hat er sich immer sehr stark gedacht, und das Bewußtseyn der errungnen Unsterblichkeit trägt er sehr sichtbar an sich. Sieh! er schüttelt sehr oft den Lorbeer und Eichen-

kranz, der um seine Schläfe weht. Lob von Kennern —
das behagt ihm; sehr natürlich! aber er empfängt es mit
einer ganz eignen ruhigen Mine, wie eine Speise die
er gewohnt ist zu essen, wie das tägliche Brodt. Das
was er aber am meisten liebt, ist, wenn man ihn durch
die verstummende Thräne lobt. — Da er jünger war,
las er einem Freunde vor: Ey, sagte der, man wird aber
Ihre Sprache in Deutschland nicht verstehn — — hm!
antwortete er kalt, so muß ich so viel hinein zu legen suchen,
daß man meine Sprache lernt! In Gesellschaften von
solchen die höheres Standes sind, zeigt sich das auch.
Denn wie sehr er auch alle nur möglichen äußern
Egards der feinsten Höflichkeit beobachtet, die je ein
Rang, oder ein Titel fodern kann, so geht er
doch unter ihnen einher mit einem gewissen Wesen, daß man wohl sieht, er weis den Adel zu schä-
tzen, den Gott seiner Seele geschenkt hat. — Vor
wenigen Tagen kam er aus der Assamblee, wo der
Prinz * * * zugegen gewesen, und erzählte Windemen
und mir, daß er den gesehen: Der Kammerherr * * *
fragte mich: Soll ich Sie nicht dem Prinzen präsentiren? . . . Hat der Prinz mich zu sehen verlangt? . . .
Er hat noch nicht davon gesprochen, aber . . . . o! denn,
bey Leibe nicht präsentiren! . . . Es wurde denn aber
noch auf eine Art gemacht, wir kamen uns so auf halbem
Wege entgegen, es ist ein angenehmer junger Herr, er

F

läßt viel Gutes hoffen. — So ist er, so stolz, und nicht anders. Just so stolz war auch zum Exempel Luther. Das nenne ich den löblichen Stolz des Genies. Des Genies! denn ich brauche dieses Wort, so sehr es auch heutzutage durch den Misbrauch und eben so unbedeutende Spöttelexen über den Misbrauch fast unehrlich geworden ist. Hast du ein andres?

Stolz also! und doch wieder nichts weniger als stolz! Denn wo ist wohl ein Mann, der den Gedanken Pauli, den erhabnen Gedanken: Was ists o Mensch das du nicht empfangen hast! der, wie ganz abhängig das Geschöpf vom Schöpfer, das Werk vom Meister, der Thon vom Töpfer sey, wie alles der Mensch Gott zu verdanken, auf ihn zu beziehen, und mit Anbetung, Demut, Empfindung seiner Unwürdigkeit zu erkennen habe, der diesen Gedanken selbst lebhafter gefühlt, gesagt, gegenwärtig gehabt, öfter mit der ganzen ihm gegebenen Stärke uns Andern geprediget hat? Wo ist einer, der, wenn man ihn kennt, gerechter gegen das Verdienst Anderer ist, nie sich selbst überhebt, so freundschaftlich, so herablassend gegen Jüngere, gegen Alle die an Talenten so unendlich unter ihm stehn, sich bezeigt; nie ein Lob auch auf die verdeckteste Weise nur herausfodert, niemals sich mit Andern vergleicht, der niemanden seine Ueberlegenheit fühlen läßt, der so glimpflich Urtheile wider sich, so gar anhören kann, so bald es nur offenbar ist, daß Irrthum, nicht Bosheit, oder Unverschämtheit ihre Quelle ist, so sehr allen Alles werden kann! So hab ich ihn gefunden, seit ich ihn kenne, so weit ich auch hinaufgehe. Wenn ich mich erinnere wie vorwitzig manchmal ich mich erkühnte als ein sechszehnjähriges Kind ihm Einwürfe zu machen, wie er das aufnahm! wie er schon damals mit mir, mit so vielen andern völlig auf gleichen Fuß umgieng! Wie er uns würdigte, uns ganze Nachmittage seiner unschätzbaren Zeit aufzuopfern ... dann, Elisa, geht meine Bewunderung in Liebe über, über Klopstock dem Menschen vergeß ich Klopstock den Dichter, und ich trage ihn fast in meinem Herzen, wie jenen Mann, den Blut, Wohlthaten, und ein eben so vollkommner Character, meinem Gefühl so theuer und unvergeßlich macht!

Nichts mehr ... nur dieß einzige .. so oft ich dieß überdachte, so verstand ichs erst, was diese und folgende Worte bedeuten — wenn er sagt:

Nichts unedles! kein Stolz, ihm ist mein Herz zu
groß! ..

Oder:

. . . der Wandrer .

Sah sie mit der Erhabenheit an, die Größe der Seele
Und nicht Stolz ist! -

Oder:

Meisterwerke werden
Sicher unsterblich! Die Tugend selten!.

Aber sie soll auch dieser Unsterblichkeit

Nicht bedürfen! —

Thorheit ists ein kleines Ziel

Das würdigen zum Ziel zu machen

Nach der unsterblichen Schelle laufen!

Und doch gleichwohl!

   ... Umsonst verbürg ich vor dir

Mein Herz der Ehrbegierde voll!

Dem Jünglinge schlug es laut empor; dem Manne

Hat es stets, gehaltner nur, geschlagen!

Wie gesagt! das alles verstand ich dann erst recht!

———

Heute einmal eine ganze Menge Kleinigkeiten von ihm, wiewohl es eben nicht Kleinigkeiten sind, denn wenn man einen lieb hat, so sind einem die Sommersprossen sogar wichtig, man will alles wissen, von dem Hute an, bis zur Schueschnalle. Und wir beyde haben ja einmal den Grundsatz daß überhaupt an Klopstock nichts unwichtig ist. Aber erwarte keine Ordnung; die Ideen schwirren mir heute Creti und Pleti durch den Kopf; ich werds hinwerfen wie Kraut und Rüben.

Er trägt sich sehr gerade, fast etwas zurückgebogen. — Er gesticulirt ziemlich viel, und bewegt die Hände mehr als Andre, es ist aber etwas abgemeßnes, schwebendes in jeder Bewegung. Eine Art hat er mit dem Arme vom Gesichte ab gerade vorwärts in die Luft, als ob er

auf etwas zeigte, die sehr oft vorfällt. Von seiner Decla=
mation will ich einandermal schreiben, nur dieß hier:
wenn er prosaische Sachen vorließt, so ließt er sehr lang=
sam, bedeutsam, articulirt sehr scharf, und sicher, legt
sehr starken Accent auf einzelne Worte, hält oft ein,
macht kleine Anmerkungen, thut Fragen, als: Sie
sehen .... Hab ich das ein wenig ins Licht gesetzt? ...
verstehn Sie auch? .... Soll ich mich weitläuftiger er=
klären ... was meinen Sie nun ... oder so. — Er ist
sehr mittler Statur, eher klein als groß. — Nicht schmäch=
tig, aber auch nicht stark. — Blaue Augen, und etwas
klein, deren Blick aber ich mich vergebens bemühen würde
dir zu beschreiben, doch kann ich sagen, daß der Character
davon mehr eine gewisse Zärtlichkeit, als Feuer ist.   Ich
möchte dir gern seine Physiognomie beschreiben, denn wie
wahr ist es, daß das Gesicht eines Mannes den besten
Commentar zu dem giebt, was sich über ihn sagen läßt.
Aber ich habe umsonst Lavaters ganze Physiognomick durch=
blättert, um Wörter und Ausdrücke darzu zu finden. Die
Sprache hat einmal nichts, dieß bestimmt anzudeuten.
Was man eine frappante markirte Physiognomie nennt,
hat er nicht; die Züge, und die Muskeln davon, stehen
in einer Art von Ebenmaaß gegen einander, verschmelzen
sich so sehr, daß man nicht leicht einen einzelnen beschrei=
ben kann.   Daher ists nur begreiflich, daß noch kein ein=
ziger Mahler, auch Sturz nicht, der einer der größten

Treffer iſt, ihn hat ähnlich mahlen können. Rachettens
Gipsabdruck, und der Kupferſtich, der darnach im Mu-
ſenallmanach geſtochen worden, hat einige, wiewohl nur
äußerſt entfernte Aehnlichkeit. Selbſt die Silhuette im
Lavater gefällt mir nicht ganz; Gerſtenberg hat einmal
eine von ihm genommen, die weit mehr gleicht. Graaf
kömmt vielleicht jetzt nach Hamburg, mich ſoll verlangen,
was ſein Pinſel vermögen wird. Sprechend iſt das ganze
Geſicht im höchſten Grade, und doch nicht in den einzelnen Theilen. Es verzieht ſich niemals, weder im Lachen noch Weinen, ich habe beſonders bey körperlichem
Schmerz darauf Achtung gegeben; denn der liebe Mann
hat viel Augenſchmerz, oft heftigen, itzt aber doch weniger
als ſonſt, wo er des Abends faſt nie Licht dulden konnte. —
Dieſer Schmerz ſcheint von einer Trockenheit in den
Sehenerven herzurühren. Er ſieht ſehr ſcharf in die Fern,
nicht gut in der Nähe, braucht Brillen zum Leſen und Schreiben. Das Weit- und Kurzſehen iſt eine Materie, die er oft
abhandelt. Verſchiedne ſeiner Freunde ſind in hohem
Grade Myopen, die nennt er immer Blinde. Wenn einer
ſich vermißt, weit ſehen zu wollen, ſo hält er Wettſtreite
mit ihm, und Gnade denn Gott! wenn der die Probe
nicht aushält. Manchmal aber trift er doch ſeinen Mei-
ſter. Da war in Bernſtorf, Magiſter Clemens, ein wahres Falkenaug'; einmal ſtritt er mit ihm: Sehen Sie,
was iſt das dort? Ein Reuter! — So weit waren ſie
beyde eins. Aber nun, was hat er an? Der eine ſagte,

blau, der andre, roth — — da das Object näher kam fand sichs, daß Clemens Recht hätte. Von dem Augenblick an wards ausgemacht, wir wären nun einmal die Blinden, Klopstocks Augen gehörten ins Maulwurfsgeschlecht, Clemens nur wär der Sehende. — Einmal machte er auch mit mir Versuche; es wurde ein Klecks Butter auf ein Cartenblatt gelegt, ein Schlüssel, und Windemens Fingerhut, drauf führte er mich ans andre Ende des Zimmers, avancirte langsam mit mir, Schritt vor Schritt, und so mußte ich bey jedem Schritt meine Observationen machen, wie sich nun die Dunkelheit allmählich enthüllte. — Was ists nun? — Ein Buch. — Halt, sagte er zu der Gesellschaft, hören Sie wohl, es ist ein Buch. Einen Schritt weiter! Was nun? — — Oh . . . ich weis nicht . . — So? noch einen! Nun? — Ein Messer. — Warum nicht lieber eine Gabel? Weiter! — ꝛc. ꝛc. — Sein Anzug ist immer sehr simpel; einfache Farben, aber elegant. Seine Perücken zierlich frisirt. Er bleibt im Mittel von der ältern und der neuesten Mode; das einzige worinn er sie wohl einmal verletzt, ist daß nicht allemal die Unter- und Oberkleider harmoniren, z. E. jetzt ist sein Gallarock perlfarben mit ovalen gestickten Knöpfen, da zieht er denn wohl des Morgens gleich die Unterkleider von an, und wenn er des Vormittages spazieren geht im Winde (denn er liebt die Wärme) einen rothen plüschnen Rock drüber. — Trägt nie Stifeln, als wenn er reitet,

reitet aber gern, und schulmäßig, gern auf jungen wilden Roſſen, hat ſich verſchiedne ehemals ſelbſt zugezogen und dreſſirt. Er geht gern und viel ſpatzieren, ſucht aber gemeiniglich ſonnigte Oerter aus. Er geht ſehr langſam, wenn er ſpatziert, das iſt mir nun ganz fatal, denn ich gehe nicht, ich laufe ſpatzieren. Er ſteht ſehr oft ſtill, ſobald ſich das Geſpräch ein wenig erhitzt, mahlt mit dem Stocke Figuren in den Staub; ſo hat er mir manchen Plan von Schlachten des vorigen Kriegs vorgemahlt. Kriegsweſen, Schlachten, Scharmützel, Attaquen, ſo was zu beſchreiben, das iſt ſein Leben, auch Jagden, da weis er Anecdoten von zu Tauſenden. Damals als Dännemark mit Rußland Krieg haben ſollte, hatte er ſchon mit Numſen abgeredt eine Campagne als Zuſchauer mit zu machen. Numſen hätte ihn wohl bisweilen Aufträge gegeben, und ich glaube, von Horatzens weggeworfnem Schilde (bene rejecta parmula) würde bey ihm die Rede nicht geweſen ſeyn. Oh! ich möchte ihn wohl einmal ſehen eine Schlacht kommandiren, er ſollte mir ein General geworden ſeyn! Du haſt ja Hermanns Schlacht geleſen, die hat er durch Ebert dem Prinzen Ferdinand geſchickt und ihn fragen laſſen, ſcherzweis, wie er damit zufrieden wäre? o! hat der Prinz geſagt, er hätte ſelbſt nicht beſſer ſchlagen können.— Er iſt äußerſt ſchonend in ſeinen Urtheilen, geht mit Leuten allerley Gattungen um, den will ich ſehen, den er beleidigen ſoll. Empfindlich übrigens, aber den Augenblick wieder zu verſöhnen, wenn man verſöhnt ſeyn will. Ich werde daran denken, wie er mich einmal abgeführt hat. Ich kam eben von Lübeck, und in der Bibliothek war juſt der Meſſias ſo ſchaal rezenſirt, wo unter andern der eilfte Geſang für einen ſchönen Fehler erklärt ward, und die Auferſtehungen wären nicht intereſſant, und was des Geſchwätzes mehr iſt, ich ſprach zu ihm: Haben ſie ſchon die Bibliothek geleſen, wie die Berliner Sie gezüchtiget haben? Das war unbeſonnen geſagt, wiewohl ichs ironiſch meinte. Er nahm ſein Kanſerair an: Das Wort verbitte ich mir, ſagte er, ey wie fuhr ich zurück! — Drey Schritt, das verſichre ich dich. Er wird höchſtſelten wider jemand urtheilen, verbirgt gern das Fehlerhafte, iſt äußerſt gelind. Richtet nicht, ſo werdet ihr nicht gerichtet, wie hat er dieß Geſetz vor Augen! Wenn er von jemand ſagt, ich weis nicht in wie fern dem Menſchen zu trauen iſt, ſo überſetze ich das: Schickt ihn nur gleich nach der Büddeley und laßt ihn morgen aufknüpfen. An allen, auch Tadelhaften, ſucht er am liebſten die guten Seiten auf. Als ich ihm letzthin die Geſchichte eines merkwürdigen Selbſtmordes erzählte, ſagte er: Der Muth gefällt mir doch noch daran, mit dem ers gethan. Mit vier Kugeln! Man ſieht, es iſt ihm ein Ernſt geweſen. — Eben ſo wenig ſchweift er aus im Lobe. Wo ein anderer enthuſiaſtiſch auffahren würde: herrlich! göttlich! da ſpricht er: Es iſt gut. — Wie finden Sie das? — Ich bin damit zufrieden. —

Was halten Sie von Richardson? — Es ist ein guter
Mann! — Von der Clarissa sagte er einmal: Es ist eine
Iliade. — Sein Gut, sein Zufriedenseyn bedeutet denn
aber auch etwas. — Da kann man stolz drauf werden.—
Von seinem Körper ist er sehr Meister. Tanzen hab ich
ihn nie gesehen. Fechten thut er auch nicht. Er schwimmt
gut, ist einmal in der Jugend in große Lebensgefahr dabey gerathen. Er badet im Sommer viel. Ich habe
mich in manche Seen mit ihm untergetaucht! Was würde
Lavater nicht drum geben Sie so zu sehen, sagte einmal
Friz Stolberg zu ihm im Schilfe des eutiner Sees, er
ließe Sie warlich so in Kupfer stechen. — Ich wüßte
nie, daß ich ihn eine Carte in der Hand gesehen, doch weis
ich daß er einige Spiele versteht. Er liebt besonders die
gesellschaftlichen Spiele, Sprichwörterspiel, da solltest
du seine Pantomine sehen. Das Ballspiel auf dem Felde;
in Bernstorf hatte er das besonders aufgebracht, und viele
Damen sogar hineingezogen. Er trift verzweifelt drinn;
es ist kein Spaß mit dem Balle von ihm geworfen zu
werden, es hat wohl eher einen blauen Fleck gesetzt. Bil-
liard auch. Schach spielt er vortreflich. Nicht völlig regelmäßig nach Philidors Grundsätzen. Er zieht manchmal den den Königsbauern zwey und der Königinnbauer
einen Schritt; auch wohl gar im Anfange den Pion des
Thurms. Das ist unrichtig! Ich bilde mir ein es wohl
so regelmäßig zu spielen wie er, in den ersten zwanzig
Zügen steht mein Spiel fast immer so, daß ich Stein

und Bein drauf schwöre es zu gewinnen, und doch weis
der Himmel wies zugeht, verliere ich gewöhnlich von vier
Partien drey gegen ihn. Aber meine Aufmerksamkeit er=
schlafft denn bald, ich verfolge meine Attaque zu hitzig,
und er ist so voller hinterlistigen Pfiffe und Finten, so mit
der ganzen Seele dabey gegenwärtig, sieht jede kleinste
Blöße, und verzeyht keine; ehe ich mich umsehe, wips!
ist das Spiel weg! Dieß Spiel ist recht ein Spiel des
Ehrgeitzes, es verdrießt einen allemal wenn man verliert,
man ist eher geneigt sich eines Bocks zu beschuldigen, als es
dem Andern auf die Rechnung seines Verdiensts zu schrei=
ben. Aber so ist das menschliche Herz! Letzt verlohr er zwey
Parthien, ich eine. Dumm gespielt, rief ich, was ich
doch für Fehler gemacht habe! — Nun, so dumm eben
nicht, antwortete er, mich deucht ich habe meinen Plan
sehr ausgeführt! — — Er schreibt eine gewaltig unle=
serliche Hand, oder wie er sich selbst ausdrückt, eigentlich
eine Feder, keine Hand; ich kenne nur eine, die noch
ärger zu dechifriren war, das war Albertis seine, der
von sich zu erzählen pflegte, ein Brief von ihm wäre ein=
mal verlohren gegangen und auf die Apothek in Haarburg
gekommen, wo man ein Recept wider die Viehseuche
draus herausstudirt hätte. Was er schreibt, schreibt er
auf große Quartblätter, die halb gebrochen sind, höch=
stens acht Zeilen auf ein Blatt, so daß er viel viel
Papier braucht. Vieles auch in darzu geheftete Bücher,
damit sichs nicht verliere. Er dictirt gern; was gedruckt

werden soll, läßt er gemeiniglich abschreiben, so habe ich
manche Ode, manch Lied von ihm ehemals auf seiner Stube
für ihn geschrieben. Corrigirt viel am Rande. Aufs
Feilen hält er sehr viel; ich habe Stollbergen geschrieben, sagte er jüngst, wegen seines Homers, ich liebte das
Feuer der ersten Ausarbeitung sehr, aber das Feuer der
zweyten Ausarbeitung müße auch hinzu kommen. Fürwahr ein Feuer, wovon Viele nichts wissen wollen! Ich
sagte ihm einmal, meine Methode wäre so, ich könnte
nichts machen, wenn mir die Flamme nicht auf die Fin-
ger brennte. Das ist sehr übel! sagte er. — Ueberhaupt: Alles vollkommen! vollendet! die höchste Cor-
rection! alle geilen Ranken beschnitten! alles auf die Ca-
pelle gebracht! das Ueberflüßige weg! Keine Schlacke
unter dem Golde! das ist sein Grundsatz, und das Gegentheil ists was er an Schackespear, an Göthe tadelt.
Doch tadelt er auch das allzuviele Feilen. Er sagt:

Willst du dein Bild vom Untergange retten

So mußt du nicht zu sehr es glätten,

Der Arm an dem so viel die Feile macht und schaft

Dir gar zu helle Stirn

Hat keine Kraft

Und kein Gehirn.

Im Vorbeygehen hier gesagt, die Epigramme von ihm,
sind recht fruchtbar seinen Character draus kennen zu lernen; ich will sie dir einmal abschreiben, mit Noten.
Ramler ist unter andern einer von denen die ihn zuviel ge-

feilt haben. — Er ist sehr mittheilend und offen. Er hat nichts von Zurückhaltung, von Aengstlichkeit an sich, seine Arbeiten, bis sie ganz für das Auge des Publici fertig sind, in sein Pult zu verschließen. Es giebt eine gewisse Freude, Andern durch eine frühere Mittheilung ein Vergnügen zu machen, und selbst in ihrem welches zu finden. Darum ließt er gern vor, auch Skizzen, halbvollendete Sachen, und das nicht blos Freunden, auch Andern die ihn besuchen, und die er für Kenner ansieht, versteht sich wohl von selbst, ohne es doch aufzudringen. Dieß ist nicht allein eine Folge seiner Offenheit; es ist auch sehr nützlich. Denn wie wenig ein solch Genie auch von andern lernen kann, so gewinnt doch allemal die Arbeit durchs Vorlesen. Man spricht mit einander, der Geist wetzt sich, man setzt die Dinge in ein heller Licht, vier Augen sehen allemal mehr als zwey, man bemerkt kleine Flecken, die wegzuwischen sind, man ahndet Vollkommenheiten, die der Sache noch zu geben wären, man lernt Einwürfe, die man vielleicht früher wahrnimmt, als wenn man durch eignes Nachdenken dahinter kommen sollte. Das wußte Apelles sehr wohl, der auch den Schuster über sein Werk urtheilen ließ. Laß es seyn, daß da auch oft von der Seite des Hörers ein halbwahrer Einwurf gemacht wird, was thut das? Bleibt man darum nicht Herr über sein Werk, nach seinen bessern Einsichten? Dann kommt man heraus und ruft: Schuster, nicht über den Leisten! — Er spricht französisch, aber selten. In vielen der feinen Societäten (wie man sich modisch ausdrückt,) in Hamburg ist unsre arme Frau Muttersprache gänzlich proscribirt, es giebt junge Herrn, die auch ihren Nahmen auf französisch aussprechen, einem solchen, der sogar in der deutschen Lesegesellschaft da das Französischplaudern nicht lassen konnte, nahte er sich einmal und warnte ihn: Mein Herr, Sie haben die Ehre, ein Deutscher zu seyn. — Wenn ich ihn demohngeachtet wieder einmal hier dieser Zunge sich bedienen höre, sagte er in einer Gesellschaft des Abends, so werd ich ihm sagen: Mein Herr Sie verdienen die Ehre nicht, ein Deutscher zu seyn. — — Es wird nichts mehr seyn als was du erwartest, wenn ich dir sage daß er sehr wohlthätig ist, und von seinem gewiß nicht zu großem Gehalte seine Mutter und einen Theil seiner Familie sehr thätig unterstützt hat. — Sehr großer Freund aller Künste ist er; der Music, darinn Gluck sein Lieblingsmann ist; der Mahlerey. Kann aber auch darinnen vorn Tod die Kunstrichter nicht ausstehen! Und die Kenner, von deren einem geschrieben steht: Registrirt in Catalogum mir meine Göttersöhne. Lustig wars einmal; er hatte Preislers sehr ähnlichen Stich von Cramer an jemand ausgeliehen, der ihn sehen wollte, und der ward ihm von dem wiedergebracht. Nun? was sagte er davon? fragte Klopstock den Ueberbringer . . . . Ja, es wäre recht gut gearbeitet, aber . . aber . . die Warzen da an der Backe, die hätte Preisler weglassen müssen. — So? sagt K. ganz einfelbig kalt, nahm das Kupfer ihm aus der Hand, und gabs seinem Bedienten: Tragts hinauf! Mit den Warzen! — und machte da so ein artig Gesicht darzu ... Ach! da muß ich aufhören. Es kommt jemand, der mich zu sprechen hat. Ein andermal mehr, Liebe.

———————

..... und mit dem vollen Teller in der Hand, sagte ich: O Herr Parsow, geben Sie mir doch ein bisgen Toback hierauf. —

Er trat verwundernd zurück: Lieber Gott! er ist ja ganz voll!

Da sah ichs erst. — Nun so habe ich doch auch all mein Lebetage! ... und schlich in mein Zimmer. —

War das nicht ein stark Stückchen? — Aber ich könnte dir mit mehreren solchen Geschichten aufwarten. Z. E. eine, die aber schon so alt ist, daß mir beynahe die Schamröthe drüber vergangen ist, es ist länger als sechs, sieben Jahr her. Ich wollte einmal von Sandholm nach Copenhagen reiten, und hatte seitwärts den Weg über Bernstorf genommen, bey Klopstock einzusprechen. Da ich mich ein Paar Stunden bey ihm ausgeruht hatte, so setzte ich meinen Ritt fort, den sogenannten neuen Weg vor Badens Hause vorbey, der dicht beym Lundhause auf dem großen Königswege herauskömmt. Nun stell dir eine breite Chaussee vor (wie denn diese Wege in Seeland mit die schönsten sind, die es wohl giebt,) die ich so oft zu Fuß, zu Wagen, zu Pferd gemacht hatte, auf der ich

jeden Busch, jedes Steinchen kenne; ich brauchte noch
etwa ein hundert Schritt weiter um die Krümmung herum zu seyn, so sah ich schon die Thürme von Coppenhagen vor mir; demungeachtet bin ich so in Grillen versun-
ken, daß wie ich auf die Chaussee komme, statt links zu
reiten, rechts umbiege. Ich merke nichts, reite immer
fort. Ich kriege den gientofter See rechter Hand, wundre mich in meinem Sinn, curiös! denk ich, wo der See
da hergekommen seyn mag! den habe ich ja sonst da nicht
gesehn! reite aber immer fort. Ich komme eine vierthel
Meile weiter, eine halbe Meile, endlich kommt ein junger Mensch hinter mir angetrabt, mit dem ich mich ins
Gespräch begebe, und zuletzt höre, daß er aus Riboe sey
und dahin gedenke. Nach Riboe? sag ich, wir sind ja
gleich in Coppenhagen. Der schlägt ein Gelächter auf!
und ich hebe indem auch meine Augen auf, und siehe!
Lyngbye, wo ich den Morgen um neun ausgeritten war,
liegt mir hell und klar vor der Nase. — Ich, umge-
wandt! meinem Pferde die Spornen! und fort zurück!
ohne ein Wort zu sagen; kam doch noch auch glücklich
den Tag nach Coppenhagen.

Den andern, da ich wieder zurück reite, kehr ich
ein den Abend bey Preislers, wo Resewitzens waren und
andre Gesellschaft. Ich konnte nicht umhin, diese Historia
Langen zu erzählen, der sie gleich wieder herumbringen
mußte, so daß ich was rechts geplagt ward. Da ich in
der Dämmerung wieder aufsitze, noch Sandholm zu er-

reichen, sagt Resewitz, so ganz trocken: Sollten Sie etwan des Weges nach Hamburg kommen, so grüssen Sie mir doch den Pastor Alberti. — So ward ich dafür gestraft. —

Es ist ein garstiger Fehler die Zerstreuung; sie mag nun aus Gedankenlosigkeit, oder daher rühren, daß man sich von dem herumschweifenden, unnützen, unruhigen Gedankenkram nicht losmachen kann; ein Fehler, der einen mitten in der menschlichen Gesellschaft isolirt, und bey den boshaften Urtheilern wohl oft den Argwohn erregt: als wolle man affectiren. An Klopstocken seh ich immer das schönste Muster des Gegentheils, das man nur sehen mag. Er hat auch wohl seine Zerstreuungen gehabt; so hat er einmal in der Jugend, wie er im Cleveland gelesen, halb angezogen im Schlafrock auf die Straße gehen wollen. Aber durch Bemühungen und ernstlichen Willen, ist er so sehr Herr über seine Seele geworden, daß ihm gewiß schon lange dergleichen menschliches nichts mehr geschieht. So erstaunlich gegenwärtig, bey sich selbst, in jeder Gesellschaft, so aufmerksam auf alles, was gesprochen wird; es ist mir oft unbegreiflich gewesen, wie bey einer solchen beständig webenden Schöpfungskraft, dieses Antheilnehmen an Allem was um ihn ist, möglich seyn kann. Und doch hat er mir gesagt, daß er viele Scenen im Messias, Oden u. s. w. zu Pferde, zu Wagen, in Gesellschaft, auf Schrittschuen gearbeitet. Aber wenn

G

er arbeiten will, so ſetzt er ſich in einen Winkel, man
ſieht, er will jetzt arbeiten, und ſo antwortet er nur kurz,
wenn man ihn fragt. So bald er aber wieder in der
Geſellſchaft da ſeyn will, ſo iſt ers. Ueberhaupt die Herr=
ſchaft die er über ſeine Seele hat, die . . . es iſt ein
Mann! Ich hatte mirs ſchon im zwanzigſten Jahre feſt
vorgenommen, ſagte er einmal, nicht eher am Meſſias
recht eigentlich zu arbeiten, als vielleicht im dreyßigſten,
wenn ich völlig überzeugt wäre, daß mein Urtheil und
meine Empfindung, meine Phantaſie überwöge. Ein=
andermal: Es iſt von jeher eine Eigenſchaft meiner Seele
geweſen: an nichts zu verzweifeln! nicht nachzulaſ=
ſen! —

Daher ihm denn auch das Recht erwächſt, mit
Andern, als mit mir Armen, recht unbarmherzig über
dieſen Punkt umzugehen. Da ich das letztemal zu ihm
kam, war ſein erſtes: Nun will ich doch auch gleich ein
Büchelchen machen für Sie — — kriegte drauf ſein Oc=
tavbuch her, in das er ſeine grammatiſchen Fragmente
ſchreibt — ich notire die Stunde ihrer Ankunft — was
ſchreiben wir heute? den 7ten April, ſagte Mumſen, gut!
angekommen den 7ten April um 11 des Morgens, und
nun ſehn Sie, bey jeder kleinen Zerſtreuung die Sie be=
gehen, mache ich einen Strich, und bey jeder großen ein
Kreutz, hernach wenn Sie wieder wegreiſen, wollen wirs
ſummiren. Hahnen, der es eben ſo ſehr iſt, nahm er ein=
mal beym Ermel auf dem Jungfernſtiege, und wies mit

dem Stocke auf die Erde: Sehen Sie, mein lieber Hahn, dieß ist Land! und (auf die Alster zeigend) dieß ist Waß= ser! das sage ich, damit es ihnen nicht etwa einmal ein= fällt auf der Alster spazieren gehen zu wollen — wie ich denn wirklich jemanden kenne, der bey der Trave in Lü= beck einmal das Wasser mit grünen Seelinsen bedeckt sieht, drauf gehen hat wollen, und bis übern Kopf hin= ein geplumpt ist, so daß er fast elendiglich ertrunken wäre. — Kann man sich denn auch die Zerstreuung ab= gewöhnen? fragte Hahn. Man kann alles! sagte Klop= stock.

Doch tröstete er mich drauf wieder, und sprach mir Muth zu. Er fand in dem, was ich ihm zu lesen gegeben, ein Stelle wo ich sagte: "ich suchte mich immer mehr von dem Drachen der Zerstreuung loszureissen." Er prieß mich deshalb vor Windemen und Augusta. — Sehn Sie, er erkennts, daß es ein Fehler ist; er nennt sie selbst einen Drachen! Merken Sie, was das sagen will: einen Dra= chen! ich habe mich der Freyheit bedient, habs noch durch einige Beywörter verstärkt, darzu geschrieben — diesem alles verschlingenden, blutsaugenden Drachen, diesem lernäischen Ungeheuer. — Den Nachmittag schlug er bey Büschs vor, ich sollte der Gesellschaft den Brief im Che= sterfield über die Zerstreuung vorlesen — zu unserer Bes= serung, sagte er, Tellow, nicht eben zu ihrer; Sie brau= chen das nicht; aber wir Andern sind bisweilen zerstreut!

G 2

Drauf erzählte er einige fürchterliche Geschichten von diesem Drachen. Eine, von einem gewissen hannoverschen Geheimenrathe, der einen Schreibtisch bestellen läßt; als er kömmt, setzt er sich dran nieder, wird unwillig, ruft den Bedienten: hab ich euch nicht gesagt, daß Ihr mir einen niedrigen Tisch bestellen sollt, und der hier da ist so hoch, daß ich die Arme nicht herauf bringen kann — — — o! sagt der Bediente, Ew. Excellenz geruhen nur von der Erde aufzustehen (auf die er sich gesetzt hatte) und sich auf einen Stuhl zu bemühen, Sie werden finden, daß er gerecht ist. — Auch eine von zwey Zerstreuten: den einen jückts und er kratzt den Andern. Warum kratzen sie mich, Herr? fragt der Andre. "Ja es juckt mich!", — Ja so! antwortet der Zweyte. Der eine dachte sich in des einen Jucken, und der Andre in des Andern Kratzen hinein. — So weit ist es noch nicht mit ihnen, sagte Klopstock; aber es kann so weit kommen. Spiegeln sie sich daran!

Seit vierzehn Tagen bin ich hier. Und der Winter, der uns mit seinem Eise und Schneegestöber einschließt, vermehrt nur den Genuß des Lebens. Die Gesellschaft, die sich auf diesen lieben Fluren zerstreuen würde, hier hin und dort hin und dahin, muß zusammen halten. Und den Mann habe ich mit, du weißt wohl wen — der uns Gesellschaft leistet, Morgens und Abends, von dem ber

Sonnen- und Kerzenlicht gesprochen und gelesen wird, der uns begleitet, erfreut, durch alles was je die Natur Edles und Herrliches hat, durchführt und hinreißt. — Schon habe ich den Messias meist ganz mit ihnen vollendet; und mir ist er selbst dadurch wieder neu worden. Er wollte in seinem Briefe an mich auch von Wirkungen was wissen, die er hervorgebracht; ich müßte ihm zu viele schreiben; darum schreibe gar keine; aber das hätte ich ihm gegönt, daß er hier gewesen wäre, um uns unsichtbar geschwebt, und Sophia dabey gesehen hätte. Nimms mir nicht übel, ich muß dir etwas von ihr schreiben. Ich schwatze jetzt gern mit dir, muß wohl! es ist kein Verdienst, Liebe; denn die vielen Stunden der Einkerkerung! die heften mich an die Feder. Wie gesagt, wir sind viel beysammen; so eine Schlittenfahrt unter dem candirten versilberten Buchenreisern weg, ist noch das Einzige, oder daß ich denn des Morgens mit Ihn die Scheunen besuche, oder einmal im Schnee auswate, die knotichten Wintereichen fällen zu sehen, oder seine Bauern in ihren Hütten der Einfalt kennen lerne. Er besucht sie recht freundlich, so gütig und sorgsam für die geringsten seiner Leute und Unterthanen als ihn, hab ich nach keinen seines Standes gesehen; es fehlt uns dabey nicht an Unterhaltung. Auch der Winter hat nahmenlose Schönheiten, wenn man sie aufzusuchen weis. Wenn ich des Morgens so aufstehe, und aus meinem Fenster blicke, und sehe, wie

G 3

die blauen Wellen der Ostsee sich stürmend ans Gestade
drängen! Nie werfe ich mein Auge drauf, ohne daß mir
Ossian einfällt, und seine schottischen Gegenden, und
daß mir ein Seufzer für Connal entfährt, der so bey
Galvina am Ufer schläft; ihre grünenden Gräber werden
vom Seemann gesehen, wenn er vorbeytanzt auf den
Wellen des Nords!

Doch was ich mit Ossian und Connal und Galvina
hier will, da ich dir eigentlich von Sophia zu schreiben
habe! —

Er und sie hatten mich gebeten, ihnen den Messias
vorzulesen. Das war nur ein reizender Antrag; ein
Fest für meine Seele. Auf so eine Gelegenheit hatte ich
lange gewartet, einmal zu erfahren, wie schwer oder nicht
schwer Klopstock für Leser, die ihn noch fast gar nicht
kannten, die weder sehr für ihn, noch auch mit Vorurthei-
len wider ihn eingenommen wären, seyn würde. Was
ich immer sage, und gesagt habe; er ist für Leser von
wahrem Verstande gar nicht zu dunkel, hab ich auch hier
über mein Erwarten bestätigt gefunden. Ich kanns
nicht leugnen, ich fürchtete anfangs das Gegentheil.
Ich kannte zwar Sophias Geist schon, wie sehr sie ihn
auch, die eitelkeitsfreye Seele! gleich der Viole im Thal, zu
verbergen weis! Aber doch dachte ich, da Deutsch nicht ihre
Muttersprache ist, und sie von ihrer Jugend die Hoferzie-
hung genossen hat, wo es leider nun die Gewohnheit
mit sich bringt, daß alle Aufklärung des Verstandes aus

den Büchern der Welterleuchter! aus französischer Lectür hergeholt werden muß, wird Klopstock so ganz nicht .... nun! wie denn das so ist! Mit den ersten zehn Gesängen möchte es denn wohl noch etwa gehen! aber wenn wir darüber hinauskommen, an die, wo der Dichter als Mann gearbeitet hat, wo die tiefsinnigste Kunst immer mit der Begeisterung gleichen Schritt hält, wo die verwickelten Dialogen erst beginnen, die gedrungenen gepreßten Perioden, und das übrige das Schwierigkeiten machen kann, da .... aber alle meine Besorgnisse sind falsch gewesen; wir sind jetzt damit durch, er ist ganz gefaßt und verstanden worden. —

Sehr wenige Stellen hab ich, und auch die nur sehr kurz erläutern dürfen. Ich merkte bald, wem ich vorlas! So ein richtiges Gefühl! Was doch der gesunde klare Mutterwitz und Menschenverstand für eine vortreffliche Sache ist! Hundertmal sagte ich bey mir selbst: Für den schreibt Klopstock! Manchmal da ich etwas für schwer hielt, sah ich sie nur an: "Soll ich ....„ ein Wort, eine Frage deutete mir an: es ist nicht nöthig; ich las weiter. Die feinsten Anspielungen auf biblische Geschichten verstand sie den Augenblick! Sie hat, das sah ich, ihre Bibel gelesen. Und eine Anmerkung machte ich, die mir besonders lieb war. Was meinst du, das ihr am besten gefiel? Nicht die Bilder, nicht die prächtigen Gemälde, nicht die Theile an denen die Phantasie am meisten gear-

beitet hat. Auf die gewöhnlichen Leser wirken die am
stärksten; aber das sollte nicht so seyn. Am meisten wirk=
ten die einfältigsten stillerhabenen Stellen der Empfin=
dung, gerade die, wo so Viele über Langeweile und
Ermüdung bey klagen, die Gebete der Engel, die Tri=
umphlieder, die Gespräche, die Ausgüsse des Herzens!
Die großen fürchterlichen Scenen der Teufel, Philos,
wurden bewundert, wirkten Schrecken, aber Cidli ..
Portia ... die Wonnen der Auferstandnen ... die
Gefühle der Ewigkeit ... das Trauern um den Gekreu=
zigten — oh! ich kann dirs nicht so sagen. Schade um
Bilder und Einbildungskraft! aber das Herz, das Herz!
wer hat das je zu bewegen gewußt wie er? Da wir sein
eigen Schicksal lasen, Gedor und Cidli — ich konnte
nicht mehr, stand auf, ging weg. Sie umarmte ihren
Gatten und beyde fühlten, wie glücklich sie noch sind. Da
ich wieder kam, waren ihre Augen roth. — Wir waren
eine Stunde lang alle stumm. — "Sage, warum bebst
du? warum stürzt die Thräne eilend herab? warum er=
schüttert so der Dichter dein Herz dir?„ — So wie er
kanns niemand!

Doch nun auf etwas anders zu kommen; weswegen
mir diese Tage mit so angenehm gewesen sind, ist, weil
ich einmal meine liebe Declamation, die ich so lange nicht
geübt hatte, von neuem vornehmen müssen, und mir
allerley Gedanken drüber abstrahiren gekonnt habe. Ißt,
oder niemals will ich dir über seine Teone schreiben, die der

vollkommenste dichterische Commentar über Declamation
ist. Itzt! da mancherley über diese Materie, mir vor Augen,
theils auch aus Erfahrung, schwebt, daß, wenn ichs unter=
ließe gleich zu fassen, mir wieder verschwinden möchte.

Klopstock selbst ist in der That der einzige mir be=
kannte Dichter, der, so wie er überhaupt, bey allem
Feuer seiner Begeisterung, sehr theoretisch, nicht allein
über das Wesen der ganzen Dichtkunst, sondern alle
einzelnen, auch, in den Augen des Halbdenkenden,
unbedeutendsten Theile derselben, nachgedacht, und phi=
losophirt hat, so auch besonders sehr tief in die Wirkun=
gen hinabgestiegen ist, die sie haben kann. Des Zeuge
ist seine Gelehrtenrepublick, die beste Poetik die ich noch
kenne. Du kannst also denken daß er dem Declamiren
keine geringe Aufmerksamkeit geschenkt hat. Das, was
er hier und da, vorzüglich aber S. 137. drüber sagt, ent=
hält viel! sehr viel! Ich werde es zum Theil nutzen und
hier anführen müssen. Er selbst declamirt meisterhaft;
aufrichtig zu sagen, hab ich keinen seines gleichen gefunden;
was ich drinn verstehe, und was man drinn lernen kann,
habe ich großentheils seinem Unterrichte, seinem Beyspiele
zu verdanken, und den Gesprächen, die wir sehr häufig
drüber geführt haben. Leidenschaftlicher Ausdruck läßt
sich am wenigsten lehren, den muß ein Gott dem Lesen=
den gegeben haben; allein was vornehmlich den Versvor=
trag, den Rythmus betrift, darinn ist er unermüdlich ge=

wefen, mir zurecht zu helfen. Da ich noch ein Knabe
war, mußt ich ihn schon vorlesen, er tadelte mich, machte
mirs vor, sagte mir, warum das so und so seyn müsse,
und nicht anders; gewiß! ich danke ihm, ich danke ihm
recht sehr. Noch izt bin ich selten einige Zeit bey ihm,
daß ich ihm nicht vorlese; aber auch gewiß nicht ohne
Furcht; es entwischt ihm nicht die kleinste Feinheit eines
Fehlers darinn. Ich bin oft über das Ohr des Mannes
erstaunt; denn kaum ist die allergeringste Unrichtigkeit,
in der Aussprache vielleicht nur einer einzigen Silbe, die
unmerklichste Uebertreibung eines Affects der Zunge ent-
flohen, so sehe ichs an seiner Mine, seinem Auge, seinem
Blick: — das war falsch!

Das muß aber auch der Mann können, der so viel
gethan hat, daß der Declamator sich zu zeigen vermag,
und der ihn so sehr ehrt, daß er ihm den ersten Platz nach
sich selbst einräumt. Sein Messias, das sage ich dir,
ist die Probe des Declamators so wohl als der Triumph
des Dichters, und wenn ich mir das Bild ausmahle,
diesen, einmal öffentlich ganz vorgelesen, wie die Alten
ihren Homer lasen, Alles mit der Leidenschaft, der Empfindung, der Stimme in Ausübung gebracht, die sich
dabey ausüben läßt, vor vielen würdigen Zuhörern, von
einem würdigen Leser, der Klopstocken das wäre, was
Garrick Schackespearen ist, und vielleicht mit einigen
Nebenfeyerlichkeiten, die Sache zu erhöhen; wenn "die
Aussprache, die Stimme, die Kenntniß, die Empfindung,

und die Begeisterung, diesem Gedichte, das so sehr ein
Gedicht ist! Hand in Hand einen Tanz hielten, und du
in dem Zauberkreise stündest, aus dem du nicht eher her-
auskönntest, als bis die Tänzerinn ausruhte,,, — —
das ist eine meiner wonniglichen Phantasien, Elisa; wozu
aber unser liebes Vaterland zu kalt ist, als daß es nicht
immer blos Phantasie bleiben müßte. .

Wir hatten einmal so lebhaft über diese Phantasie,
und Declamation überhaupt gesprochen, daß mich große
Lust anwandelte, ein Buch drüber zu schreiben, das ich
aber bald aufgab, nicht allein weil man viele dergleichen
Entwürfe blos zu seiner eigenen Herzenslust macht, und
weil das Entwerfen so ein inniges Vergnügen ist, sondern
vornehmlich, weil ich sah, daß die Hauptsache, worauf
bder Declamation alles ankömmt, gar nicht gelehrt,
oder höchstens nur mit der lebendigen Stimme und dem
Exempel gelehrt werden kann; so lange nicht Noten,
woran ich verzweifle, darzu erfunden werden. Ueber gewisse Sachen läßt sich viel einzelnes, abgebrochnes vortreflich denken und reden, das keiner Theorie noch eines
Systems fähig ist. Declamation und Physiognomik,
werden nie eine Wissenschaft werden, wie viele Folianten man auch darüber schreibt. Die einzelnen Bestimmungen sind über dem, was die Sprache oder der Griffel ausdrücken kann. Doch hatte ich bey der Gelegenheit
allerley Punkte, über die ich mich hätte ausbreiten mögen,
über die Klopstock auch schon einiges gesagt hat, das noch

mehr ausgeführt zu werden verdient. Hier sind einige wenige davon; ich würde nichts drüber sagen, wenn ich nicht glaubte, daß es dir zum Verständniß der Töne zum Theil dienen könnte. — Seltenheit der Declamation, und daß sie eine Kunst sey: Ja, Elisa, eine Kunst, allerdings! und eine höchst seltne Kunst! eine Kunst, die größtentheils den Schauspieler, den Redner ausmacht, worüber die Alten Jahre lang lernten, übten, lehrten; Garriks, Demosthenes, Ciceros Kunst! Wodurch allein klar wird, was ein vollkommner Dichter sey, und was sich durch die Sprache wirken lasse; denn, wie unser K. sagt, man macht sich davon keinen richtigen Begriff, wenn man sie sich blos durch Buchstaben bezeichnet, weil nur die Declamation den Ton= und den Zeitausdruck zu fühlen giebt. Aber so selten! — daß ich, Klopstocken und noch Ihn ausgenommen; fast keinen gefunden habe (und meine persönliche Bekanntschaft unter diesem Geschlechte ist nicht klein) der für meine Ohren nur einmal erträglich läse, seine eignen Sachen erträglich läse! vom Declamiren ist gar nicht einmal die Rede! — Ihre Verachtung: Sie geht mehr nach Brodt, als irgend eine andre Kunst. Das Vorurtheil ist fast allgemein: declamiren kann jeder von selbst, was brauchts da Studium? Das lächerlichste Vorurtheil! für den, der die Schwierigkeiten davon versucht, drüber nachgedacht, selbst erfahren und geübt hat, und die Bemühungen der Alten drinnen kennt! Aber sie rächt sich auch dafür an ihren Kindern, wie die verachtete

Weisheit. Denn woher kömmt wohl anders, als daher
das erbärmliche Stimmengeplärr auf den Canzeln, dieß
unerträgliche Gekreisch auf so vielen Cathedern, so viele
verunglückte Schauspieler, wodurch einem der Gottes-
dienst, die Erlernung der Wissenschaften, und das Vergnügen am Drama so verleidet wird! Wie manchmal
hab ich geseufzt, wenn ich viele unsrer besten Prediger,
gute, und gutgesagte Sachen, so elend aussprechen hörte,
daß ich gern ihre Worte geschrieben gelesen, aber vor
ihrem mündlichen Vortrag, der alle Wirkung des Gesag-
ten hemmte, die Ohren hätte verstopfen mögen! Die
Vollkommenheit darinn zu erreichen, würde zwar immer
sehr schwer bleiben, aber bis zum Erträglichen könnte
es doch jederman bringen, der sich drauf legen wollte.
Ihre Gattungen: Ich würde dreye annehmen; die aber
alle die allgemeinen Regeln mit einander gemein haben.
Des Redners, des Schauspielers, des Dichters. Ueber
die beyden erstern ist schon viel geschrieben, über die letztere nichts als von Klopstock. Was er darüber sagt, verdient wohl beherzigt zu werden. Darauf will ich mich
hier einschränken, dirs zu wiederholen, und zu erklären.
Zwey Arten der Tonbildung, meint er, giebt es hierbey.
Die eine begreift alle die unmerkbaren und unlehrbaren
Bestimmungen des Sanften, oder des Starken, des
Weichen oder Rauhen, des Langsamen und des Langsamern (denn es giebt verschiedne Grade der Langsamkeit
und der Schnelligkeit) oder des Schnellen und Schnel-

lern, die das wirken, daß die Töne völlig zu solchen Ge=
dankenzeichen werden, als sie seyn sollen. Die andre,
(von der läßt sich fast am wenigsten sagen, und sie bleibt
allen denen ein Geheimniß, die nicht die Natur mit dem
Gefühl der Leidenschaft begabt hat,) "die in sehr fein ver=
schiednen Graden Leidenschaft ausdrückt. „ Jene Ton=
bildung läßt sich noch lernen und nachahmen, diese gar
nicht; diese macht das Genie, jene die Kunst des Decla=
mators aus. Mit andern Worten: Der Declamator
muß mit seinem Dichter weinen, lachen, spotten, zürnen,
sich in alle Arten und alle Schattirungen des Affects ver=
setzen können. Sind diese beyden Tonbildungen in ihrer
ganzen Kraft vereint, so giebt Er der Declamation sogar
den Vorzug über den Gesang; denn der Gesang hat be=
stimmtere Regeln als die Declamation, und ich habe
Opernsängerinn gehört, die, weil sie schulmäßig sangen,
und völlig regelrecht, bey dem empfindungslosesten Her=
zen den Ausdruck der Leidenschaft bis zum Sprechen
nachahmten. Sogar Halbmenschen, Castraten können ja
das! Aber der Declamator läßts wohl bleiben, ohne das
eigne Gefühl; erschüttert aber auch dafür ganz anders!
trifts Herz, wo jene nur die Ohren rühren! — Von
einem solchen Declamator, meint er, könne der Dichter
selbst lernen. Und was? 1) Die Wirkungen des Wohl=
klangs. Wohlklang? Man denkt sich immer etwas sehr
falsches, wenn man darunter nur das melodische versteht,
die Schicklichkeit der Sprache zur Musik. Tausendmal

habe ich die italienische ihres Wohlklanges wegen preisen
und über unsre setzen hören. Grundfalsch! Ihrer Melodie wegen, hätte man sagen sollen, aber nicht Wohlklang,
und man hätte Recht gehabt. Melodie der Sprache ist
eine gewisse, für das Ohr angenehme, und gleiche Ver-
theilung schöner Consonanten und Vocalen; Wohlklang,
die Zusammensetzung der Vocalen und Consonanten mit
Rücksicht auf den Sinn der Worte, und so gehören "sogar rauhe Töne, wenn der Inhalt es erfodert, mit zum
Wohlklange.„ Sanfte Gegenstände durch sanfte Töne,
rauhe durch rauhe, auszudrücken, und ausdrücken zu können, das ist der Vorzug der Sprache, und darinn besteht eben die Vollkommenheit der unsrigen. Von folgenden beyden Versen Klopstocks

"Schmettert ein Donnerwagen auf tausend Rädern
herunter, —

"Melodien, der süßesten Wonne Gespielinnen, stiegen
hat jeder Wohlklang, aber nur der letztere Melodie. Wie
schicklich aber ist der Klang von jedem zu seinem Inhalte! Weil aber der Misverstand dieser Anmerkung leicht
dazu verleiten kann, im Arbeiten die Melodie da ganz
zu verabsäumen, wo sie eben Wohlklang ist, so setzt er
hinzu: Cynthius zupfe dich beym Ohre, wenn du einen
Trieb bey dir fühlst, sie zu misbrauchen. 2.) Die Wirkungen des Sylbenmaßes, oder welches einerley ist, des
Zeitausdrucks. Die Längen und Kurzen nach ihren Ver-
schiedenheiten recht hören zu lassen. Dieß gehört zu jener

erſten Tonbildung; um dieß recht zu können, muß man
beynah ſelbſt Dichter ſeyn; und hierinn iſts, wo ich, wie
geſagt, am meiſten von ihm gelernt habe; im richtigen
Ausdrucke des Rythmus. — Den Vers genug, und doch
nicht zu ſehr hören zu laſſen, zu ſcandiren, und doch auch
nicht zu ſcandiren, das iſt hierbey eine Hauptſache. 3) Wie
viel die Wörter ausdrücken können. "Man hatte
oft einem Worte ſo viel Ausdrückendes nicht zugetraut,
als man durch die volle gedoppelte Tonbildung des Declamators hört." Das heißt: es giebt einen gewiſſen
Accent, einen gewiſſen ſtarken bebenden Ton der Stimme,
ein gewiſſes Verweilen auf dieſem Tone, das den ganzen
Sinn des Dichters zu fühlen giebt. Ein Exempel: In
dem Verſe im Anfange des Meſſias: "Er thats und
vollbrachte die große Verſöhnung!" was liegt da für ein
reicher Inhalt in dem Worte: er thats: "Er thats —
das große Werk!, ohngeachtet aller Schwierigkeiten! u. ſ.
w." — Der gewöhnliche Leſer huſcht über das Wort
fort, ließt den ganzen Vers in einem Odem, und hat
richtig geleſen, aber noch nicht vortrefflich; der vollkomne
hingegen, ſpricht thats aus mit gehobnerem Ton, laut, ernſt,
macht eine kleine Pauſe darnach, und läßt das übrige des
Verſes mehr ſinken; weils nur eigentlich die Ausbildung
des Begriffes iſt, der in dem erſten Worte ſchon liegt.
4) Was die Wörter nicht ausdrücken können. Er will
ſagen: Manchmal muß der Declamator ſogar den Dichter verbeſſern, und die Fehler, die er in der Proſodie oder

sonst begangen hat, mit seiner Stimme geschickt zu verbergen wissen. Z. E. Wenn Ramler in einer Ode sagt:
dessen Stamm Laub umkroch, (— v v — v v) so muß
der Declamator so klug seyn, hier die Regeln des Rythmus zu verletzen, und gar nicht so scandiren, wie er eigentlich scandiren müßte; wofern er nicht das Ohr auf die un-
angenehmste Weise beleidigen will.   Er muß also hier
heben, was der Dichter fallen läßt; bisweilen muß er
auch fallen lassen was der Dichter hebt. * Am Ende dieser Anmerkungen läßt denn Klopstock seinen Leser hinzusetzen: Du hast mich ein wenig erschreckt; aber ich will
lernen und ich freue mich, daß ich eine solche Sprache zu
lernen habe. —

Brr! welche Spitzfindigkeiten und Mikrologien!
wirst du sagen, Liebe, aber ich konnte dir nicht helfen;
wir müssen die Schale abmachen, ehe wir den Kern essen
können, und willst du Teonen verstehen, so mußte ich dich
durch solche Dornen durchführen. Glaube mir auch:
eigentlich ist alles oder nichts auf der Welt Mikrologie.

---

* Noch ein Beyspiel, aus einem berühmten Verse eines
Lateiners:

Reges in ipsos imperi' est Jovis. — Jovis!

Der Hauptbegriff des ganzen Verses mit zwey kurzen
Sylben! — Der Declamator kann diesen großen Schnitzer
des Dichters verbessern.

H

Teone alſo — er will zeigen, was der Declamator eigentlich ſey, und wie viel er vermag. Er denkt ſich eine Rhapſodinn, wenn ich ſo ſagen darf, die er beſingt, und mit einer Sängerinn vergleicht, der er gewiß keinen Vorzug über ſie einräumt. Dieſe Rapſodinn, oder Vorleſerinn, nennt er Teone. Er liebts beſonders ſehr, wenn die Frauenzimmer gut leſen, hat auch in Hamburg ſchon ſeit einigen Jahren, mit den größten Antheil an der Errichtung einer Leſegeſellſchaft gehabt, zu der ſich eine ziemliche Anzahl aus der ſogenannten ſchönen Welt dort zuſammen gefunden hat. Er richtete die Geſetze davon ein; man verſammelte ſich Anfangs aller acht, jetzt alle 14 Tage, las dieß und jenes aus Dichtern. Ich habe verſchiedne Frauenzimmer daraus ſehr gut leſen hören, beſonders eine Madam. Sillem. Doch, daß ich mich nicht verirre! — Teonens Vortreflichkeit zeigt er erſt durch ein Beyſpiel von dem Entgegeſezten.

Denke dirs, es hat eben ein recht ſchlechter und doch eigendünkeliſcher Declamator, wie denn das oft beyſammen iſt, ein Gedicht vorgeleſen. Das Gedicht, das geleſen worden iſt, iſt ſelbſt vor der ſchlechten Declamation ganz erſchrocken. Still auf dem Blatt, ruhte das Lied, noch erſchrocken vor dem Getös des Rhapſoden, der es herlas, ob er gleich ganz unbekannt war, mit allem was die Declamation ausmacht, mit der gehörigen Abwechſlung ihrer Schwäche und Stärke, mit der ſanften

ren Stimme Laut und dem vollerem Ton. Solcher
brüllenden Leser hab ich nicht wenige gehört!

Aber wer die Rhapsoden waren? Das waren Leute,
ehemals, Elisa, die aus der Declamation Fait machten,
und öffentlich, in Griechenland, bey Gastmahlen, u. s. f.
den Homer vorlasen. Unter ihnen gabs sehr trefliche,
aber auch sehr schlechte. Irgend so einen schlechten hat
er im Sinne. Und so elend er auch gelesen hatte, dieser
Gesell, so viel bildete der Narr sich doch ein. Dicht an
Homer schrie sein Geschrey! Er meinte, daß sein Verdienst fast nicht kleiner sey als Homers seines selbst! Auf
den Dreyfuß des Dichters sezte ihn sein Wahn; und der
thörigte Wahn verbarg ihm, daß Achilles Leyer, die den
Achilles in der Iliade besang, Homeren, den er so ver-
hunzt hatte, vor Unwillen aus der Hand sank, und des
Mäoniden Genius zornig entfloh!

Etwas ganz anders als das Geplärr so eines Rhapsoden ist die Declamation von Teonen, die er sich denkt. Er
wendet sich zu einer Sängerinn, sagt ihr, sie selbst solle
von ihr lernen. Aber o lerne, Sängerinn selbst, von
Teonens zaubernder Kunst, wenn den Inhalt sie wie
Wachs schmilzt, und der Seele des Liedes gleiche schöne
Gespielinnen wählt, wenn sie Töne der Stimme wählt,
die so schön sind als die Seele des Liedes selbst.

Hörst du, wie sies ganz anders macht, als der Rhap-
sode? wie sie an der Gewalt des Rhapsoden, die er dem

Liebe anthat, rächet das Lied? wie dem Ohre sie es bildet? Ich frage dich, hast du Gefühl, so gestehs nur, sage, sind nicht Sängerinn! dieser Töne Wendungen auch Melodie?

Ja! allerdings sind sie's, sind Melodie! und mehr noch eine wahre hinreissende Melodie, als die Instrumental und Vocalmusic geben kann, Melodie, an der das Herz noch innigern Antheil nimmt! verwebt von des Herzens feinstem Gefühl! nicht die Haltung, wie etwa die Flöte tönet, oder wie deine Stimme, Sängerinn, über die Flöte sich hebt.

Fühlst dus, was Teone wirken kann? Sage, warum bebst du? was stürzt dir die Thräne eilend herab? was besänftigt nun dein Herz dir? So verschieden und mannigfaltig sind ihre Wirkungen! Und sie theilt das Verdienst, so gar mit dem Dichter selbst. Wer machte dich weinen und besänftigte dich wieder? Thats Teone nicht auch, und rührt dich etwa der Dichter allein?

Für eine solche Vorleserinn zu arbeiten, ist des Dichters süssestes Geschäft! Höre, für sie dichtet' er; hör'; auch die kleinste Kunst des Gesanges ist Teonen nicht verborgen! Wie richtig sie auch das schwerste Sylbenmaaß zu lesen weis, und uns es zu hören giebt! folg ihr, wie in des stolzen Rythmus Tanz sie mit Leichtigkeit schwebt!

Drauf redt er die Deutsche Grazie an: Pflanze für sie, Blumen im Hain an dem Bache, Nossa, daß ich wenn melodisch sie vielleicht einst meiner Saiten Gesang

begleitet, kränze Leonen ihr Haar! daß ich sie belohnen
könne, wenn sie auch vielleicht meine Gedichte vorließt.

Einen Gesang auf die guten Leserinnen also hätten
wir; nun wünschte ich auch einen von ihm, auf die eben
so seltnen guten Hörerinnen! wie Du und Sophia! Ach
Elisa gedenkst du auch noch unserer ehmaligen Vorlesun-
gen in der Epheulaube, im Lispel der Abendluft! Da ich
hier dein Bild so wieder finde, wird mir die Erinnrung
doppelt neu. Denn Sophia... aber ich habe mich müde
geschrieben, und muß jetzt schließen. Unten liegt schon
alles in den Armen des Schlafs; ich wache allein noch
oben bey dem Nachtlicht! Doch ein Exempel, wie fein sie
versteht, muß ich noch aufzeichnen. Ich hatte recht meine
Freude dran.

Eben heute las ich den neunzehnten Gesang im
Messias. Bey der Stelle wo die Gemeine des Mittlers
das Abendmal nimmt, das Lazarus austheilt, sagt jeder,
indem er davon weggeht, etwas das seine Gefühle ausdrückt! Es ist eine der mannigfaltigsten Scenen: Die
Stellen, wo im Messias dialogirt wird, sind überhaupt
die schwersten, und der geübteste Leser muß da oft alle Gedanken beysammen behalten, um durchzufinden. So oft
Punkte da stehen, redt ein Anderer. Von einigen wird
es bestimmt, durch Umstände, wer der Redende sey, von
andern nicht. Wo es bestimmt ist, pflegt ich im Vorlesen gleich den Nahmen des Redenden zu nennen: Ich
kam an den Vers:

H 3

" Mir ward es geordnet

Zweymal zu sterben! Ach pfleget der Schlummer

der lieblichen Dämmrung,,

Nicht dem Schlafe der Nacht, nach kurzem Wachen

zu folgen? "

ich stuzte; hielt ein; besann mich selbst nicht gleich, wer
da redte, ob Lazarus? Semida? — ich sehe mich um:
Tabitha! sagt Sophia. — Recht so! Tabitha! ... So
genau hatte sie Achtung gegeben, und sichs gemerkt; daß
die Erscheinende * zu ihr sagt: ihr wäre zweymal zu sterben gesezt.

So leben wir hier, so nähren wir unsern Geist, mit
köstlicher Speise. Und wenn ich nun überdenke, wie glücklich mich alles das machen müßte, wie ich hier alles habe,
was man nur wünschen mag zu geniessen, die schönste Natur, den reizendsten Umgang, die Freundschaft der besten
Menschen, und ich doch so eine Oede in mir fühle ... ich
schelte mich oft, gewiß! und strafe mich: Ungenügsames
Herz! was willst du denn noch? sey ruhig! O Elisa, ich
bitte dich um Gottes willen, warum mußtest du gebohren
werden? warum mußt ich dich kennen lernen?

Er bat mich darauf, ihm das Mannscript da zulassen, er
hätte jezt keine Zeit es zu lesen, er wollte es mir aber
sicher und bald wieder zuschicken.

---

* Funfzehnter Gesang. S. 211.

Das Dalaſſen iſt nun ſo eine Sache! ſagte ich, lie=
ber Klopſtock, ich weis ſchon, wie das bey Ihnen geht.
Ich möchte nicht gern, daß es verlohren würde. Und Ihr
Abgrund, Ihr...

Doch! über den Abgrund, ein paar Worte! Unor=
dentlich in Abſicht der Scripturen und Bücher iſt nun
faſt jeder Gelehrte, aber die Poeten am meiſten. Daher
Alberti, wenn er einen recht Unordentlichen bezeichnen
wollte, ſagte, es iſt ein Poet! So iſt nun auch mit Gun=
ſten hierinnen Klopſtock. Zum Unglücke muß es ſich juſt
treffen, wie denn alle Dinge in der Welt verkehrt ſind,
daß dieſer groſſe Mann in Hamburg ein Zimmerchen be=
wohnt, das zwar eine ſehr dichteriſche Auſſicht hat, auf groſſe
und ſchöne Gärten, über die der Cathrinenthurm male=
riſch hervorragt (in der Königsſtraſſe) und in das der
liebe Mond abends ſeinen ganzen Zauberglanz herein=
gießt, aber ſo klein, und eng! nur vier Schritt breit, und
fünf lang! kurz, daß man nicht weis, wo man was aus
der Hand legen ſoll. Wenn Windeme nicht bisweilen
aufräumte, ſo ſähs ſchlimm aus, denn nur ſie kanns und
darfs. Auf ſeinen Tiſchen herrſcht immer die lyriſchſte
Verwirrung.

Dieſes und andre Zimmer, die er bewohnt hat, hat=
en von jeher bey ſeinen Freunden in ſchlechten Credit ge=
ſtanden, und verſchiedne fürchterliche Nahmen bekom=
men. Einige vergleichens mit der Scylla und Charyb=

dis. Funk schrieb mir einmal wegen seiner Lieder, er
könnte sie izt nicht herausgeben, wie er wohl wollte, denn
die lägen schon seit Jahren in Klopstocks Archive begraben. Die seelige Stolbergen nannte es einen Abgrund,
einen Gouffre. Wenn jemand fragte: Wo ist das und
das? der Brief? Der... Er ist weg! auf ewig weg!
Klopstock hat ihn in seinem Gouffre!

Also sagte ich: Ja wenn Ihr Gouffre nicht wäre,
so ließ ichs Ihnen gern. Allein ... Da ich aber doch
gern wollte daß ers läse, so wandte ich mich zu Windeme,
die ist die Ordnung selbst, und bat sie: Wenn Sie meine
Bürginn seyn wollen, und dafür sorgen daß ichs wieder
bekomme, so ...

Klopstock unterbrach mich: Wie Sie doch naseweis
oder weisnasig urtheilen! Wenn ichs Ihnen verspreche,
daß Sies wiederhaben sollen, so können Sie sich drauf
verlassen. Und daß ich Ihnen einen Beweis gebe, wie
ordentlich ich auch seyn kann, wenn ich will, so kommen
Sie mal her!

Ich kam.

Da sehen Sie hier das Repositorium! Das sind meine
Subscriptionssachen zur Gelehrtenrepublick. — Nun kommen Sie! — Sehen Sie diese Bücher? Alles numerirt!
Die Fächer nach dem Alphabete eingetheilt! Jedes Papier-
chen an seinem Platz. Was sagen Sie nun.

Freylich das ist so ordentlich, wie bey einem Kaufmann! Muß es gestehn!

Also haben Sie hier geirrt. Nicht?

Ich gabs zu.

Also haben Sie hier einmal geurtheilt über meine Unordnung —(langsam) wie ein Criticus! ... (langsamer) wie ein gemeiner Criticus! — — — (noch langsamer) wie ein abgeschmackter Criticus! — — — (Sostenuto) — — wie ein ber-li-ner Criticus! — Gehen Sie, Sie berliner Criticus. —

Liebe Elisa! Irren ist menschlich, aber im Irrthume beharren teuflisch. Ich sang also Palinodie, und bat um Verzeihung. — Geirrt, lieber Klopstock, und geurtheilt wie ein berliner Criticus! und wenn Sie wollen, wie der, der im Nahmen von hunderttausend Stimmen Ihre Lieder verurtheilte! — — * Fürwahr, ich hätte verdient von den Nachtwächtern herbey geblasen zu werden.

Er ist manchmal in gar comische Situationen verflochten worden, und es sind ihm sehr drollichte Geschichtchen begegnet, wovon ich dir itzt ein Paar zur Gemüthsergötzlichkeit auftischen will, da sie mir eben beyfallen.

Einmal ist ein ehrlicher Prediger zu ihm gekommen, der ihn sehr geliebt und bewundert hat, und hat ihn mit vieler Bescheidenheit und Vorsicht, aber so recht

---

* Siehe Gelehrtenrepublick. S. 316. Anm. d. H.

H 5

innig und aus Herzensgrunde gebeten, er wäre doch ein
Mann der so viel gölte! und der so viel Nutzen stiftete,
er möchte doch um Gottes und der Religion, um alles
willen, den Abbadona nicht seelig werden laßen. Faſt
mit Thränen hat er ihn drum gebeten. (ne quid detri-
menti capiat respublica!) Klopſtock hat ihn denn mit
der Ehrerbietung, die er gegen jedes gute Herz fühlt, beruhigt: Er ſollte ſich nur zufrieden geben; er wollte das
schon so machen, daß die Religion nicht drunter litte.

Einander mal aber besucht ihn (es iſt in Langen-
ſalza geweſen) ſo einer von den Schwätzern, die berühmten Männern ihre Cour machen, um ſie die Bürde
ihrer Würde fühlen zu laßen. Klopſtock muß ihn denn
zum Coffee da behalten. Dieſer behagt ſich da auch
wohl genug, unterhält ihn lange von der Vortreflichkeit
ſeiner Schriften, doch auf eine Art, daß K. bald ſah, er
hätte nichts davon geleſen, kömmt denn auch auf den Meß-
ſias zu reden, und nach einer langen Brühe von Lobsprü-
chen darauf, fragt er ihn: Er würde doch auch wohl gegen
die Spitzköpfe, die Reformirten, oder warens die Catho-
licken — — oder Socinianer — — ich weis nicht
genau — einiges mit einfließen laßen. — Da käms denn
heraus, daß er den Meſſias eigentlich für eine polemiſche
Abhandlung hielt. Klopſtock beſann ſich ein bisgen: O
mein Herr, ſagte er, eigentlich ſchreibe ich wider die Türken.

In … ich glaube … Friedensbürg, ſollte er einmal
Friedrich dem fünften einen Theil der Meßiade überrei-

chen. Er steht und wartet eine Weile in der Anticham-
bre. Es kommt einer von den Hofleuten auf ihn zu, der
sichs Fluchen sehr angewöhnt hatte, und Klopstock fängt
an, sich derweile ins Gespräch mit ihm einzulassen. Endlich merkt dieser, mit wem er spräche. Voll Verwunde-
rung tritt er zurück.—Was Teufel! sind Sie Klopstock?—
Je! all das Wetter! Sie Herr Klopstock? Sie sprechen ja ganz verständlich. Je hol mich der Teufel! man
hat mir gesagt, daß man Sie gar nicht verstehen könnte,
und, der Hagel! Sie sind ja wie ein andrer Mensch!

Noch eins, worüber wir sehr gelacht haben. Er
fährt einmal auf dem Paquetboote nach Coppenhagen,
und in Hamburg haben ihm seine Freunde unter andern auch
frische Heringe mit gegeben, die um diese Jahrszeit in
Hamburg etwas sehr rares sind. Die sitzt er und ver-
zehrt auf dem Schiffe, in Gesellschaft der andern Passa-
giers. Nachdem einer von diesen, ein Handwerksbursch,
lange die Heringe beäugt hat, steht er auf, mir nichts,
dir nichts! und fährt mit der Gabel auf Klopstocks
Teller, langt sich ein Stück davon, "Mit Erlaubniß
Patron! —„ und damit zum Munde. — Doch man
muß so was Klopstock selbst erzählen hören. Dieß:
"mit Erlaubniß Patron,„ ist in unserm Zirkel seitdem zum
ordentlichen Sprichworte geworden.

Und nun auch — mit Erlaubniß, liebe Patronin!
daß wir Sie heute mit solcher Kleinigkeit unterhalten
haben. Allzeit Wein ist nicht lustig, und allzeit Wasser

ist auch nicht lustig, sondern so man Wein und Wasser trinket, das ist lustig, also auch, so man mancherley lieset.

————

Doch haben wir einmal von weiten, und bey der Gelegenheit davon ein merkwürdiges Gespräch zusammen geführt. Es war der seelenvollesten innigsten, aber auch für mich der tiefmelancholischten Abende einer bey ihm, Windeme war allein dabey, oben auf seinem Zimmer; wir waren eben von Nienstede zurückgekommen, wo wir mit der Büschen die herrliche Elbgegend gesehen, und einen noch der schönsten Herbstnachmittage in Bostels Garten verlebt hatten. —

O was ist er für ein liebegelehrter Mann. Ich erhole mich so gern Rathes bey ihm, wenn mir darinnen Zweifel kommen, nirgends find ich mehr Befriedigung und Theilnehmung. Liebe war denn auch da der Gegenstand unsers Gesprächs und die Frage: Wie ist es doch möglich, daß ein Mann, der einmal von ganzer Seele und ganzem Herzen geliebt hat, und der es weis, wie er wieder geliebt worden ist, zum zweitenmale ein Weib nehmen kann. Denn das ist bey mir so fest wie ein Evangelium: Man wird nur einmal gebohren, und man liebt nur einmal!

Zwar auf der einen Seite begreif ichs wohl. Ein fühlendes Herz ist glücklich gewesen. Es ist gewohnt ſich mitzutheilen und auszuſchütten. Die Geliebte ſtirbt. Keine Ausſicht mehr auf dieſer Seite, in dieſem ganzen irdiſchen Leben! Ja wenns bald vorbey wäre! Aber das Leben iſt lang genug, und dieſe kurze Bürde dünkt einem eine Ewigkeit zu ſeyn, wenn ſie uns noch auf den Schultern liegt! Oh! die drückende Einſamkeit, in der ſich alle dieſe Bilder des Vergangenen, des Verſchwundenen ſo geſchäftig aufdrängen. Man ſehnt ſich, man wünſcht, man hat niemand dem mans klage, denn der große Haufe fühlt das nicht; und wie ſelten ſind die Augenblicke, wo man auch bey den wenigen die das fühlen, Mitempfindung antrift! Was iſt denn natürlicher, als daß man eine neue Freundinn ſucht, nicht die Verlohrne zu erſetzen, das kann ſie nicht! nur ihren Verluſt weniger zu fühlen. Weniger Einſamkeit zu haben, mehr Zerſtreuung, Zerſtreuung! dieſes einzige Labſal! in ihren ſchweſterlichen Büſen alle dieſe Gefühle auszugießen, und Thränen zu weinen, in die ein andres Auge mit weint! wenn ſich eine ſolche Seele finden läßt! und aus dieſer Annäherung entſteht denn allmählig etwas noch Zärtlichers, als blos Freundſchaft! So löſe ich mir die Möglichkeit einer zweiten Liebe, bey denen die in Wahrheit geliebt haben. Von andern die das nicht kennen, iſt hier die Rede nicht. Die mögen freyen zehnmal für einmal!

Aber doch, ſagt ich, mein theurer Klopſtock, wenn Ihr Schickſal nun über wen verhängt iſt, ach! eine

Meta zu haben, und so bald zu verliehren! Das Liebste auf der Welt, das Einzige! Alleinzige! im Grabe zu wissen, hin! hin! verlohren auf immer . . . ich kann mir doch keinen wahren Trost, keinen Stab, keine Stütze in diesem Seelenleiden, diesem nahmenlosen Schmerze denken, als den: Sie ist nicht auf immer todt, nicht auf ewig verlohren. Das Leben flieht, zwanzig, funfzig, achzig Jahre sind hin wie ein Blitz, du wirst wieder bey ihr seyn! Die Ewigkeit! Raum genug für die Liebe! — — Der Trost den Sie so oft, so ernst Andern und sich selbst ans Herz gelegt haben,

Du bist Göttliche mein! für keine kürzere Dauer

Als die Ewigkeit mein! Das nenn ich für mich
geschaffen!

Wiedersehen! O du der Liebenden Wiedersehen,

Wenn bey dem Staube des Einen nun auch des
anderen Staub ruht!

Aber . . ich bitte Sie . . . wenn dieser Trost nicht Chimäre seyn soll, nicht eine von den bunten Phantasien, womit man sich die Wände seines Kerkers ausmahlt, wie ist es denn möglich zum zweitenmale eine Geliebte zu suchen? muß man da nicht der erstern vergessen. Und thut man das, was ist denn der Trost gewesen? .. Was? ich frage Sie.

Er antwortete mir kalt und ernst:

Mein lieber Tellow . . . Man kann zum zweyten-male lieben!

Und also zum erstenmale nicht recht geliebt haben?

Wie folgt denn das? Sie wissen ja daß es Grade in der Liebe giebt. —

Daß also die zweyte Liebe eigentlich keine Liebe ist!

Das sag ich nicht. Nur, muß man nothwendig die erste vergessen? Die geringere wird sich der größern subordiniren.

Aber das beruhigt mich noch nicht, fuhr ich fort. Die Frage ist die, ob sich das Herz zwischen zwey theilen läßt, nicht eben ob sichs gleich theilen läßt. Freundschaft — — o! die hat ein weites Reich. Aber Liebe, so viel ich davon verstehe, ihr Wesen ist, daß sie ausschließend ist. Setzen Sie sich in den Fall der Gestorbnen. Hätten Sies dulden können, daß Meta nach Ihrem Tode noch einen Andern geliebt hätte . . . .

Wie fühlte ich aber, indem ichs sagte, daß ich über Dinge wie ein Kind mit ihm spräche, von denen kein Mensch was weis. — Er schwieg still zu dieser Instanz, und antwortete nichts. Es schien als konnte er den Knoten nicht aufknüpfen. Und gewiß es giebt Abgründe in der Empfindung, so wie in dem Denken. Ich sah daß ich an einem dieser Abgründe stünde, und bebte zurück, und endigte das Gespräch. — Was ist der Mensch! Ich denke, sagte Cartesius, darum bin ich, und werde seyn. Ich liebe, sag ich, darum bin ich, und werde seyn! Aber wenn nun diese himmlischen Empfindungen, diese starken Gefühle, diese Erschütterungen der Seele in

ihren tiefſten Kräften, dieſe erhabenen Begeiſterungen,
worinn man ſein ganzes Daſeyn fühlt, und ſich in dem
Augenblicke, da man ſie hat ſchwört: Sie werden, ſie
müſſen ewig ſeyn! trotz Trennung, Tod und Verweſung!
wenn die doch, durch das Alter oder Zerſtreuung, oder
wodurch nicht ſonſt? verſchwinden, vertilgt werden, aus
gelöſcht! glatt ausgelöſcht! als wären ſie nie da gewe
ſen . . . wenn ich dich lieben kann, Eliſa, und du ſinkſt
nun, Blume! ins Grab, und ich weine dir ſo innig nach,
möchte mein Leben um dich verjammern; und denn trockne
ich meine Thränen, und am Ende werde ichs doch gewohnt,
ohne dich zu ſeyn; und über zehn, über zwanzig Jahre
weis ichs nur hiſtoriſch noch, daß du geweſen biſt, etwa
wie ichs weis, daß ich eine Muhme in der Kindheit
gehabt habe . . . . o Menſchheit! o Schickſal! o Herz!

Ich ſage dir, wenn ich mir das manchmal ſo leben
dig dachte, ſo gränzten meine Empfindungen nah an
die Verzweiflung. Das Gefühl deines Todes, war See
ligkeit, gegen das Gefühl, daß ich deiner vergeſſen könnte.
Aber wohl mir daß ich Klopſtock näher kenne, und an
ihm gelernt habe, daß ich mich darinn wenigſtens täuſchte.
Nein! ich kann deiner nicht vergeſſen. Ich ſehs an ihm,
daß dieſe Eindrücke bleiben bis ans Grab, und alſo auch
bis übers Grab. Zwar nur bey wenigen Menſchenſeelen,
aber ich hoffe daß meine zu den wenigen gehört. Das
Alter hemmt wohl den Ausbruch der Empfindung, macht

ihre Farbe verbleichen, aber das empfindende Herz bleibt, und glüht wie Feuer unter der Asche. Wie oft, wenn ich ihn so heiter, so vergnügt, so scherzend sah, sprach ich zu mir selbst: Das ist der Mann den Cidli liebte, und der sie verlohr? — Aber ich habe mich geirrt. Ja! wer ein Mann ist, faßt sich, und zeigt den Leuten eine heitre Stirn, aber seine Wunden läßt er für sich im Stillen bluten.

Und ich habe ihn im Stillen belauscht! Glaube mir das, er hat Metas nicht vergessen. Mein lieber Tellow, sagte er mir einmal, da ich davon redte, alle Glückseeligkeit des Menschen bestünde doch nur in Resignation, und daß man tragen lernte, und vergessen, . . . vergessen? sagte er, vergessen? o hoffen Sie das nicht! so was vergißt sich nicht! . . . Windeme erzählte mir, er hätte sie neulich an gewisse Scenen seiner jüngern Jahre erinnert, wissen Sie das wohl . . . und das . . . und jens . . . liebes Hanchen — und hätte dann angefangen zu weinen. Wenn man ihm aus dem Messias vorließt, und zu der Scene von Gedor und Cidli kömmt, so sagt er: Nicht weiter. — Er hütet sich sorgfältig, die Ideen des Todes in sich zu erwecken. Ich wollte ihm einmal die Beschreibung vorlesen, wie meine Schwester gestorben ist — das mag ich nicht hören, sagte er. Ein einziges mal gelangs mir, ihn auf Meta zu bringen, und mir die Geschichte seiner Liebe zu erzählen. Allein ich wußte noch lange nicht so viel davon als ich wünschte, so brach er ab: Ich kann, ich darf nicht davon sprechen. Es wird mir zu lebhaft! So oft er vor Ottensen vorbey= fährt, wo ihr Grab am Weg über die Kirchhofmauer hervorragt, so wendet er ernsthaft sein Auge seitwärts. SeineFreunde wissen das auch und schonen seinen Schmerz. Und eines Augenblicks seiner Empfindung, die ich selbst gesehen habe, o des denk ich meine Lebenstage hindurch

Es war in unserm großen Saale, eines Tages, da er am vergnügtesten gewesen war. Wir alle waren versammelt, Windeme und Gerstenberg sangen an mei= nem Claviere Selmar und Selma zusammen nach Nee= sens inniger Melodie. Fritz Stolberg ging mit großen Schritten im Zimmer umher, die andern standen ums Clavier, er saß im Winkel des Saals in dem kleinen gelben Lehnstuhl, ich bey ihm. Er hörte zu. Du weißt, wie gefährlich mir diese Elegie ist. Und nun es in seiner Gegenwart singen zu hören, ders gedichtet hat, mit der Melodie, von den beyden Stimmen, um die ich gern alle Opern der Welt misse, dicht an seiner Seite! Er hörte eine Weile zu — mit welcher Mine des feyerlichen Ernsts! — — Bald, da die Stelle kam "Ach, wie liebest du mich, sieh diese weinenden Augen„ — Da bog er sich zurück auf dem Stuhle, und bedeckte die Stirne mit seiner Hand, und ich sahs! ich sahs! aus seinen beyden Augen stürzten ihm Thränen und liefen die Wangen herunter.— Ich konnte nicht mehr, ich verging.

Ich umarmte ihn, ich küßte ihm die theuern Thränen
ab: O mein Klopstock! o mein Klopstock!

Späte Thräne die heute noch floß, zerrinn mit
den andern
Tausenden welch' er weinte!

Und wie empfand ich sein ganzes Schicksal! So
geliebt zu haben und zu verlieren! — O Selma! Selma!
Es ist alles vorübergegangen wie ein Morgennebel.
Die Verwesung hat längst deinen Staub genommen, und
Würmer haben das Herz zernagt in dem Klopstock
wohnte. Dichter wie keiner war, was helfen dir alle
deine Lorbeern! Der verjüngende Lenz erwacht auf ihrem
Grabe, aber er erweckt sie nicht. Wie lange ists her?
o schon sehr lange! Und durch solche Wirbel von Gedanken, von Arbeiten, von Beschäftigung, von Verbindungen durch geschleudert, hast du noch; noch so spät
Thränen für sie. In dem Alter, das schon an den Greis
gränzt. Ach Elisa der Mensch stirbt wohl, aber nicht
die Liebe. Doch! doch!

Pilgrim, der erniedert in das Elend herwallst
Großer Trübsal voll, weinest du noch?
Und du wirfst doch wie die Engel
Dich am Throne dereinst hin im Thriumph!

J 2

Also! und mit dem Dank, und dem Preis lohnt Jesus
Führung, Dulder, dich! diesen Triumph
Triumphirt der, der das Elend
Bis ans Ende getreu, folgsam ertrug!

Schweig denn, seine Thräne, die in Wehmuth
Trost weint!
Mach sein Herz nicht weich, tröste nicht mehr!
Ist am Ziel denn nicht Vollendung?
Nicht im Thale des Tods Wonnegesang?

———————

Noch muß ich dir von einigen Zügen seines Characters
sagen, die du, seine fleißige Leserinn, schon aus seinen
Schriften weg haben wirst, die ich aber aus seinem Umgange selbst noch weit mehr und deutlicher habe kennen
lernen. Ich meine seinen Patriotismus, seine Frey-
heitsliebe, seine Kühnheit. Was mich drauf bringt,
ist eine feine Beobachtung, die ich eben in Wielands Le-
bensbeschreibung von Schackespear finde. Ein Autor,
sagt er, bildet sich selbst, auch ohne daran zu denken,
zumal wenn er ein Dichter ist, in seinen Werken besser
ab, als ihn ein Biograph jemals schildern wird. Unsere
Freunde sehen uns mit verschönenden Augen an; unsere
Feinde müßten sich selbst weniger lieben, wenn sie uns
Gerechtigkeit wiederfahren lassen sollten, aber das Bildniß, welches ein Verfasser in seinen eigenen Werken hin-

terläßt, ist getreuer, und es wird auch von unpartheischern
Augen angesehn, wenn niemand mehr lebt, dem aus
besondern Beziehungen auf seine eigne kleine Person,
daran gelegen ist, es schön oder häßlich zu finden. —
Sehr wahr! und ich möchte hinzusetzen! nur alsdenn,
wenn man aus einer sehr fleißigen Bekanntschaft mit den
Schriften eines Originalschriftstellers sich alle Bestimmungen seines Characters abgezogen hat, sieht man ihn
erst in seinem wahren Lichte, fühlt ihn ganz, beurtheilt
ihn richtig, und erhält den sichern Blick, auf das bey
ihm, was man beym Maler die Manier nennt.

· Noch eine Folge hieraus: Je seltner, je individueller,
je unterschiedner also der persönliche Character eines
Manns ist, desto originaler sind auch seine Schriften!

Und eben dieß ists, wodurch Klopstock, so einzig in
seiner Gattung, so recht wie ein Fels im Meere, wie
eine alte Eiche unter einer Menge gewöhnlicher Gesträuche
da steht; daß sein Character so viel Eigenes, vor Andern
sich Auszeichnendes hat. Gewisse Neigungen seiner
Seele, gewisse Lieblingsideen, die er beständig im gemeinen Leben mit sich herumträgt, und die eben darum
in seine Schriften überfließen, sich stets damit verweben,
so daß man kaum sagen kann, ob sein Character mehr
seine Schriften oder wenn man ihn selbst beobachtet,
seine Schriften, seinen Character erläutern. Das kann
man von unzähligen andern nicht sagen. Nimm zum

Exempel einen . . . . , ... , ... , *) treflidye
Männer! gute Dichter! (wer wollte das leugnen?) aber
kannst du aus ihren Werken auf ihren Character bestimmt
schließen? haben sie so besondre Stempel, die sie gleich
ihren Werken aufdrücken, daß man nie Gefahr laufen
könnte, des einen Werk mit des andern Werk zu verwech-
seln, wenn man den Verfasser nicht schon weis? Bey
Klopstock ist der Fall ganz anders!

So zum Exempel, der Patriotismus, der Gedanke
ans Vaterland, der Stolz ein Deutscher zu seyn, der
überall hervorblickt! der die Seele der Gelehrtenrepublik,
so vieler seiner Oden, seiner Hermannsschlacht ist. Der
sich sogar, wenn er die abstrackteste wissenschaftlichste
Abhandlung über das Sylbenmaaß schreibt, nicht verbergen kann! der in grammatikalische Untersuchungen
mit hineinfließt! — Der Stolz, daß wir uns fühlen
sollen, wer wir sind und seyn können! daß wir die Fremden nicht über uns setzen sollen, wie wir beständig gethan haben, nicht allzugerecht, nicht allzubescheiden seyn
sollen! — Seine beständigen Vergleichungen unseres
Verdienstes mit dem Verdiensten der Engelländer, der
Franzosen. Daher seine Untersuchungen über das, was

---

*Ich lasse hier die Nahmen einiger deutschen Dichter aus,
die ich in meinem Mpte fand. — Beyspiele sind verhaßt. —
Wir haben viel, und auch gute Dichter; aber der Nahmen,
die in diese (. . . .) nicht hineinpassen, sind nur wenige.
Anm. d. Her.

wir erfunden haben! der Wettlauf den er die brittische
und deutsche Muse halten läßt! worinn er doch so bescheiden ist, nichts zu entscheiden: "rühre, dein Genius
gebeut ers, sie vor mir, doch faß ich, wenn du sie fassest,
gleich die Kron auch! und o wie beb' ich! o ihr Unsterblichen! vielleicht berühr ich früher das hohe Ziel! — „
sein Wir und Sie! — seine Ermahnungen an Ebert im
Wingolf: "Von Tibur bist du mir lieb, sehr lieb vom
Hymus, lieb von Britanniens stolzem Eiland; allein
geliebter wenn du voll Vaterlands aus unsern Hainen
kämmst!„ daß er ohn Unterlaß auf unsere Sprache stolz
ist, und sie den andern Europäersprachen vorsetzt, daß
er deswegen die Scholiasten aus der Republick verbannt,
die, so kalt und gleichgültig gegen unser Verdienst, nur
die Alten preisen; sein Unwillen daher gegen das Lateinischschreiben, gegen Ernesti; daß er sogar die römische Mythologie abgeschaft, und durchgehends altdeutsche Götterlehre eingeführt hat, und mehr. Bis in die geringsten
Kleinigkeiten erstreckt sich das. Singt er von Wein, so
muß es nur deutscher Wein seyn, so preißt er den Rheinwein vor dem Champagner. In der einen Schrittschueode *) stand zuerst: kein Tropfen röthe den Strom,
da besinnt er sich, daß in Deutschland kein rother
Wein wächst, darum verändert er: kein Tropfen fall

* S. 248.

auf den Strom! darum beklagt er so oft die verlohrnen
Bardengesänge! . . . Und eben diesen deutschen Sinn
würdest du an ihm im Umgange bemerken. Keine größ
sere Freude ist für ihn, als wenn er hört, daß ein Deut
scher was erfunden hat, etwas großes gethan, geschaffen,
gewirkt hatte. Da war in Coppenhagen Tiedemann,
ein lieber lebhafter Sachse, Hofmeister beym Holländ
dischen Envoye la Calmette, der viel Belesenheit besaß,
der wußte so viel von den Erfindungen der Deutschen .
so oft ich ihn bey Kl. traf, war die Materie ihr ewiges Ge
spräch; auch drang Kl. in ihn, daß er ein Buch drüber schrei
ben sollte; er ist nun aber in Leipzig gestorben, und dieß
Werk bleibt für einen andern, ders unternehmen kann
und mag. — Was er froh ward, da Glucks Iphigenia
in Paris so einen unerhörten Beyfall fand! Wies ihm
so wohl thut, daß Angelika Kaufmaninn in London die
beste Mahlerinn ist, und eine Deutsche! daß der jetzt
lebende größte Tenorist Raaf ein Deutscher ist! daß Mengs
ein Deutscher ist! daß deutsches Blut fast auf den meisten
Thronen von Europa sitzt! daß wir unsre Colonien in
alle Welt aussenden! daß unsre Sprache jetzt in Rußland
Hofsprache wird! daß die Engelländer Angelsachsen sind! —
Gern möchte er den Ossian zu einem Deutschen machen!
Was je nur Römer von Deutschen geschrieben haben, weis
er fast auswendig! — — doch muß ich dabey bemerken,
daß sein Patriotismus sich darinn vom falschen entfernt,
daß er nicht ausschließend ist, daß er nie andre Nationen

schimpft, herabſetzt, beleidigt! Nur wetteifernd, nicht ungerecht iſt er!

Ein andrer ihm ſo ſehr eigner Zug iſt ſeine ausgezeichnete Liebe zur Freyheit. Der Haß gegen alles was Tyranney, Despotismus, und Kränkung der Rechte des Volkes nur von ferne nahe kommt! daher daß er Hermann ſo liebt. — Mehr als einmal hat er ja den Sieger bey Sorr angegriffen. — Wie er mit den Fürſten ſpricht! Was er ihnen in ſeinen Oden für Wahrheiten ſagen darf! Welcher Dichter auf der Welt hat das gewagt? Was in der Stelle über die böſen Könige im Meſſias für ein Brutusſinn liegt! (Brutus iſt überhaupt ſein Abgott, und er führt ein Petſchaft mit ſeinem Kopfe und einem Dolche bey ſich.) Friedrich dem Fünften, der von ihm verlangt, er ſolle ihm was vorleſen, wählt er gerade dieſe Stelle zu leſen .. im Grunde war das und ſollte ein ſehr feines Lob ſeyn, denn der war einmal ein König, der ſie ohne Zittern anhören konnte! Er fing drauf ſo laut bey ihm an, über einen gewiſſen Andern zu reden, daß der König ihn bey der Hand nahm, lächelnd ans andre Fenſter führte und ſagte: "Bſt! daß uns dieſe nicht hören!„ — die Hofleute nämlich. Die Geſchichte, wie Lavater den Landvogt Grebel geſtürzt hat, hat er mir oft freudig erzählt. Sein Grundſatz iſt geradezu: Sobald ein Volk ſich eins wird Republick ſeyn zu wollen, ſo darf es auch. — Darum iſt er jetzt ein declarirter

J 5

Boſtonianer. Wir waren zuſammen in Hamburg in Geſellſchaft. Es ward von Ebeling geſprochen, der ein Buch über die Rechte der Miniſterialparthey ſchreibt, und auf welcher Seite denn wohl eigentlich das Verſehen ſey, bey den Rebellen oder den Engelländern? — Das können wir alle nicht beurtheilen, ſagte Klopſtock, aber Cäſar ſpricht irgendwo: Si iuſtitia lædenda eſt regnandi cauſa lædatur, ich ſage: Si iuſtitia lædenda eſt libertatis cauſa lædatur! *) — Sie muß aber gar nicht verletzt werden! wird mancher ſagen; das wollen wir jetzt nicht erörtern; es iſt ein weitläuftiger Diſput. Genug er hat einen Stock, den ihm Eaton, ein braver Engelländer, geſchenkt hat, und der auf einem Felde bey Boſton gewachſen iſt. Kommt jemand zu ihm, den er wehrt hält, ſeine Geſinnungen zu erfahren, ſo wird der Stock aus dem Winkel genommen. Iſt er ein Rebell, ſo muß er ihn küßen, iſt er ein Königiſcher, ſo wird der Stock wieder in den Winkel geſetzt. Da theilen ſich denn nun die Meynungen. Ich habe ihn von ganzem Herzen geküßt! — Das iſt Scherz . . . das verſteht ſich; aber Ernſt liegt doch hinter dem Scherze verborgen.

So erzählte er von einem Generale, der drey, vier= mal ein Regiment, das er aufzuopfern entſchloſſen iſt, gegen eine Batterie anführt; es wird mörderiſch zurück=

* Soll die Gerechtigkeit verletzt werden, ſo muß es um der Herrſchaft willen geſchehen . . . ſoll d. G. v. w. ſo muß es der Freyheit wegen geſchehen!

geſchlagen. Die Soldaten ſtehen endlich ſtill wie eine Mauer, und wollen nicht gegen den unvermeidlichen Tod an. Der General reitet vor die Fronte, flucht und wettert: Ihr Hunde, wollt ihr denn ewig leben? — — — Die Menſchlichkeit ſchauderte in uns allen. Klopſtocks Seele ward bitter, er flüſterte mir ins Ohr: Warum es denn auch nicht einem von dieſen Grenadieren einfiel, zu ſagen: Hund, willſt denn du ewig leben? … und …

Sonderbar aber iſts doch, daß dieſer Mann in ſeiner Stube, Zeiſige an Ketten liegen hat! Ueberhaupt: Er, Zeiſige! Nachtigallen ſollt’ er haben. Und an Ketten? — Nicht anders. An Ketten! — — Andre ehrliche Leute ſperren doch höchſtens die Vögel in Bauer ein; aber dieſe liegen förmlich an Ketten, mit einem Riemen der ihnen um den Leib geſchnürt iſt. Mich ſkandaliſirte der Anblick auch nicht wenig. — Hier im Winkel, rief ich aus, der Boſtonianiſche Freyheitsſtab, und hier, Vögel an Ketten! mit Schlangenentwürfen und Klauen des Löwen ihnen die heiligen Rechte der Freyheit entriſſen! Klopſtock. Freyer. Freyheit. Silberton dem Ohre! und hoher Flug zu denken! — — Er fühlte das, ward betroffen, und beſchönigte es noch ganz artig. Den Vögeln, ſagte er, wäre ihre Freyheit nichts wehrt, er ließe ſie manchmal los, aber ſie kämen ſelbſt zu ihrer Gefangenſchaft zurück. Da hätte er ſie denn feſt geſchloſſen.… Das laß ich denn gelten, ſagt ich. Wer ſich freywillig in die Sclaverey begiebt, der verdient ein Sclave zu

seyn. — Und noch mehr, sezte er hinzu, wer einen Gefallen dran findet! — — Aber sind denn nicht, sagt
ich, die meisten Völker in Europa solche Zeisige?—

Und vom Patriotismus und Freyheit auf die Kühnheit zu kommen; die ist mit beyden sehr nahe verwandt
und characterisirt ihn auch sehr. Was ich aber eigentlich
unter Kühnheit verstehe ist dieß: Es kommen sehr häufig
im menschlichen Leben Fälle, wo man handeln soll, aber
auch sehr verschieden handeln kann. Da werden sich
nun die Meynungen der Menschen theilen. Da soll hier
etwa ein Schritt unternommen werden , um etwas,
das gewünscht wird und auch wünschenswerth ist, zu
Stande zu bringen. Allein was werden die Folgen davon seyn? "Man kann zukünftige Dinge nicht vorher
sagen. „ (Dieß sind Klopstocks eigene Worte, womit
er auch immer die abfertiget, die ihn fragen, wenn dieß
oder jenes fertig werden werde, wenn er dieß oder jenes
herausgeben wird, u. s. w.) Nun kömmts drauf an,
thue ich ihn, oder thue ich ihn nicht. Da ist Abgrund
zur Rechten und zur Linken. Wie eingeschränkt ist unsre
Beurtheilung der Wahrscheinlichkeiten! Jeder siehts in
seinem Lichte, vergrößert oder vermindert die Schwierigkeiten, je nach seiner Neigung. Vielleicht, daß der
Schritt sehr gute Folgen hat, die schlechterdings nicht
entstehen können, wenn ich ihn nicht unternehme, vielleicht aber auch daß Nachtheil draus entsteht. Ich bin
Columbus. Vielleicht entdecke ich Amerika, vielleicht

gehe ich auch mit meiner gonzen Flotte in diesen stürmi=
schen Meeren unter. — Der Mann, dessen Hauptca=
racter eine weise Bedächtigkeit ist, wird sagen: Bleib,
wage nicht! Spanien wird ohne Amerika Spanien blei=
ben, aber eine Flotte zu verlieren, ist nicht rathsam. Der
kühne Klopstock sagt: Spann die Seegel auf und fahr
zu! Du führst Columbus und sein Glück! — Der erste
spricht: Wer sich in Gefahr begiebt, kommt drinn
um, der Andre: Wer wagt, gewinnt. — Es
wird im Senate von Rom abgehandelt, ob man nach
Africa übergehen soll, und Carthago in seinem Herzen
angreifen. Die Stimmen der Weisesten theilen sich.
Fabius, der alte erfahrne Mann, widersezt sich mit aller
Macht. Er führt an große und wichtige Gründe: Han=
nibal noch immer mitten in Italien mit einem furchtba=
ren Heer. Wie schwer es seyn würde, zwei Armeen in
Italien und in Africa zu unterhalten! So viel abschre=
ckende Beyspiele von Feldherrn, die den Krieg in das
Land ihrer Feinde trugen und große Niederlagen erlitten!
Das Interesse von Syphax und Masinissa, die lieber
Carthagos als Roms Herrschaft sehen würden! Vielleicht,
daß Carthago, auf seine Festigkeit sich verlassend, ein
neues zahlreichers Heer zu unserm Ruin nach Italien
schickt! Wie nöthig es sey, einen solchen Vertheidiger, als
Scipio, in seinem eignen Vaterlande zu behalten! Wie
ganz anders sein Vater in ähnlichen Umständen handelte,
der doch auch ein Krieger war! Er machte sich jezt in sei=

ner Phantaſie goldne Projecte, wunder wie leicht das
ſey; aber glaube mir junger Conſul, wenn du von deinen
Schiffen herab dieß mächtige und kriegeriſche Land ſehen
wirſt, ſo wirſt du geſtehen, daß Spanien nur ein Spiel
gegen Africa war!„ — Wenn ich des weiſen Zauderers
Rede beym Livius' geleſen habe, ſo bewundere ich ihn,
bin ſeiner Meynung, ſage mit, es iſt Thorheit nach Africa
übergehn zu wollen; und er zieht die meiſten und älteſten
Senatoren auf ſeine Seite. — Nun tritt aber auf der
junge Conſul Scipio, mit ſeinen friſchen Lorbeern! Laß
uns ihn auch hören! — Du haſt, ſpricht er, Fabius, die
Gefahren vergrößert, ſo wie du mir ſchuld giebſt, daß ich
ſie verkleinere! Was ich ſchon gethan habe in Spanien,
iſt nicht ſo wenig als du meinſt! Es ſoll uns ſo ſchwer
ſeyn in Africa zu landen; hat Regulus nicht da gelandet?
Du ſtellſt mir unglückliche Beyſpiele entgegen, ich ſtelle
dir Hannibal ſelbſt entgegen, der über die Alpen zu uns
kam. Du mir das Intereſſe der Numiden! Wie? konnte
Hannibal hoffen, daß er uns unſre Bundesgenoſſen in
Italien abſpenſtig machen würde, die nach der Schlacht
bey Cannä ſeine Parthey ergriffen? Laßt nicht von euch
geſagt werden, Römer, daß keiner von euch das thun
dürfe, was ein Carthaginienſer that! Es iſt Zeit, daß
Africa auch die Geißel des Kriegs fühle, wie Italien!
Ehe daß Rom zum zweytenmale ein feindliches Heer vor
ſeinen Thoren ſehe, laßt die Waffen unſerer Legionen vor
Carthago blinken! — So ſpricht Scipio, und der Se-

nat theilt sich von neuem. Roms Schicksal hängt an einem Faden. Fabius Rath ist weise, Scipios ist kühn. Klopstock hätte sicher für Scipio entschieden. Scipio geht; schifft über, verbrennt das Lager des Syphax, schlägt Hannibal bey Zama, und Carthago muß um Friede bitten! — Columbus reist, und Amerika wird entdeckt! — Freylich: wäre Scipio geschlagen worden, so hätte Fabius Recht gehabt.

Daß ich aber von diesen großen Beyspielen der Geschichte auf kleinere Fälle des menschlichen Lebens zurückkomme; hier ist einer der Klopstocks Denkungsart in diesem Falle erläutert, trivial zwar, aber parallel mit jenen.

Ich habe einen Freund, der liebt und geliebt wird. Schon lange sind Selmar und Selma ein Herz und eine Seele gewesen. Sie wünschen beide, endlich einmal in der genausten Vereinigung alles Glück des Lebens zu genießen. Mein Freund hat keine Versorgung, seine Geliebte kein Vermögen. Unterdessen hat er so viel, daß er auf sechs Jahre wenigstens durch Arbeit Versorgung für sein Weib und sich voraussieht. Vorausgesetzt nemlich, daß nicht widrige Zufälle eintreffen, die zwar möglich, aber auch nichts weiter als möglich sind. Da das aber ein zweifelhafter Fall ist, so erholt er sich Raths bey Männern, deren Rath in Erwägung zu ziehen ist.

Er kömmt zu einem Weisen, der jezt genau wie Fabius denkt und räth, ob er gleich ehemals selbst wie Scipio gehandelt hat, und wohl dabey gefahren ist. Der ſagt ihm: Sie wollen heirathen? Um Gotteswillen nicht! —

"Aber Ihre Gründe? warum nicht? „ —

Worauf wollen Sie denn heirathen? —

"Auf das und das. „ —

Aber iſt Ihnen denn das gewiß? —

"Ich habe einen gerichtlichen Contract mit dem Manne auf ſo viele Jahr gemacht. „ —

Doch wie, wenn der Mann nun während der Zeit ſtürbe? —

"Warum ſetzen Sie denn aber den Fall? Er kann ja auch leben bleiben. Er iſt geſund, gar keine überwiegende Wahrſcheinlichkeit für ſeinen Tod! „ —

Aber Sie müſſen doch geſtehn, daß der Fall möglich iſt. Dann ſitzen Sie beyde da und haben kein Brodt. —

Nun denn fände ſich wohl ein Andrer Mann. —

Wohl? aber wollen Sies darauf wagen, ſich und Ihre Geliebte unglücklich zu machen? Warten Sie doch noch. Vielleicht finden Sie unterdeſſen ein Amt. —

Das kann ich auch nachher noch finden. —

Sie wiſſen nicht, was das für ein Kummer iſt, wenn vielleicht Schulden, tauſend häusliche Bedürfniſſe, drückende Nahrungsſorgen, ein fühlendes Herz . . . .

"Und rechnen Sie denn auf meiner Seite das auch für nichts, zu lieben, geliebt zu werden, und zu entbehren, nirgends zu ſehen, wo und wenn das ſich endigen wird?

Für nichts, alle die Besorgnisse, daß, wenn wir immer aufschieben und aufschieben, endlich das menschliche Leben dahinstreicht, Hindernisse vielleicht entstehen, die Alles zerreissen, und es uns zu spät bereuen machen, daß wir nicht früher entschieden haben? Also findet sich Kummer so und so; ich unterlasse es oder thue es.„

' Gut. Wir wollen das denn fahren lassen. Aber wie nun, wenn nun die sechs Jahre um sind, was denn? wenn nun denn ihre Aufsicht aufhört? und Sie dann nichts haben? wie werden Sie dann anders urtheilen als jetzt! —

"Sechs Jahre! Sechs Jahre sehn Sie voraus in dieser wechselvollen Welt? Sechs Jahre! darauf nehmen Sie Ihre Maaßregeln schon? In sechs Jahren leben wir vielleicht beyde nicht mehr; und denn sind wir doch wenigstens sechs Jahre glücklich gewesen. Glauben Sie mirs Freund, es war auch ein sehr weiser Mann, der den Ausspruch that: Sorget nicht für den andern Morgen; es ist genug, daß ein jeglicher Tag seine Plage habe; und unter allen unglücklichen Menschen, halt ich die für die Unglücklichsten, die sechs Jahre weit voraus beurtheilen wollen, was geschehen oder nicht geschehen wird.„

Nach diesen Erörterungen schieden sie von einander; denn mein Freund hatte seine Parthie schon genommen, wie denn das gemeiniglich im Grunde so zu seyn pflegt, wenn

man um Rath fragt. Ueberhaupt kömmt mir auf der
Welt nichts comischer vor, als das Rathfragen. Denn
wer kein Kind ist, hat sich gemeiniglich schon für etwas
decidirt, und nach Gründen, die ihm selbst überwiegend
scheinen. Wenn man also bey so einem Falle, wo über
das für und wider gestritten werden kann, Jemandes
Meynung wissen will, so ist es nur darum, daß er unsre
billige, Gefälligkeit gegen das Urtheil der Welt, weil
ein menschenfreundliches Herz gern sieht, wenn andre mit
ihm harmoniren. Ich habe mirs daher auch zum ewi
gen Gesetz gmacht, so oft jemand der denken und wollen
kann (denn das können nur wenige Menschen,) mich
fragt, so bringe ich ihm niemals mein Licht auf, sondern
sage: Ueberlege dus selbst, und handle wie dirs recht
dünkt. Ich kann mich nicht in deinen, du dich nicht in
meinen Gesichtspunkt hineinsetzen. Gute oder böse Fol
gen aber wirst du dir gefallen lassen. — Mein Freund
kam vom Weisen zum Kühnen, das ist zu Klopstock, und
trug ihm die Sache vor. Heirathen Sie, sagte der, in
Gottes Nahmen. Arbeiten können Sie, und wollen
Sie, für das Uebrige lassen Sie den Herren sorgen.
Und wenn etwa die Verwandten, die Heirath nicht zu
gäben, so will ich gern das Meinige dazu beytragen, sie
zu überreden.

Doch bitte ich dich herzlich, lege nichts von diesem aus
als Ironie! Der Mann, den ich dir als Fabius aufführe,
ist einer der ersten, besten, klügsten seines Vaterlands,

und mein Freund. Aber hierinnen sind wir sehr uneins. Kann man nicht uneins seyn, ohne etwas wider einander zu haben? Fern sey von mir immer diese Einseitigkeit des Urtheils. Ich hoffe die Erfahrung hat auch mich ein wenig vom Geiste der Systemen geheilt., Es müssen Leute seyn die so. denken, und andre, die so! Fabiusse und Scipionen! Schilde und Schwerter! Vertheidiger und Angreifer!.. Laßt uns eins seyn Brüder, so sehr wir auch uneins sind. Und so friedlich ans Grab mit einander wallen; der eine auf der gebahnten großen Heer= straße, und der andre über Felsenwege, und Fußsteige; über Dornen und Disteln — wir langen doch alle in einem Wirthshause an. Aber ich für mein Theil habe immer zum Dornenwege große Lust bey mir gespürt.

————————

Sie saßen bey Tisch und waren aus dem Julius von Tarent gekommen; er, Klopstock und ich. Klopstock ist sehr für das Stück, aber nicht so sehr als Er es ist. Zu viel Witz findet er darinn, und nicht genug vorbereitete Handlung bey dem Schlage, der den lieben Tarentiner zum Grabe niederwirft. Der Meynung sind mehrere. Einer der Männer, auf die ich am meisten im Urtheilen gebe, sagte davon, daß wenn Göthe tragisch Genie hat, so hat Leisewitz tragischen Esprit. Ein anderer: es wären Son=

nenstrahlen durch den Brennspiegel concentrirt, aber ....
erschüttern mich alle diese Abers und Vergleichungen
und Distinctionen wohl? Wirkung, Wirkung entscheidet,
und die hat längst dem Julius in meinem Herzen einen
Thron gebaut. Es ist sicher ein Trauerspiel der Unsterblichkeit!

Ihm aber wärs heilsamer gewesen, diesen Abend
nicht hingegangen zu seyn. Denn was hat er jetzt anders zu thun, als Empfindungen zu unterdrücken und zu
ersticken, die nur zu seinem Verderben sind. Und das ist ja
lange schon sein einziges Bemühn! Aber Julius, Julius,
und Brockmanns meisterhaftes Spiel hatte das alles wieder
so rege gemacht. Seys nun, daß es die Stärke des Stücks
that, und das seltne unbekannte Feuer der Liebe drinn,
oder die Aehnlichkeit, die er vielleicht mit dem Character
des Prinzen hat, die immer mitten im Sturme und
Drange der Erinnerungen und Wünsche, sich doch selbst
beobachtende und philosophirende Leidenschaft, oder die
Aehnlichkeiten der Situationen, seys was es sey, genug,
er war mächtig empört. So unzählige kleine Gegenstände schwebten in dunkeln Gesichten vor seinem Geiste
vorbey; wie ein Traum aus der Vorwelt! Denkt Blanka
noch der Thränen, die er um sie vergoß im Citronenwäld-
chen, an die Thränen wenn er wegging und wenn er wie-
derkam! Und werden die einzigen Stunden niemals zu-
rückkehren! Ja sie sollens, entweder bey unsern Pom-
meranzengebüschen, oder den Palmen Asiens, oder den

nordiſchen Tannen! Wirf deinen Purpur ab, und laß ihn
den erſten Narren aufnehmen, der ihn findet! Iſt denn
Tarent der Erdkreis und alles außer ihm Unding? — —
So oft hatte er gehn wollen, ſie nur einmal noch wieder
zu ſehen, aber immer war da ein Aſpermonte geweſen,
der ihn zurückhielt, und auch mit Recht wohl! nur noch
einen Monat, Freund, einen Monat noch! die Seele
gleitet von einem traurigen Gegenſtand auf einen andern
ab, und ſo kommen wir unvermerkt über die Gränze des
Schmerzes. — Der Ort ſelbſt hatte ſo tauſend Erinnerungen ihm neu gemacht. In einem ähnlichen Hauſe,
in der Stadt, wo er den Anfang und das Ende ſeiner
Glückſeeligkeit fand, war er ſo manchesmal mit ihr geweſen, aber hatte nur Sie geſehen. Das Winken ihres
Federbuſches galt ihm mehr, als der Pomp alles Schau-
ſpiels; und wenn nun ihr ſpähendes Auge ſeines in der
Dunkelheit des Parterrs ſuchte, und ſicher fand! Dann
konnt ers oft nicht länger ausdauern, mit vollem Herzen,
in dem eitlen Geräuſche zu ſeyn. Er ging hinaus, und
weidete ſich an der größen Scene der unermeßlichen Natur. Da wandelten die Orionen und Pleiaden über ſeinem Haupte herauf, und der liebe Mond ſtand gegen
ihm über. Wie er ihm doch ſo innig in ſein himmliſches
freundliches Angeſicht ſah, Gruß auf Gruß ihm zuwarf,
als wär es ihres geweſen, oft nicht ſich halten konnte, ihm
zuzurufen mit dem Geliebten! — Mond! Mond! —

Gedankenfreundinn! Eile nicht! Bleib! Lieber Mond
wie heißest du? Luna? Cyllene? Cynthia? —. Oder soll
ich dich die schöne Betty des Himmels nennen?

Das, das, alles! Doch wer kann von Empfindungen reden, die man nicht mehr hat. Das ist ja alles auf
ewig vorbey. Ach!

Doch was noch viel ängstigender war als das!
Seine traurige umfassende Phantasie versetzte ihn an ihr
Krankenbett! Ihr ganzes unschuldiges Leben, ein langes
Gewebe von Leiden stand vor ihm. Clarissa! Clarissa!
wie hat sie geduldet, die Dulderinn! Nun zu wissen, zu
denken, wie Pein und der Wurm einer bittern Krankheit
schon Jahre lang ohn Unterlaß an einem Leben nagt, um
das er tausend Leben gäbe! wenns enden, und sie einmal seelig entschlummern wird. Entschlummern? Ja
so weit ists gekommen, daß ihm das Trost seyn muß.
Und in diesem Jammer, so verlassen, von ihr fern, hoff-
nungslos! Wird er sie nimmer wiedersehen, nimmer den
leidenden Engel mehr auf Erden? Vielleicht dauerts
Jahre noch . . . es kostet einen Schritt, nur ein ich will
so tröstet er sie in ihren Schmerzen. Aber nein! nimmer
nimmer sieht er sie wieder! auf dieser Erde nicht!

Das wars, wenn ich jemals in ein menschliches
Herz geblickt habe, was ihn zu Boden warf. Meines
zerfloß in mir vom innigsten Mitleiden über den Unglücklichen. Es war traurig ihn zu sehen. Seine arbeitende
Seele ergoß sich in jeder Mine seines Gesichts. Er

stritt, aber er konnte die Gedanken nicht entfernen.
Freylich, wenn irgend eines Menschen Gegenwart
solch Seelenleiden lindern könnte, wars hier der
Ort. Hier Windeme an seiner Rechten, dort Klopstock gegen über; aber was ist ihm die ganze Welt
bey Clarissas Leiden! Weinen konnt er nicht; aber
sein Herz wollte bersten. Er versuchte zu essen, er konnte
nicht. Er seufzte: Er wollte aufstehn: und blieb sitzen.
Man sprach von allerley, vom Stück, von Brockmann,
Klopstock fragte ihn dieß und jenes, er antwortete verkehrt. Bey allen Gesprächen, war er das Bild eines
Menschen, der zu hören scheint und nichts versteht. Com'
huom che par ch'ascolta e nulla intende! Wo war seine
Seele? bey unsern Citronen-Bäumen? oder den Palmen
Asiens? oder den nordischen Tannen? — Nein, sie war
beym Grabe. Beym Grabe war sie! Beym Grabe der
Geliebten! Fühlt jemand das?

Bey dieser Gelegenheit aber lernt ich, wie unmöglich
es ist, daß sich ein Mensch ganz in die Lage eines andern
versetzt, wenn ihn nicht gleiche Schmerzen, und auch
die zu derselben Zeit martern. Klopstock sah wohl, was
in seinem Aeußern vorging, aber sah nicht das Labyrinth
seiner Gedanken in ihm. Gleichwohl: wer kennt das
menschliche Herz tiefer als er; und wer ist weniger als er,
ein leidiger Tröster. Ich bin weit entfernt ihn zu tadeln;
wenn ein Mensch ein Engel wäre, so könnte er nicht

K 4

allemal vielleicht die beste Heilung finden. Er hatte so
oft geduldig ihn ertragen. So manchesmal süßen Trost
der freundschaftlichsten Theilnehmung in seine Wunden
gegossen. Allein heute wollte es einmal die Stimmung
seiner Seele, daß er strenger war. Er sah ihn etliche-
mal, dünkt mich, etwas düster an. Und da das nichts
helfen konnte, sagte er mit ziemlich ernster und kalter
Stimme zu ihm: Wenn man sich doch so ganz von seinen
Empfindungen hinreissen läßt! . . . . aber gleich drauf
mit gelinderem Ton: Ich kenne ein Gemählde von Ver-
net, es ist ein Sturm, und ein Schiff auf der See voll
Leute die alle verzagen, und den Muth sinken lassen. Ein
einziger Mann ist drauf, ein Steuermann, der immer
noch arbeitet, und lenkt, und einen gewissen Felsen zu
erreichen sucht. Ich liebe den Steuermann!
So Klopstock. — Er, dens galt, gestand mir nachher (denn ich begleitete ihn den Abend in seine Wohnung
zurück, und wir redten viel darüber, da er ruhiger geworden war,) seine erste Empfindung dabey wäre fliegender
Unwillen gewesen, der sich elastisch gegen jede Erinnerung in dem Augenblicke der Leidenschaft stemmt. Es
verdroß mich ein wenig! sagte er sehr aufrichtig zu mir.
Denn nur Handlungen nicht Gefühle leiden Widerrede!
und nicht ihr unwillkührlicher Ausbruch. Ich weis es;
sein Herzchen halten wie ein krank Kind, ist die Moral
unsrer Zeiten, aber Schande für den Adel der Menschheit! Es ist nicht meine Moral! Hier das (indem er an

seine Bruſt ſchlug) giebt mir Zeugniß; daß ich gekämpft
habe, daß ich mehr als einmal dem Gefühle on Pflicht,
mit blutendem Herzen, meine ſüßeſten Wünſche opferte.
Aber dieß, ich leugne es nicht, verdroß mich! Und nur
weil es Klopſtock war. Mag immerhin ein Alltagsmenſch
über Liebe und ihre Leiden ſpotten! Was ernſthaft iſt und
nicht lächerlich, kann auch nicht lächerlich gemacht werden; *) ſonſt wäre nichts lächerlicher, als die Andacht.
Laß die, die nichts empfunden haben, tadeln; ruhige Seelen Theorien für den Schmerz erſinnen. Berechnen wie
viel Thränen man weinen darf! Aller Einwurf trifft
nur die Ausſchweifung. Edle Pflanzen wachſen nur in
gutem Boden, und große Leidenſchaften, die Liebe, die
wirklicher Wehrt, nicht der dichtende unſers Traums
gebahr, keimt in keiner ſchlechten Seele! Aber daß Klopſtock jetzt, der das Alles auch war . . . der eben ſo tief
litt, einſt alle dieſe Unruhen, den Schmerz, die Bän-
gigkeit, die Sehnſucht empfand . . wie? hat der ältere
Klopſtock den jüngern vergeſſen? der jetzige, den, der

---

* Und das mag auch mir, dem Herausgeber, zur Apologie
dienen, wenn ich einer bedarf, daß ichs wage, dieſe Fragmente unverändert zu geben. Denn ſo unerfahren bin ich
auch nicht, daß ich nicht vorausſähe, wie mancher Lacher
und Lächler drüber lachen und lächeln wird. Aber was
nicht lächerlich iſt, kann auch nicht lächerlich gemacht werden! Ueberhaupt mag ichs nicht wiederholen, daß ſie nur
für wenige Menſchen geſchrieben ſind. A. d. H.

K 5

uun Eidli und Fanny vor den Augen von Deutschland weinte? — ist er ein Philosoph worden? . .

. . Das alles sagte er mir in ziemlichem Strome. Ich weis nicht, ob mit Recht? genug: Das hätte er dabey empfunden. Eins habe ich mir aus dieser und andern Erfahrungen gemerkt. Man kann, man darf, man muß den Leidenden nie tadeln. Es hilft nichts, und schmerzt mehr, als daß es heilt. Die Gesichtspunkte sind viel zu verschieden, aus dem der ruhige und der bewegte Mensch die Sache ansieht. Die Seele, die großer Schmerzen fähig ist, führt schon selbst die Arzeney dieser Schmerzen mit sich. Tadelt nie einen Vater, der sich statt seines Sohnes in die Gruft wünscht! Nie ein Weib, das sich beym Sarge des Mannes das Haar ausrauft. Nie einen unglücklich Liebenden! Tadelt sie, wenn ihr barbarisch ihr Leiden häufen wollt. Wo nicht, so schweigt, oder weint mit, und wartet geduldig ab, was die Zeit thut, und gewiß thun wird.

Aber . . fuhr er fort . . so schnell mir auch dieser Unwille kam, so schnell erstickte ich ihn. Denn ich fühlte wohl, daß, wenn mir auch diese Erinnerung schmerzlich schien, daß sie doch wahr war. Der Mann, der sie mir gab, hat gelitten wie ich! aber er hat überwunden; überwinde du wie er! — Und das war mein zweytes Gefühl; wie sanft die Erinnerung gleichwohl war! Wie fein! in so eine schonende Allegorie gehüllt! "ich liebe den Steuermann!,, Auch that es Wirkung. Ich rafte mich auf. Und mit Julius zu reden: In meinen Gebeinen war Mark für Jahrhunderte! Das Wort zeigte mir den ganzen Reichthum der Seele, wie ein Blitz, der durch eine unterirdische Schatzkammer fährt, das aufgehäufte Gold! und nur ein Verschnittner kann sagen: Die Menschheit ist schwach.

———————

Kürzlich schrieb ich dir davon, wie sein Character und seine Schriften harmoniren, und sich wechselsweise erläutern, heute muß ich von einer Sache schreiben, wo sie zwar nicht disharmoniren können, aber doch zu disharmoniren scheinen. Ist dir nicht auch so wie mir? Wenn ich viel hinter einander weg im Messias, den Oden, den Liedern, von ihm gelesen habe, so bleibt immer ein gewißer Haupteindruck zurück, eine Stimmung der Seele, die sich mehr empfinden als beschreiben läßt, die aber einen sehr tiefen ernsthaft traurigen Anstrich hat. Wie oft habe ich die bitterste Melancholie draus gesogen! Freylich nie, ohne den Trost, den Balsam dabey zu fühlen, womit er auch wieder die Seele salbt. Nachtgedanken sinds! Ein beständiger Blick auf das Vergängliche in der Welt, die Hinfälligkeit aller Freuden, auf das Jammervolle der Trennungen, das Schreckliche des Scheidens, das geöffnete Grab, das Getöse der Schaufel, Moder und Verwesung .... o Mann Gottes! hab ich oft ausgerufen wie die Jünger des Elisa — der Tod in den

Töpfen! . . und habe das Buch schaudernd aus der
Hand gelegt! —

Denn gewiß, sieh nur, ob wohl irgend wer, den
prophetischen Greis Young allein ausgenommen, diesen
melancholischen Blick so oft hat, so oft daher seine Bilder hernimmt, solche nächtliche Scenen so verschieden zu
malen weis, sich so am Schmerze weidet! — — Vom
Messias will ich schweigen, . . Marias Tod! . . Christi
Tod! . . Samma in den Gräbern! . . im fünften Gesange die Beschreibung vom Sterben; die Mark und
Bein erschüttern! . . in den Triumphgesängen jeden
Augenblick, Grab! — Aber auch selbst in seinen lyrischen Gedichten . . . so viel finstre Aussichten darauf! — — Wenn der Schimmer von dem Monde nun
herab in die Thäler sich ergießt . . . da würde sich ein
Anderer freuen; ihn aber umschatten Gedanken an das
Grab der Geliebten! — — Wenn er den wandelnden
Mond zwischen den Gewölken sieht und ihn begrüßt:
Willkommen o silberner Mond! eile nicht; bleib, Ge-
dankenfreund! . . was denkt er? . . dieß: "Ihr Edleren, ach es bewächst eure Male schon ernstes Moos!„ —
Wenn er die Gestirne sieht; und alle die Sternbilder so
majestätisch beschreibt! Die Ros' in dem Kranz duftet
Licht! Königlich schwebt in dem Blick Flamme der Adler!
Stolz, den gebognen Hals und den Fittig in die Höh'
schwimmet der Schwan! Wer gab Harmonie Leyer dir,
zog das Getön und das Gold himmlischer Saiten dir

auf? . . . auf was laufen die Betrachtungen hinaus? auf dieß: Ich preise den Herrn, preise den, welcher des Monds, und des Tods kühlender, heiliger Nacht zu dämmern und zu leuchten gebot . . Erde, du Grab das stets auf uns harrt! Gott hat mit Blumen dich bestreut! — —

Was in Metas zärtlichsten Umarmungen, in den Stunden der Abenddämmerung, wo sich die ganze Seele ergießt, sein meistes Gespräch mit ihr gewesen sey, das sagt er uns ja selbst: ihre frühere oder spätere Trennung auf ihrer Wallfahrt gen Himmel! — das sieht man aus Selmars und Selmars Wechselgesang! — und wenn ich nun in die schrecklichen Stunden seiner Lebensgeschichte hineinblicke . . wie sehr hat sein prophetischer Geist das geahndet, was gekommen ist, und so bald! ich wundre mich nicht, wie solche Leiden eine Leyer zu Todestönen stimmen können. Gleichwohl hat er sie schon früher gehabt! in den Jahren wo man den Tod nur selten denkt, scheuchte er ihn tief in die Melancholey vom blinkenden Kelchglase weg! . . ich weis nicht, Elisa, Tod ist bey ihm immer ein herrschender Gedanke gewesen — und ich wollte daß ich . . ich weis nicht — ja! ja! diese Erde ist ein Grab! und diese Erde gefällt mir nicht!

Nehmen wir nun alles dieß, wer sollte sich nicht einen trüben Ernst immer als Klopstocks Hauptcaracter denken? So oft ich in Young las, so sagt ich mir: Der Mann ist gewiß sehr unglücklich, durch sein Temperament gewesen! Schwere Melancholey muß von Jugend auf über ihm gebrütet haben! Denn wie sehr er den Blick auch durch Trost aufzuhellen sucht, so kommt er doch endlich immer wieder aufs Traurige zurück, schafft zwar Freude, aber selbst in dieser Freude liegt Schwermuth, in Lämpchen ists, das ein Todtengewölbe erhellt! So ist aber auch Young wirklich gewesen. Er hat ganze Nächte auf Grabmalen und Kirchhöfen zugebracht, lang vorher ehe er Narcissa, Lucia, und Philandern begrub. Das hindert nicht, daß er nicht bisweilen sich sehr lebhaft gefreuet hat. Je melancholischer der Character eines Mannes ist, desto lebhafter sind auch die entgegengesetzten Ausbrüche. Bey ihm also harmonirt hierinn der Mann und sein Werk.

Bey Klopstock scheints nicht so. Die Vorstellung, die ich mir, ich gestehs, von ihm machen würde, und die, wie ich auch häufig gefunden habe, meist alle seine denkenden Leser, wenn sie ihn nicht kennen, sich von ihm machen, ist die: Ein feyerlicher Ernst schwebt beständig auf seiner Stirne. Er kann kaum lachen. Er muß wenig sprechen. Er muß sehr unzugänglich seyn. Er muß zu Kleinigkeiten, zum Scherz, zum Umgang mit Frauenzimmern, zu Spielen, zu Kindern, zu kleinen gesellschaftlichen Ausgelassenheiten gar nicht herunter steigen können. Er sitzt da, wie ein Gott im Empyräo, das Haupt mit Wolken umgeben, Donner und Blitz zu seiner Rechten, und sieht auf diese sublunarische Welt abgeschieden herab. — So sollte man von ihm denken, wenn man ihn nicht kennt.

Und doch verſichre ich dich, iſt er von allen dieſem ſchlech=
erdings das Gegentheil. — Es iſt der heiterſte Mann,
den ich jemals gefunden habe. Nichts weniger, als zu=
rückhaltend. So tiefer Ernſt in allen ſeinen Schriften
wohnt, ſo bringt er ihn doch nie mit in die Geſellſchaft.
Spleen und üble Laune hab ich höchſt ſelten an ihm ge=
ſehen. Geſelliges Lächeln, ein unaufhörlicher, ſanft
fortſtrömender attiſcher Scherz, eine feine Ironie, die
niemals zur Stachelrede ausartet, würzt ſein Geſpräch,
auch dann ſogar wenn er ſehr abſtracte Sachen abhan=
delt. Ich habe wohl eher von ihm ſagen hören: er ſey
ein rechter Hofmann.— Im Umgange mit Frauenzimmer
ſo eine griechiſche Galanterie! — wenn ich das verhaßte
Wort, aber leider giebts kein anders, brauchen darf.
Ich denke noch dran, wie wir in Caden einmal gingen,
und wie er umherſuchte, (es war im ſpäten Herbſte,) nach
Vergißmeinnicht, und Zeitloſen, und kleinen übrigen
Blümchen an den Rändern von Gräben, und Sträu=
ßerchen davon machte; die er Windemen ins Haar, an
die Bruſt, auf die Armſchleifen ſteckte; — ich ſammelte
auch welche . . wie er die herunter riß: nein! ſie ſoll
keine haben, als die ich ihr gebe! — gehn Sie! das
verdirbt mein ganz Aſſortiment! — es war allerliebſt.
So wie er Gleimen beſchreibt, iſt er ſelbſt: Ein Lieb=
ling der Freude, der nur mit Socrates Freunden lacht!
der dem Abendſtern nach den Pflichten des Tags, ſchnel=
lere Flügel giebt, und dem Ernſte der Weisheit ſeine

Blume entgegen streut. ·Aber eigentlich thut er das den ganzen Tag über.

Unbegreiflich! Unbegreiflich! dachte ich ·oft, daß dieser Mann so ist, so seyn kann? Ist er das von Natur? oder ist ers durch Bemühungen? Freylich wohl von Natur mit. Denn er bleibt sich zu gleichförmig drinn. Ich möchte sagen, er ist jetzt mehr Jüngling als je; und genießt warhaftig seines Lebens. Aber gewiß auch sehr durch Bemühung und Kämpfe. Er ist nicht stets so heiter gewesen. Ich weis die Zeiten wohl, wo er sich mehr als einen Monat auf sein Zimmer verschloß, in die reizende Gesellschaft an Bernstorfs Tafel nicht kam, bis ihn sein seeliger Freund selbst herunter holte. ·Von dem Innhalte solcher Stunden mag ich nichts wissen; sie mögen wohl drückend genug gewesen seyn. Jetzt lebt er als ein wahrer Weiser, der sein Tagewerk beschlossen hat, und mit Zufriedenheit darauf zurücksehen kann, arbeitet noch nach Lust, aber mehr mit dem Verstande als der Begeisterung, legt die letzte Hand an seine Werke, und lebt so still zufrieden, in seinem gesellschaftlichen Zirkel, der klein, aber erwählt ist; mit Windeme seiner Nichte, und ihrem Mann, und ihren Kindern in einem Hause, deren Freundschaft ihm das Leben erheitert, die seine häuslichen Bedürfnisse so zärtlich besorgt, deren sanft ernsthafter, ruhiger, seinem so ähnlichen Character, ihm die unterhaltendste beste Gesellschaft giebt — doch! von ihr muß ich mehr als nur im Vorbeygehen reden, und es

wird darzu ein andermal Gelegenheit ſeyn. So lebt er,
glücklich jetzt; möchte er noch lange ſo leben, und ſpät
wie ein Stern beym Anbruche einer beſſern Morgenröthe
verſchimmern.

Unſre Fürſten, und Kaiſer Heinrich nehm ich zuſammen; denn ein Geiſt webt und lebt in ihnen beiden.
Ein gerechter Unwille über die Unthätigkeit wodurch ſich
unſre Fürſten vor den Regenten aller Nationen zu ihrer
Schande auszeichnen. Faſt jede Nation hat in ihren
Wiſſenſchaften und ihrer Dichtkunſt ein goldnes Alter;
und die Erſten der Nation an Rang und Macht warens,
die die Erſten der Nation an Geiſteskraft unterſtützten.
Rom hatte ſeinen Auguſt, Frankreich ſeinen Ludewig,
Engelland ſeinen Carl, in Jtalien ſtritten ſich die Fürſten
drum wer Taſſo, wer Petrarca öffentlich krönen ſollte.
Durch dieſe Unterſtützung wurden viele ihrer größten
Genies gebildet. Allein dieſe Zeiten ſind bey uns, ich
will nicht ſagen nie geweſen, (denn es gab vor Luther,
da die Mineſänger lebten, und auch früher, Beſchützer
der Wiſſenſchaften, und der Dichtkunſt) allein ſchon
lange wenigſtens vorbey. Jagd, Maskeraden, Opern,
franzöſiſche Cömödien, Soldatenweſen, und dergleichen
ſind die Beſchäftigungen unſerer Fürſten. Man wird in

keiner Geschichte jemals so viel Beyspiele finden, daß die
Regenten des Landes ihre eigne Nation verachtet, und
alles was nur fremd und ausländisch ist, vorgezogen und
belohnt haben, als in der Deutschen. Der König von
Preußen ist selbst Dichter, aber macht französische Verse.
Er errichtet Academien und besetzt sie mit Franzosen. —
Voltaire giebt er eine Pension, aber Klopstock zu belohnen überläßt er dem Könige der Dänen. In Wien lebt
Metastasio von deutschem Gelde, um Denis bekümmert
man sich kaum. Gleichwohl haben deutsche Dichter sich
so sehr erniedrigen können, deutschen Fürsten Schmeiche-
leyen zu sagen, und sie in ihren Liedern verewigen zu
wollen!

Hab ich jemals Klopstock im Gespräche über etwas
bitter reden gehört, so ist es darüber gewesen. Und der
Unwillen hat er in mehreren Oden nicht bergen können;
diese beyden aber sind vorzüglich darzu bestimmt, ihn in
seiner ganzen Fülle herauszuströmen, und werden der
spätesten Nachwelt ein Zeugniß seyn.

Nun will ich die nöthigen Anmerkungen zu ihnen
beiden machen.

Unsre Fürsten! Die Ode fängt an mit meinen Gedanken, den er oftmals ausgebildet hat, der den Schlüssel zu mehreren Stellen seiner Gedichte enthält. Es ist
der Unterschied der heiligen und vaterländischen Dichtkunst. Diese beiden Gattungen sinds, wodurch unsere
guten Dichter, und er vor allen übrigen groß ist. Ein

aterländischer Dichter zu seyn ist viel, noch mehr ists,
in heiliger Dichter zu seyn; oder wie er sich selbst
arüber ausdrückt: das Herz durch die Religion zu rüh-
en, ist eine neue Höhe, die für uns ohne die Offenbarung
mit Wolken bedeckt war. Wenn wir die Alten übertref-
en können, so können wirs nur dadurch, weil wir noch
rhabnere Gegenstände zu besingen haben als sie. Faß
iese Idee ganz! sie erläutert sehr viel. Er kleidet sie in
mannigfaltige Bilder ein. Er dichtet eine doppelte dich-
rische Quelle, die Quelle woraus der heilige Dichter
höpft; das ist Phiala, der Quell aus dem der Jordan
ntspringt, und eine, aus der der Dichter des Alterthums
rant — Aganippe. Jede diese Arten hat einen eignen
Baum zum Sinnbilde. Das Sinnbild der heiligen ist
ie Palme, der römischen und griechischen der Lorber,
er deutschen vaterländischen die Eiche. Zwischen der
eiligen und vaterländischen Dichtungsart macht er oft
Vergleichungen und Gegensätze, in denen er jener den Vor-
ug vor dieser giebt. Auch haben sie verschiedene musikalische
Instrumente. Für die Heilige ist die Harfe, für die Römer
und Griechen die Leyer, für uns Deutschen die Tehyn.

Nun fängt er an; im Namen der deutschen Dichter:
Von der Palmenhöhe, dem Hain Sionas (der hei-
igen Muse) kommen wir her; wir des Harfengesangs
Geweihte, wir, die wir der heiligen Dichtkunst uns wid-
neten; und zu welcher Absicht? Zu der großen, jetzt

und alle Jahrhunderte hindurch das Herz unserer Brüder
mit dem Feuer der Religion zu entzünden! daß noch einſt
Chriſten wir entflammen mit dem Feuer das zu Gott
ſteigt!

J... Siehſt du, die heilige Dichtkunſt. Weiter: die
vaterländiſche!

[...] Hier in dem Hain (im Gegenſatze von der Palmen
höhe) wo Eichen ſchatten, erſchallſt ſchöner o Telyn
auch du; wenn Schöne des Herzens voran vor der
Schöne des Geſangs fleugt. Auch dieſe vaterländiſche
Dichtkunſt hat viel Reitze, wenn Adel und Güte des Herzens ihr zum Dichters Erbtheil hat!

... Mit beyden hab ich mich beſchäftigt; doch in Abſicht
der heiligen Dichtkunſt mit Entzückung; in Abſicht der
vaterländiſchen mit Luſt. Entzückung iſt mehr als Luſt.
Mit Entzückung wall ich im Hain der Palmen — mit
Luſt, o ihr Dichter, wall ich hier, wo die Eiche und ihr
Gräun, ihr graunvoller heiliger Schatten uns dämmert,
und wo das Vaterland euch, und mich heraufrief ihm
zu ſingen.

O! ruft er weiter aus: Bekränzet euch froh das
Haupt; ihr Dichter Thuiskons Enkel! empfangt Bragas heiliges Laub! Er bringt es den Hügel herab, wie
es glanzvoll von dem Quell träuft! Und Bragas freu-
diges Lied, (denn ihr Dichter ihr wurdet ſein Stolz!)
erſchallt mit des Stolzes Tönen! — Ihr tranket mit
ihm aus dem Quell der Begeiſterung und der Weisheit

Wie? Und ihr säumt noch so stolz zu seyn, wie ihr es seyn dürft? — Auf! singet ihm nach! Habt ihr nicht vor den Dichtern aller Nationen den Vorzug, daß ihr wurdet was ihr seyd, ohne Aufmunterung von euren Regenten? Ihr siegtet über die Zeit! So undankbar auch eure Zeit gegen euch war, so überwandet ihr doch diese Schwierigkeiten! Deutschlands Fürsten? . . sie waren nicht edel und auf ihre eigne Nation stolz genug euch zu lohnen . . sie rief kein Stolz euch zu leiten, herzu; und allein schwangt durch die Hindrung ihr mit edler Kühnheit euch auf! Nun, so werde euch denn allein auch unsterblicher Ruhm! Der Nahme der Fürsten verweh wie der Nachhall, wenn der Ruf schweigt, wie das Echo verstummen muß, wenn die Stimme des ders hervorgebracht hat, aufhört. — Ich bitt euch! bekümmert euch auch nicht um die Fürsten, da sie sich um euch nicht bekümmern! (dieß gilt Ramler und Gleim) Aus dem Hain Thuiskons entflieh kein sanftes Silbergetön hin zum parischen Maal, das keiner besucht, und das bald sinkt in den Staub der Gebeine. (D. i. wenn ein deutscher Fürst stirbt, warum besingen ihn die Dichter! Es ist zwar ein Grabmaal von parischem Marmor . . aber doch ein unberühmtes Grab! das niemand besucht! das bald wie das Gebein drinn untergeht!)

O wie festlich rauschet der Hain! Ich sehe fliegenden Tanz! Braga führt den Thriumph! Unsterb-

L 3

lichkeit! rufet das Chor! und der Hain rufts in den Schatten! — — — —

Wir machen uns selbst unsterblich! Aber die Fürsten, mit allen Maalen die sie sich erbaun, werden sie in schnöde Vergessenheit sinken. Das sieht man an den Pyramiden. Pyramiden sanken! Der Wanderer findet Trümmer nur noch! Die Lobschrift des Schmeichlers, welche die Burg des Fürsten nur kannte, sie schläft in dem Goldsaal, wie im Grabe!

Wohl denn! Pyramiden, liegt ihr nur immer! und du schlaf des Schmeichlers Werk in dem Goldsaal begraben! — Uns Dichter macht unsterblich des Genius Flug, und die Kühnheit des Entschlusses, (der nur desto fester ward, je weniger uns Belohnungen reizten,) durch des Lohns Verachtung entflammt! Es war eine Zeit wo ihr mit an dem Ruhme hättet Theil nehmen können! Einst konntet ihr, Fürsten es thun! Nun ists zu spät, da wir ohne euch geworden sind, was wir sind. Baut von Marmor euch jetzt die Maale, vergessen zu ruhn! Wir werden euch keine Lieder singen. Denn es schweigt euch in dem Haine!

O! des Adels, Elisa, der die ganze Seele erhebt, wenn man so etwas liest. Aber man kanns fast nicht, wenn man nicht selbst an der Situation wahren Antheil nimmt. Nur eins bitt ich dich: verzeyh mir meine schaalen Paraphrasen! ich fühls ganz, während daß ichs schreibe, was eine solche Ode verliert, indem ich den reichen, kurzen, ge-

rungenen Sinn, so entwickle, und die eingeschobnen Ge=
anken der Uebergänge ergänze. Ich verschwemme einen
blen Wein durch Wasser. Dieß einzige tröstet mich,
enn ich denke, daß du nach meiner Paraphrase die Ode
esser verstehst als vorher! — Und nun zu Kaiser Heinrich,
en er als einen Contrast von den jetzigen Fürsten aufstellt.

Er beginnt wieder mit bitterem Spott: Laß unsre
ürsten schlummern im sanften Stuhl, vom Höfling
ings umräuchert, und unberühmt! So unthätig jetzo!
ey ihrer Lebzeit, und auch dafür im Marmorsarge einst
och vergeßner und unberühmter!

Frag nicht des Tempels Halle (wo sie in ihren Mar=
morsärgen ruhn) du würdest aus den goldnen Inschriften
Namen erfahren, an denen nichts weiter merkwürdig
st, als daß der Heraldiker sie vielleicht in seine Wappen
nd Geschlechtsverzeichnisse einträgt — die Heraldik und
Polemik sind zwey Wissenschaften, denen er ganz beson=
ers gut ist! * — sie nennte dir mit goldnem Munde
Nahmen die keiner kennt; an diesen unbekränzten Grä=
ern mag der Herolde, sich wundernd, weilen!

Laß dann nach ihrem Tode in Vergessenheit, und
etzt bey ihrem Leben sie in Unthätigkeit schlummern!
leider thut ja das Preußens Friedrich sogar, der sonst als
Soldat ein großer Mann ist, und auch französische Verse
macht! Es schlummert ja, mit ihnen der selbst, welcher

* S. Gelehrtenrep. S. 311.

L 4

die blutigen siegswehrten Schlachten schlug (bemerkst
du wohl in solchen Stellen Kl. kühnen kriegerischen
Geist?) zufrieden, daß er um Galliens Lorbern irrte.

Drauf kommt er wieder auf das Lob unserer Dichter
zurück. Zur Wolke steigen, bis in den Himmel erheben
sich, rauschen wie Leyerklang, der deutschen Dichter
Haine! Begeisterer, * wehn nah am Himmel sie! —
Wieder ein Ausfall auf Friedrich; den er doch nicht so
recht für einen Dichter will gelten lassen: Ihr selbst auch
Fremdling, der Lorberhöhe, durchdrang er, Friedrich,
die Lorberhöh nicht!

„Schnell Fluß, und Strom schnell, stürzen, am
Eichenstamm, und in deinem Schatten, Palme, die
Quellen fort! Da hast du die Bilder auf die dich ich anfangs zu merken bat. Sehr inhaltsvoll sind diese zwey
Verse. Zwey Dichtungsarten! die heilige, die vaterländische. Jede hat ihre Quelle. Aus der einen ent-
springt ein Fluß, aus der andern größern ein Strom.
Der erste stürzt am Eichenstamm, der andre im Schatten
der Palme fort. Aus beyden schöpfen die Dichter mit
hohem Genius. Nicht mit der Rechte schöpft der Dichter, feuriger leckt er die Silberquellen! Du wirst ohne
mein Erinnern sehn, daß dieß eine Anspielung auf Side-

---

* Begeisterer) d. i. als Begeisterer; dieß ist ein Latinis-
muß den Klopstock eingeführt hat, und häufig braucht.
(Victores, hoc faciunt.) Ich habe gefunden, daß er oft
nicht verstanden wird. A. d. H.

ns Geschichte ist. * Aber eben weil gewissen Leuten gewiße historische Kenntnisse mangeln, nennen sie Kl. dunkel.

Kaum hat der Dichter dieß Lob herausgesagt, so sieht er im Geiste Schatten alter deutscher Fürsten heraufwandeln! Wer sind die Seelen, die in der Haine Nacht herschweben? — Er redt sie an: Liebt ihr, Helden, der Todten Thal? Und warum erscheint ihr mir? Kamt ihr, eurer späten Enkel Rachegesang an uns selbst zu hören? Das ist, fein prosaisch umschrieben: kamt ihr, um zu hören, wie wir, eure späten Enkel, wir neuern Dichter, (oder vielmehr ist ers selbst wieder allein) in Gesängen darüber zürnen, daß wir so lange eine so große Nation waren, ehe wir aufstanden, und auch wie unsre Nachbaren in der Dichtkunst etwas merkwürdiges thaten?**

---

* Buch d. Richt. 7, 4. 5. "Und der Herr sprach zu Gideon, des Volks ist noch zu viel, führe sie hinab ans Wasser, daselbst will ich sie prüfen . . . Und er führete sie hinab ans Wasser. Und der Herr sprach zu Gideon: Welcher mit seiner Zunge des Wassers lecket, wie ein Hund lecket, den stelle besonders; desselbengleichen welcher auf seine Knie fällt zu trinken." — Die also die gierig leckten, waren die Kühnern, die welche sichs bequemer machten, und knieend mit der Rechten schöpften, waren feigeren Geistes.

** Dieß ist wieder einer von den Gedanken, die sehr häufig bey ihm vorkommen. Er ist das Thema der ganzen vorhergehenden Ode Aganippe und Phiala. Ferner herscht er durchgehends in der Ode der Hügel und der Hain.

L 5

Ihr habt wohl Recht und Fug darüber zu zürnen! Denn ach, es ist allzuwahr, wir säumten zu lange! Izt zwar können wir uns mit den übrigen Nationen auch in der Dichtkunst messen! Izo erschrecket uns der Adler keiner über der Wolkenbahn! Wofern wir noch übertroffen werden können, so ists allein von den Griechen! *Des Griechen Flug nur ist uns fürchtbar! Doch auch damit hats keine Noth. Wir können sie durch die Wichtigkeit der Gegenstände übertreffen die wir besingen. Aber die Religion erhebt uns weit über Hämus und Aganippe, dich! Posaun und Harfe, erhabnere Instrumente als Leyer und Cyther sind, tönen, wenn sie, die Religion, beseelt; und tragischer, wenn sie ihn leitet, hebet, o Sophocles, dein Cothurn sich: selbst in der Tragödie können wirs dem Sophocles (der ist überhaupt darinn Kl. Liebling!) zuvor=thun, wenn wir heilige Geschichten darzu wählen. (Es wird dir sehr natürlich hierbey einfallen, daß er drey Trauerspiele gemacht hat, den Tod Adams, Salomo, David; die alle aus der Bibel genommen sind.) Er setzt die Vergleichung noch immer weiter fort. Auch in der lyrischen Dichtkunst erhebt uns die Religion über die Grie=

---

* Klopstocks große Verehrung der Griechen, und daß er sie von jeher mit äußerstem Fleiße studirt hat; muß wohl bemerkt werden. Eine Parallelstelle mit dieser ist die, in der schon erklärten Ode der Nachahmer: Schrecket noch anderer Gesang dich, o Sohn Teutons, als Griechengesang ꝛc — Dasselbe findet man auf allen Seiten der Gelehtenrepublick.

hen. Wie weit übertrift David nicht Pindarn! (Den=
selben Gedanken hat Cramer in seiner Ode David gehabt.)
Und wer ist Pindar gegen dich, Bethlems Sohn, du
Hirt! und doch zugleicher Zeit Sieger des Goliath, des
Anbeters des Dagon; Sieger des Dagonit *, und
Sohn Isais, Isaide, Sänger Gottes! der den Unend=
lichen singen konnte! (Dieser letzte Zusatz ist eine von den
Stellen, deren Größe man fühlen muß, nicht beschreiben
kann.)

Er kommt wieder auf die Schatten zurück: Hört
uns ihr Schatten! Himmelan steigen wir mit Kühnheit!
wir Dichter. Urtheil blickt sie diese Kühnheit, und kennt
den Flug! Das Maaß in sichrer Hand bestimmen wir
den Gedanken und seine Bilder. ** Eine kurze, treffende

---

* Des Dagonit) Nach der strengen Grammatik müßt' es
nu heißen: Dagoniten. Eben so declinirt er Göttmensch
nicht. (Meß. 13. Ges. S. 113.) Da hat also der gute Homer
geschlummert! — Nicht so! Ich fragte ihn selbst einmal
darüber. Die Unregelmäßigkeit bey Dagonit, sagte er,
halt ich mir wohl einmal für erlaubt, weils ein fremdes
Wort ist, und bey Gottmensch, habe ichs mit Fleiß gethan,
um dieses Wort als die Hauptbenennung des Erlösers zu
unterscheiden. So wie man auch nicht Gotte sondern
Gott declinirt. A. d. H.

** Diese ganze Stelle ist äußerst gedacht; und ich kann mich
nicht enthalten, eine aus der Gelehrtenrep. hier abzuschrei=
ben, die sie noch mehr ins Licht setzt: "Ist, sagt er, die
Reizbarkeit der Empfindungskraft etwas größer als die
Lebhaftigkeit der Einbildungskraft, und ist die Schärfe
des Urtheils in ungleichem Abstande von beyden größ=

Anmerkung durch die er die Dichtkunst der Deutschen, oder, wieder, wenn man will, seine eigne characterisirt.

Er sieht, und erkennt nun die Schatten. Carl der Große kömmt zuerst. Dann Barbarossa. Dann Heinrich, drey Kaiser, die die Wissenschaften für etwas hielten, sie beschützten, mit einem Worte wehrt waren Kai

---

ser als sie, so sind dieß vielleicht die Verhältnisse, durch die das poetische Genie entsteht. „ (Siehe auch das Fragment von Entdeckung und Erfindung S. 127.) Und gerade die Schärfe des Urtheils ists, die Klopstock so einzig macht. Schäckespear hatte eben so große, vielleicht mehr Phantasie, fast so viel Empfindung! eben so ausgebreitete Kenntniß des Menschen! moralische Schönheiten sehr viel! eben den allumfassenden Blick auf die leblose Natur! aber wie unendlich steht er unter Kl. in Absicht auf das Urtheil! Gewiß bestimmte er nicht das Maas in sichrer Hand den Gedanken und seine Bilder. Die äußersten Fehler bey den äußersten Schönheiten! Eben so Milton und Young. Aber bey Klopstock, alles gewählt, eben so wahr, alles gedacht, als feurig gearbeitet, geglättet, gefeilt, vollendet bis aufs äußerste. Durchgehends griechische Politur bey deutscher Kraft. Kein Auswuchs! kein Ueberfluß! Simplicität ohne Plattheit, Erhabenheit, Schwung ohne Schwulst! Es ist kein Strom des Genies, der Dämme durchbricht, Gartenhäuser einreißt, Tulpenbette und Krautfelder zu Grunde richtet, in hohen Fluthen hereinbraust und eure staunende Seele erschüttert. Es ist ein großer tiefer stiller Ocean; dessen Wogen aber Berge sind, wenn sie anfangen bewegt zu werden. Einen einzigen Mann kenne ich, dessen Größe in einer andern Dichtungsart völlig auch im Urtheil ihm gleich steht: das ist **Richardson.** Anm. d. H.

er zu seyn. Carl der Große erfand selbst ein neues deut=
ches Alphabet; ließ die Lieder der alten Barden, die man
bisher, wie die von Oßian, nur durch mündliche Ueberlie=
erungen gekannt hatte, sammeln, und zuerst aufschrei=
ben. So ward deutsche Schrift die Erfindung dieses
stolzen Franken! So gab er zuerst dem Schall in Her=
manns Vaterlande Gestalt, und altdeutschen Thaten Ret=
ung vom Untergang, durch die Aufbewahrung der Lieder
die sie besangen. Und doch sind sie hin! Liegen vielleicht
noch irgendwo in Klöstern, in Mönchseinöden begraben!
Könnten vielleicht noch herausgegeben und aufbehalten
werden, wenn unsre Barden, auch wie Oßian ihren
Macpherson fänden. — Großes Verdienst von Carl!
aber Klopstock liebt ihn doch nicht ganz. Er war Eroberer
am leichenvollen Fluß! Ueber fünftehalb tausend Sach=
sen ließ er tödten, und zwang sie und ihren König Witte=
kind dadurch sich endlich taufen zu lassen.

Barbarossa hatte auch viel Verdienste um die Wissen=
schaften.

Kaiser Heinrich der Sechste war selbst Dichter, und
das Lied das hier angeführt werden wird, ist noch vor=
handen.

Diese historischen Umstände mußt du freylich wissen,
das Uebrige der Ode ganz zu fassen.

Er sieht, wie gesagt — Carl den Großen. Fragt
ihn: Bist du der Erste nicht der Eroberer am Leichen=
vollen Fluß? und der Dichter Freund? Doch! du bist

ein Religionsverfolger! ...... Verschwind o Schatten,
welcher uns mordend zu Christen machte.

Barbarossa! Tritt Barbarossa, höher als er empor. Dein ist des Vorfahrs edler Gesang! * denn
Carl (hier kömmt wieder eine sehr umständliche Klage
über die verlohrnen Bardengesänge) ließ, ach! umsonst der Barden Kriegshorn tönen, dem Auge! ließ
vergebens die Kriegslieder der Barden aufschreiben! Sie
liegt irgendwo in Nachtgewölben der Mönchseinöden ver-
kennet, klaget nach uns herauf — o! sie möchte so gern von
uns gekannt und gelesen seyn — die farbenhelle Schrift **
geschrieben, wie der es erfand, der zuerst in Hermanns
Vaterlande dem Schall Gestalt, und altdeutschen Thaten

---

* Warum soll Barbarossa höher treten? — Weil er den
Vorzug vor Carl verdient. Weil er das Glück gehabt hat,
das Carln fehl schlug, daß der Gesang seiner Zeit geblieben ist. Barbarossas und der Minnesänger Zeiten sind die
beyden merkwürdigsten Punkte, für die damaligen Wissenschaften und die Dichtkunst. Vorfahr, ist also nicht etwa
Carl, der in der vorigen Strophe vorkömmt; sondern,
unsere Vorfahren die damaligen Deutschen überhaupt.

** Die farbenhelle Schrift — wer nur jemals Missale oder
alte Mönchsschriften gesehen hat, weis daß sie immer mit
schönen, goldnen, rothen, grünen Buchstaben gemahlt
sind — und denn die großen schweinsledernen Bände der
Bücher mit goldnen und silbern Blechen und Buckeln be-
schlagen, mit denen man einen tödtschlagen könnte — das
sind kleine Umstände; aber sie sind so mahlerisch! — Cellner, der Bewohner der Cellen, der Mönch.

Rettung vom Untergange gab. Ja! bey Trümmern
liegt die Schrift, des stolzen Franken Erfindung, (und
wird bald selbst Trümmer seyn,) und bald in Trümmern;
und ruft, und schüttelt, (hörst du es Cellner nicht?) die
goldnen Buckeln, schlägt an des Landes Schild mit
Zorn! — Den der sie höret, nenn' ich dankend dem
reicheren Widerhalle! Wer die alten Bardenlieder findet
und herausgiebt, den will er besingen. Ueber die Idee
haben wir oftmals geredt. Er hat sich selbst Mühe
gegeben sie zu entdecken. *

Endlich, Heinrich! Ihn redt er an. Du sangest
selbst o Heinrich: "Mir sind das Reich und unterthan
die Lande, doch mißt' ich eh die Kron als Sie! erwählte
beydes Acht mir und Bann, eh ich Sie verlöhre!„ — **

* Hier wärs der Ort, etwas von seiner Correspondenz mit
Macpherson über Ossian, und von seiner Entdeckung eines
alten sächsischen Dichters, der auf Befehl Ludwigs des
Frommen die Bibel paraphrasirte, zu sagen; aber ich erwähne dieß nur. Er wird selbst im 2ten Theile der Republick, Fragmente dieses Dichters geben.

** Ein wahres Fragment eines alten Schwäbischen Liedes,
von Kaiser Heinrich, das uns Manesse in der Sammlung
der Minnesänger aufbewahrt hat. Die Stelle heißt so:

Mir sint du rich und du land undertan
Swenne ich bi der minneclichen bin
Und swenne ich gescheide von dan
So ist mir aller min gewalt und min richtum dahin

Er sündet swer des niht geloubet

Wenn jezt du lebteſt, edelſter deines Volks, und Kai
ſer! würdeſt du bey unſerm Streite mit den griechiſcher
und römiſchen Dichtern unerwecklich ſchlummern? wi
unſre jezigen Fürſten thun!

Nein! Du ſangeſt ſelber, Heinrich: "Mir dien
wer blinkt mit Pflugſchaar oder Lanze, der Landmann
und ein Kriegsheer, doch mißt' ich ey' die Kron' als Muſ
dich! * und euch ihr Ehren, die länger als Kronen
ſchmücken.

Es haben einige Meiſterer von Klopſtock ſehr abge
ſchmackt geſagt, in ſeinen Oden ſey oft kein Plan. Wei
ſie nämlich den Plan nicht finden können! — Mich deucht
dieſe Gedanken: Unſre Fürſten jezt thun nichts für Dicht
kunſt, unſre Dichter verdienens doch! und: einſt lebter
Kaiſer, die darinnen edler dachten .. mich deucht, dieſ
Gedanken, mit ihren Nebenbildungen, ſind ein Plan
der auch einem Kinde einleuchten müßte! —

Das ih moehte geleben manigen liben tag
Ob ioch niemer crone kemme of min houbet
Des ich mich ân ſi niht vermeſſen mag
Verlur ich ze was het ich danne
Da tohte ich ze freuden weder wiben noh manne
Und wer min beſter troſt beide ze achte und ze banne.

* Der Uebergang vom Mädchen zur Muſe! — — du wür
deſt die Dichtkunſt lieben wie dein Mädchen! — Ach
mir und Bann! Viel alſo! Ausſtoſſung aus Kirche un
Reich!

Wozu die Entschuldigungen? Liebe, ich habe dich schon oft gebeten. Glaub es mir nur fest und steif, das erwarten wir nicht, das suchen wir nicht. Wenn ich dein Herz in deinen Briefen finde, was frag ich nach der Grammatik. Grammatik, Orthographie, alles so was sey euch Weiblein geschenkt. Da sollte vor wenig Tagen eine freundschaftliche Aufschrift über der Thür eines Philemons und Baucis aufgestellt werden — sie war völlig geschrieben wie deine Briefe. Weiberorthographie! sagt' ich, da ichs ansichtig ward, (denn wir haben das edle Wort hier wieder in seine alten Rechte eingesetzt). Sieh; sie wollten es wieder herunternehmen, und ändern. Aber nein ums Himmelswillen nicht! Weiberorthographie! Das Wort führt schon von selbst seine Entschuldigung bey sich, und wenn das Werk auch nicht allemal seinen Meister lobt, so lobt doch hier allemal der Meister das Werk.

Ja meintwegen, wenn du auch schreiben wolltest, und sprechen so uncorrect wie der kleine Conrad — — häte alles nichts. Wie der sprach? Ach! er kam eben an den Theetisch zu Sophia, und mit der naivsten bittendsten Mine von der Welt sagte er zu ihr: Mama wir wollen auch gern ein Stück Theewassers haben! —

Seys also drum. Wirds doch jezt Mode daß unsre Hauptgötzen unter den Schriftstellern der Nation nicht

M

um ein Haar correcter schreiben, als Conrad spricht, und die Bedeutungen der Wörter nicht besser kennen — auch um Stückchen Theewassers bitten!

Es ist mir lieb, sagte Klopstock, da ihm Duschens Ferdiner in die Hand kam, daß ich doch einmal wieder ein Buch sehe, das in Prosa geschrieben ist! Und das Gespräch das wir bey so einer Gelegenheit über Göthen und seine Nachahmer und andre deutsche Sprachverderber führten, wars eigentlich worauf ich anspielte, was ich in Petto hatte, und was du so schelmisch auf dich beziehst. Das wäre zu weitläufig heute alles wieder zu erzählen, genug er ist mit allen den Sprachschöpfern, Sprachbereichern, Sprachverächtern, mit allen den neuen Erfindern * höchst misvergnügt, sieht ihnen mit herzlichem Mitleiden zu, und hats Recht darzu, weil er ein wenig über das, was Sprache heißt, mitsprechen darf, denk ich.

Sobald ich mich angezogen hatte, so ging ich zu ihm, denn es fängt jezt schon an kalt zu werden, in meinen sturzenbecherschen Seeräubermantel — den Namen hat er von Sophias Erfindung, und ihr zu Ehren soll er ihn auch die ganze Dauer seines Daseyns über tragen — in den Seeräubermantel gehüllt, zu ihm, wo Windeme und Augusta schon waren. Ich legte ihn ab auf seine Bücher. Er warf ihn ziemlich unsanft zur Stube hinaus,

---

* Diese Stelle gehört wieder Z. E. zu den Allgemeinheiten, wovon Tellow sagte, daß man sie mit einem Körnchen Salz verstehen müsse. A. d. H.

und schalt wieder auf meine Unordnung. — Das kommt, sagt ich, (ich war überhaupt den Morgen kecken und disputirsüchtigen Muths,) alles von dem kleinen Zimmer dem Vogelbauer her! Wenns größer wär! Ein eng Zimmer und lyrische Unordnung, das ist wie Vater und Sohn, zeugt eins das andre. Haben da oben einen Saal, und...

Daß sie, sagte er, ... auf mein Zimmer, das so klein doch nicht ist, und meine Unordnung, die doch so groß nicht ist, haben Sie, scheints, einen Tick. Wenn ich Ihnen nun die Ursache sage, warum ich die kleinen Zimmer so liebe; weil ich da meine Bücher so beysammen haben kann.

Bücher! Elisa — Bücher! Ich mußte drüber lachen. Wozu braucht er Bücher?

Von Büchern aber kamen wir denn auf Bücher zu reden, und auf Göthens Bücher, und von Büchern auf Manuscript, und zulezt auf mein Manuscript, für das ich, wegen seines Gouffres so besorgt gewesen war. Ich bin stolz darauf, daß er mit meiner Sprache zufriedener war, doch muß ich gestehen, tadelte er auch noch manches daran.

Vieles mit Recht, das ich verändern muß, und will, und auf der Stelle veränderte, einiges auch, dünkt mich, zu streng und mit Unrecht. Denn wenn ich gleich sein Urtheil verehre, so bin ich doch kein Sclave davon; das verlangt er auch nicht; er ist sehr weit entfernt Dictator seyn zu wollen. Ich kann mich irren; und es ist

wahrſcheinlich, daß ich hundert mal irre, ehe Klopſtock
einmal; aber er kann ſich doch auch irren. Darf ich
wohl ein bischen hier ins Detail gehen? Warum nicht? —
Ich hatte verſchiedentlich das Zeitwort vor der Benennung geſezt. Haben auch Sie das von Göthe angenommen? fragte er. — "Wie ſo? angenommen? ich nehme
nichts an. Ich denke für mich ſelbſt; und wo ich
was finde, das mir gut dünkt, da nehme ichs auf, nicht an.
Dieſe Neuerung dünkt mir gut. Göthe braucht ſie nicht allein. Es brauchen ſie viele. Sehen Sie einmal, unſer Stolberg ſchreibt nicht leicht eine Seite, ohne das., — Aber ich
ſage Ihnen, mir iſt ſie völlig unausſtehlich. Zu ſagen, z. E.
ich habe ihm gegeben die Lanze, ſtatt: ich habe ihm die
Lanze gegeben, thut ſo üble Wirkung auf mein Ohr —
oh! . . . Und Sie brauchen das doch ſelbſt! ſagte ich. —
Wo? — — Ich nahm die Oden her. "Ey, zum E.
hier in Kayſer Heinrich: Der zuerſt den Schall gab in
Hermanns Vaterlande.Geſtalt. —„ In Poeſie! das iſt
was anders. Da iſts erlaubt, iſt nothwendig oft, und
auch da, was nicht nothwendig iſt und die Sache es nicht
erfodert, iſts nicht erlaubt. Ich rede ja von Proſa. Wir
müſſen auch etwas für die Poeſie übrig behalten. — Ich
konnte aber das doch auch nicht fahren laſſen. Ich ſprach
davon, wie viel logicaliſch richtiger es mir ſchien, das
Zeitwort vor dem Hauptworte zu ſetzen, wie viel oft die
Rede an Nachdruck dadurch gewönne. — "Das iſt alles
gut, ſagte er. Was würden mich alle Ihre Räſonnements

angehen können, gesezt auch ich könnte Ihnen das zuge-
stehn. Alles philosophiren hilft da nichts. Der Sprachgebrauch entscheidet, und der ist, wie Sie wissen, ein
Tyrann. — "Mag er! ein Tyrann unter dessen Scepter.
man sich beugen muß. Aber nun kommts drauf an, was
ist Sprachgebrauch? Wer soll das entscheiden.„ — Die
Uebereinstimmung der in Absicht auf Sprache guten und
classischen Schriftsteller. — "Das gestehe ich ein. Allein
wer ist denn classischer Schriftsteller?„ — Der und der
und der. — "Wohl! wenn aber nun der und der dieß
was Sie verwerfen nicht braucht, und der und der und der
brauchts wieder? Der Sprachgebrauch ist ein Tyrann,
aber es sizt nicht immer ein und derselbe Tyrann auf dem
Throne. Wir können uns auch einen Sprachgebrauch
machen. Laß es also seyn, dieß oder jenes ist nicht Sprachgebrauch, so wirds Sprachgebrauch. Ein Beyspiel.
Gegenwart heißt dem Sprachgebrauche nach nicht gegenwärtige Zeit, setzen Sie aber, sechs classische Schriftsteller brauchen dieß Wort dafür, und zwanzig brauchens
ihnen nach, so ist eingeführt, so ist das recht was vorher
falsch war. „ — So erörterten wir diese Materie, aber
jeder blieb bey seiner Meynung. . .

Eben so misbilligte er verschiedne ausländische Wörter,
die ich gesezt hatte, denn die Sünde, wenns eine ist, klebt mir
an, fast so arg als den Stolbergs. Einige strich ich aus auf
seinen Rath, andre ließ ich stehen. Er ist mir zu eckel drinn.

Die Dänen haben ein vortrefliches Apophtegma in Ansehung des Englischen. Sie sagen: Der Teufel hätte einmal alle Sprachen in einen Topf gethan, sie gekocht, und
abgeschäumt, und aus dem Schaume wäre das Englische
entstanden. Das war recht Wasser auf Klopstocks Mühle,
wie ichs ihm einmal erzählte. Er drang auch jezt bey mir
auf diese Reinigkeit. Ich halte es auch von ganzem Herzen damit; doch meyne ich so: Wir können doch einmal
nicht ganz den Gebrauch fremder Wörter verbannen.
Klopstock selbst hat einige. Wir müssen fremde Kunst-
wörter haben. Wir können oft durch ein fremdes Wort
eine Idee kurz darstellen, die wir im Deutschen umschrei-
ben müßten. Wir haben verschiedne unangenehme me-
taphysische Wörter, dafür ausländische besser sind. Die
Reinigkeit unserer Sprache bleibt auch, denn in unsrer
Poesie, in gewisse höhere Gattungen des Stils wird sich
nie eine gewisse Art von Wörtern einschleichen dürfen.
Es beruht also hier alles auf dem Mehr oder Weniger.
Es kommt bey einem jedem einzelnen Worte auf eine einzelne Untersuchung an, und wie mislich ist die nicht! Er
wollte mir relativ nicht gelten lassen, wir hätten: verhältnißmäßig. — Aber mir, meinem Gefühl ist verhältnißmäßig eins von den unangenehmen metaphysi-
schen Worten. Endlich haben wir einen großen Theil
unserer besten Schriftsteller vor uns. "Sie sind fast derjenige der so rein schreibt.„* So stritten wir und wurden

* Gelehrtenrep. S. 214.

nicht eins. "Fahrt ihr hin, schift euch ein auf dem Ocean, sagte er, auf eure Gefahr! Lauft an die Klippen an! Die Sprache wird das alles wieder wie Spreu ausfegen. Unsere Sprache ist ein eigensinniges Mädchen, ich habe ihr lange zugesehen. Dreymal hat man ihr dieß nun aufdringen wollen. Zu Carl des fünften Zeit mischten sie aus Schmeicheley spanische Wörter ein,* ich hatte eine

---

* In unsre Sprache mischten wir Latein
  Und Gallisch auch schon ehmals ein,
  Und dachten nicht: iezt denken wir; allein
  Wird drum der neuen Mischung Schicksal anders seyn?
  Die Sprache duldet's nicht! Das fremde Wort
  Muß wieder fort!
  Ihr fodert daß der Söhn
  Des Ingewoon
  Und Herminoon,
  Die, als sie in die Thäler Winfelds kamen,
  Des Römers Schild nicht seine Worte nahmen,
  Iezt solcher Beuten sammle
  Und römisch bald, bald gallisch stammle.

  "Was gehet mich altdeutscher Biedermann,
  "Der graue Vorfahr an!
  "Ich mach' es wie der Sohn der Sachsen und der Angeln;
  "Wenn Wort' ihm mangeln,
  "So eilt er hin zum Griechen, Gallier und Welschen,
  "Und nimmt! Und nimmt sein Deutsch doch nicht zu
                                        fälschen!,,
  Nachahmer hier sogar! ... des Angels Sohn
  Der Fremdling iezt, ist dir's? Und nicht der Herminoon?

rechte Freude, wie ichs bey Leibnitzen fand; aber die gab sie ανω und κατω von sich; Hernach noch einmal, das ist auch alles schon fort; jezt wollen sie ihr wieder so viel einstopfen; und sie würgt sich freylich ein wenig mehr, weil mans doch mit Geschmack thut, aber fort muß es, das ist gewiß! — Fürchte doch, sagt ich, es wird ihr dießmal ein wenig hart im Magen liegen. Endlich endigte sichs durch einen Scherz. Wir wollen aufhören, sagte ich; Sie sind ein Mann der vor den Riß stehen muß; Salogast, Wlemar, oder treu' Eckhard, wie Sie heißen wollen! Ihnen ziemt sichs ganz keusch und unbefleckt zu seyn. Uns andern können Sie schon ein wenig Lizenz gestatten. Er lächelte. Nun wenn ihr denn auch etwas ausschweifen wollt, sagte er, so werdet nur wenigstens keine allgemeine Landhuren nicht! — — Das wollen wir nicht! versezt ich. — Solche grammatische Gespräche führen wir nicht selten. Manchmal denke ich ob ich dir auch so was schreiben soll? obs unterhaltend genug ist?

Wen der nichts lehrt, allein noch Warnung warnen kann,
Den geht sehr nah des spätern Vorfahrs Beyspiel an.

Er, dem erhabnen Carl hofirend,
Und so wie wir, des Mistons Saite rührend,
Ließ überall
Mißtönen span'schen Schall.
Wo ist er hin, der Mitsch, der, neugebohren,
Beynah gefiel? Er hat sich überall,
Bis auf den lezten Widerhall
Verlohren?

Allein Augufta faß bey diefem Streit, und ich bemerkte
es wie ganz ihre Seele bey Klopftocks Rede war. Sie
hatte ihr Filet weggelegt.

Es wird einmal eine Zeit kommen, dann, wenn
wir felbft nichts mehr machen, fondern über das was
da ift, fchreiben werden, wo mans erkennen wird, was
Klopftock um unfre Sprache für Verdienfte hat. Dann
werden Scholiaften aufftehen, Dionyfe, Euftathiuffe,
Serviuffe, und trockne fatale Commentarien über ihn
fchreiben, und Critiker ihn ad Ufum Delphini ediren,
und mit Notis Variorum, und fo weiter. Aber es wäre
doch Schade, wenn vorher niemand ein Wörtlein darüber
fagte. Jemehr ich feine Schriften mit feinem Leben vergleiche, und den ganzen Zuftand der vaterländifchen Litteratur, wie er vor dreyßig Jahren war, und wie er jezt
ift überdenke, defto mehr ftaune ich. Defto größer wird
er, defto kleiner werden mir die Scribenten des Tages.
Fürwahr wir find ungerecht. Nun der Wald fo groß geworden ift, daß wir die Bäume nicht mehr fehen können;
fprechen wir auch nicht mehr davon. Die Beyträger —
Rabener, Gellert, Cramer, die Schlegel, Klopftock,
Gärtner, Gifeke, Ebert und andre, die anfingen . . mit
welchen Schwierigkeiten hatten die zu kämpfen! Sie ftan-
den in der Finfterniß auf, Deutfchland zu erhellen, wir
gehn im Lichte. Wir haben gut fchreiben; überall ift uns
die Bahn gebrochen, die Dornen weggehauen, der Weg

geebnet. Wir haben eine gebildete Sprache, wir haben Beyspiele; was wir daran thun können ist, daß wir noch ein bischen dran schnizzeln und feilen, sie mußten sie sich erst bilden und schaffen. Jeder Schulmeister schreibt jezt einen erträglichen Brief, damals war Gottsched unser Cicero. Und wir wollten undankbar gegen diese Männer seyn? von ihren Verdiensten schweigen? weil einige Neuere aufstehen, und auch vortreflich sind? wie das jezt der armseelige Modeton ist! Wie Recht hatte Klopstock, da er in seinen Stolz sich hüllte, und in seinem und seiner Freunde Nahmen der Nachwelt zurief: Wir sind ihr Barden!

Sie haben ingesammt viel gethan; er am meisten. Zwar seine Schriften zeugens; und ich brauchte darüber nicht viel Worte zu verlieren, aber ich weis es am besten, wie viel er darinn gearbeitet hat. Mit Fleis sag ich gearbeitet. Denn Sprache ist Studium bey ihm gewesen. Daß er so schreibt, ist nicht blos zufällig — er hat gedacht und gelernt um so zu schreiben. Viele unserer jezigen leichtfüssigen Leute fangen an, Sprache als eine Nebensache anzusehen. Wenn einer ihre unreinen Partikeln, ihr Auslassen der Bindwörtchen, ihre Wegwerfungen der Artikel, ihre nach so nagelneuen Melodien herabgeorgelten Perioden, nicht sofort für baare Münze annehmen will, so möchten die jungen Werther sogleich "des Teufels werden, und uns abprügeln! — „Lächerlich! Wenn Worte Zeichen von Gedanken sind, ists denn gleichgültig, ob die

Zeichen falsch sind? Und wenn ich scharfsinnig genug bin,
der falschen Zeichen ungeachtet den wahren Sinn zu er=
rathen, ist das mein oder des Verfassers Verdienst?
Sprachkenntniß! Sprachkenntniß! empfiehlt vor allen
Dingen Ekhard dem Dichter. Und sie erlangt man nicht
ohne Fleis.

Diesen Fleis aber hat Klopstock so sehr von jeher ge=
habt, daß er sich nicht gescheut hat, mit der anhaltendsten
Unverdrossenheit, alles Merkwürdige was darinn geschrie=
ben ist, zu lesen, so dürr und trocken es auch war, es zu
vergleichen, die Sache zu behandeln wie ein Grammati=
ker von Profession. Wie oft habe ich so bey ihm gesessen,
daß unsre Alten, Glossaria, Schilter, Wachter, Hickes Lerica
aller Art um ihn lagen, die langweiligsten Folianten, grie=
chische Grammatiker, wie er das mit einander verglich —
wie sehr er da Gelehrter war — freylich nur kurze Zeit —
mir grauste vor dem Anblick — aber es ist ein wunderba=
rer Mann — was er alles für Sachen in sich vereinigt.
Denn stand er einmal mitten aus solchen Grübeleyen auf
und dichtete: unsre Sprache.

An der Höhe wo der Quell der Barden in das
Thal sein fliegendes Getöne, mit Silber bewölkt, stür=
zet, da erblick' ich (zeug' es, Hain!) die Göttinn
Sprache. Sie kam zu den Sterblichen herab! . . . . . *

---

* Hier bricht diesesmal mein Manuscript ab. Ich habe doch
später auch diese Ode auseinander gesezt gefunden. — Doch

habe ich bey der Gelegenheit überhaupt einige Anmerkun=
gen zu machen.

In angenehmer Unterredungen von den Wissenschaf=
ten durch Lebhaftigkeit und Schnelligkeit, ja selbst durch
Unordnung werden, desto schwerer ist es, wenn man sie
nachher wieder überdenkt, dasjenige genau zu sagen, was
darinn als festgesezt angenommen worden ist. Das
muß ich auch auf diese Unterredung sehr anwenden.
Man spricht mit der schnellen Zunge in einer Stunde
mehr, kräftiger, bestimmter oft als ein Tag zureichte, auf=
zuschreiben. Tellow hat in dieser Unterredung nicht be=
stimmt, nicht gründlich genug gesagt, was Klopstock theils
über den streitigen Punkt meint, theils für Gründe für
seine Meynung hat. Er hat aber auch seine eigne nicht
deutlich genug mit allem was er dafür sagen kann, ver=
fochten. — Am Ende ists gegangen, wies oft mit allem
Disputiren geht — denn sie haben die Materie mehrmals
besprochen. — Er hat gefunden, daß sie weniger ausein=
ander waren, als es anfangs schien; wenn man sich genau
erklären will. Klopstock macht zum Exempel einen Unter=
schied zwischen ausländischen neuen und schon eingeführ=
ten Worten. Als practisch, Sphäre, Original sind er=
laubte eingeführte Worte. So in Absicht des Zeitworts
vor der Benennung: Klopstock erlaubt diese Fügung, wo
Pathos in der Rede nöthig ist. So sind sie wieder eins,
und es kommt also nicht auf die Frage, ists erlaubt? an,
sondern bey jeder einzelnen Stelle auf die Frage: foderts,
leidets hier der Affeckt? — Indes werden solche Dialogen
allemal den interessiren, der sie mit Klopstocks Schriften
vergleicht; und diese aus jenen oder jene aus diesen er=
gänzt — oder, wenn man will erklärt. Z. E. bey diesem
Fragmente Gelehrten Rep. S. 226. —

Weiter bemerke ich, daß Tellow schnell, mit dem gan=
zen Feuer, das aus Unterredungen, Empfindungen, er=
lebten Situationen in seiner Seele geblieben war, nieder=

schrieb. Dem muß mans wohl zurechnen, daß bisweilen eine kleine Unrichtigkeit, eine Uebereilung des Gedächtnisses mit unterlief, die bey Briefwechsel unvermeidlich ist. Zwar war nicht alles was er über Klopstock aufschrieb, für Elisa bestimmt; aber er schickte ihr doch alles. Verschiednes wissenschaftliche dürfte in diesen Fragmenten eigentlich nur für Gelehrte seyn. Das ist es mit Fleis. Komme also nicht etwa ein berlinischer Criticus, und table diese Vermischung abhandlender und darstellender Fragmente die absichtlich ist. Ueberhaupt, Leser, was geht euch die Form an, wenn nur die Materie wahr ist. Zur Form rechne ich noch, das Gespräch mit dem o! wie sehr mir geliebten, Fabius — eine Erdichtung, zu zeigen, wie der Weise und der Kühne jeder mit Vernunft eine Sache verschieden betrachtet.

Damit aber die Materie ganz wahr sey, zeig ich kurz diese kleine Uebereilungen an. Sie sind klein! aber bey historischen Dingen ist Genauigkeit erstes Gesez. — Dreliszow) Wedendorf. — mecklenburgischen) lauenburgischen. — beynah nichts als Critiken über den Messias) es waren nur einige Critiken, und die in vier Briefen. Hätte der Brief nichts als Critiken enthalten, so hätte er sie schwerlich besucht. Er liebt die gar zu weisen Weiber nicht. — dem Prinzen Ferdinand) dem Erbprinzen. —

Und nicht nur kleine historische Unrichtigkeiten, daß ers entweder nicht besser wuste, oder zu eilend hinschrieb — auch einige Stellen, in den Erklärungen, glaub ich bemerkt zu haben, in denen er Unrecht hat. Da ich Klopstock so gut kenne, wie Tellow, so darf ich dieß mit Gewißheit behaupten. Ich habe sie nicht im Texte verändern wollen; auch aus guten Gründen. Es ist nicht unwichtig zu sehen, wie jemand, dessen Bibel Klopstock fast war, ihn dennoch bisweilen misverstehen konnte — und wie er doch am Ende ganz allein Unrecht hatte, Klopstock

misverstanden zu haben! Aber hier sind die Stellen, mit
ihren Berichtigungen und Bestimmungen. — wenn Her=
tha zum Bade zog) d. i. wenn es wieder Friede ward.
Das Bad der Hertha war eigentlich auf der Insel Rü=
gen. — die des Hains Weihe verbarg) nicht die ver=
lohrnen Bardengesänge, sondern überhaupt die vortref=
lichen Dichter, die im Innersten des heiligen Hains woh=
nen. — die freyen Silbenmaaße der alten Barden)
hier doch wohl nur überhaupt die mehreren Sylbenmaaße
der Barden, ohne Beziehung darauf, ob sie abgemessen
oder frey waren. — Didymäos und Päon) päoné: —
Es giebt vier Päone: v v—v, — v v v, v v v—, v—v v,
unter denen Didymäos der schönste ist — Also: Didymäos,
und die andern Päone. — brauchte vorzüglich mit den
Anapäst.) das Wort durch welches Pindar den Ton der
Leyer ausdrückt, (eleuzomená) besteht aus zwey Anapä=
sten. (v v — v v —) — der Bewegung des Herzens und
der Töne bin ich unter uns der Erste.) Hier ist nur
von dem Zeitausdrucke die Rede, obgleich das erstere auch
wahr ist. — Der in dem Chor kühn sich erhebt.) das
sagt er nur in Absicht der Triumphgesänge, nicht des Mes=
sias überhaupt. — der Alten nicht untergegangen.) Nur
der Griechen. Römer waren meist Nachahmer. — Schwan
des Glosoot) Ist Braga selbst. — lyrischen Commando=
stab.) vielmehr Maaßstäb. — Vorzug über den Gesang)
Nicht Vorzug überhaupt, sondern nur einige Schattirun=
gen mehr als dieser.

Endlich ist in der Ode Teone eine ganze Stelle un=
richtig erklärt. Da ich aber voraussehe, wie viele weise
Leute überhaupt Erklärungen von Klopstock überflüßig fin=
den werden, wenn sie einmal erklärt sind, so laß ich diese
stehen als ein Nuß für sie aufzuknacken. Ich fodre also
ihren Scharfsinn auf, die Unrichtigkeit in Tellows Er=
klärung, und den wahren Verstand der Stelle zu finden. —
A. d. H.

Daß — — ich muß das erinnern, so wohl das, was
ich dir neulich über die Ode unsre Fürsten schrieb, als die
Ode selbst, nicht ganz allgemein zu nehmen sey, daß es
seine Ausnahmen habe; versteht sich ohne dieß. Nur
nach dem Sprichworte: Vom bey weiten größern Theile
geschieht die Benennung. Daß ich eines erwähne, den
Markgrafen von Baden kann man ja darunter nicht zäh-
len; der Klopstock zu ehren gewußt hat, wie ers verdient.
Ach! es muß ein Mann seyn, Friedrich dem fünften beyzu-
gesellen; nach allen Beschreibungen Klopstocks, der oft und
gern, und mit liebender Wärme von ihm spricht; nicht genug
ihn rühmen kann, wie er kein höheres Wesen sey und sich
denke, als ein Mensch, ein Privatmann wehrt ein Fürst
zu seyn, mit Ernst auf das Glück seiner Unterthanen be-
dacht, und mit ausführenden Vorsatze gerüstet sie glücklich zu machen. Ich habe nicht alles behalten können,
was er mir so gutes von ihm gesagt hat; aber aufgefallen ist
mir die seltne Wahrhaftigkeit und Bestimmtheit des Mannes, die so groß seyn soll, daß Kl. sagt: Es geht so weit darinn,
daß wenn er zum Exempel die Weite eines gleichgültigen
Gegenstandes beschreiben wollte, und er sagte, er ist hundert Schritt von mir entfernt, besinnt sich aber nachher,
daß er nur achzig war, so wird er sich corrigiren und sagen:
hundert sagt ich? nein er war nur achzig. — Ich versichre Sie, es ist ein Mann mit dem man etwas spre-

chen kann, sagte er neulich. Und da jemand aus der Gesellschaft ein gar merkwürdiges comisches Exempel einer
Hofschmeichley erzählte — ein gewisser Herr fängt an
Griechisch zu lernen, und sobald sein alter alter Ober-
stallmeister das merkt; der sein ganzes Leben bey den
Pferden zugebracht hat, nimmt er strax auch Stunden
darinn noch den Homer zu lesen — so etwas, sagte er,
sollte beym Fürsten von Baden geschehen! Ich glaube
doch nicht daß leicht ein Mensch so einfältig seyn wird, nur
eine Vierthelstunde bey ihm zu seyn, ohne es zu merken
daß es das ungehörigste von der Welt seyn würde, ihm
eine Schmeicheley sagen zu wollen. — So sprachen wir
auch auf dem Jungfernstieg von der bekannten Unterredung, und daß doch mit alledem so eine gewaltige Einbildung durchschimmerte, als ob ich, weil mich die Vorse-
hung nun zum Ersten an Rang und Macht in einem Staate
gesezt hat, auch der Erste an Geist und an Verstand sey...
oder weil ich über das Leben und Tod meiner Unterthanen
zu sagen habe, daß auch deswegen mein Lob oder Tadel
auch über das Leben und den Tod von Meisterwerken entscheiden könne!... O das ist noch recht gut, sagte Klopstock scherzend! Das müssen Sie nicht erwarten. So
einen Fürstentick habe ich noch bey allen gefunden, den
Markgrafen allein ausgenommen.

Auch Afsprung war so voll von ihm, von seiner Güte.
Er erzählte mir so mancherley von ihm. Ein geringer
Umstand, der aber dein sanftes Herz freuen wird — —

so was aufzuzeichnen, ist unter der Würde des Geschicht‹
schreibers; darum schreibe ichs auch nur dir; denn dir
wirds angenehmer seyn, als die Beschreibung einer
Schlacht. Solche kleine Züge gehn auch immer sicher
verlohren, wenn nicht etwa einmal ein genfer Weltwei‹
ser kömmt und allen Lesern von Geschmack zu Trotz uns
erzählt, daß Türenne in der weissen Nachtjacke am Fen‹
ster gestanden habe, wie denn einer von seinen Bedien‹
ten sich naht, ihn für den Koch Meister Jakob hält; leise
auf den Zähen trippelnd hinzuschleicht und — klitsch klatsch
gehts auf den * * * * des Mareschalls de France — wie
der liebe Mann sich umwendet . . . . . man stelle sich die
komische Situation vor! — der Bediente zitternd und
bleich um Gnade flehend vor ihm niederfällt — "ach!
ich dachte es wäre Meister Jakob der Koch!„ — der
Mareschall sich die geschlagene Stelle reibt und so men‹
schenfreundlich sagt: "Nun, wenns auch Meister Jakob
der Koch gewesen wäre, hättet ihr doch nicht so hart schla‹
gen müssen!„ . . . . wodurch wir den Türenne so herz‹
lich lieb gewinnen — —

So auch ein sehr kleiner aber ernsthafter Zug vom
Markgrafen. Afsprung, von dessen Eigenheit ich nichts
zu sagen brauche, war von Ulm nach Carlsruhe zu Fuß
gegangen, Klopstock zu sehen. Der Markgraf wollte ihn,
da er das hörte, auch sprechen. Nach einer sehr gütigen

N

Unterredung, sagt er zu ihm, er möchte, wenn er wollte, in das Concert das diesen Abend bey Hofe wäre, kommen. Affsprung kömmt; aber so wie man auf so einer zu Fuß-Reise equipirt seyn kann. Das Concert geht an; und Affsprung steht da. Drauf kommt einer vom Hofe herein, sieht einen Fremden, wundert sich in seinem Herzen ob seiner Gestalt, weis nicht, daß der Markgraf ihn selbst geladen. Affsprung sagte, es hätte schon die Frage auf des Hofmans Lippen geschwebt: Mein Freund wie bist du hieher kommen, und hast doch kein hochzeitlich Kleid an? Aber der Markgraf sahs von fern, von da wo er mit seiner Familie saß, wollte gleich aller Verlegenheit vorbauen, winkt einem Prinzen, der geht auf Affsprung zu, und fragt ihn: Wie gefällt Ihnen das Concert — — der Hofmann trat zurück, und seine Frage blieb ein Embryo. —

Siehst du — die Güte der Seele, diese so feine kleine Aufmerksamkeit auf etwas das andern Freude machen, oder ihnen auch nur einen leisen Verdruß ersparen kann, ... doch genug! hier ist Klopstocks Ode; die noch nicht bekannt ist, und noch keinen Titel hat. Fürstenlob wollen wir sie nennen, denk' ich. — Was übrigens Kakerlakken und Oranutane sind, weißt du vielleicht nicht; das eine die bleichen rohen dummen amerikanischen Halbmenschen, die Pawe so schön beschrieben hat; das andre merkwürdige große wilde Affen in Indien. —

Dank dir, mein Geist, daß du seit deiner Reise Beginn,
  Beschlossest, bey dem Beschlusse verharrtest:
    Nie durch höfisches Lob zu entweihn
      Die heilige Leyer,

Durch das Lob lüsterner Schwelger, oder eingewebter
  Fliegen, Eroberer, schwertloser Tyrannen,
    Nicht grübelnder, handelnder Gottesleugner,
      Halbmenschen, die sich, in vollem dummen
        Ernste, für höhere

Wesen halten als uns. Nicht alte Dichtersitte,
  Nicht Schimmer, der Licht log,
    Freunde nicht, die geblendet bewunderten,
      Vermochten deinen Entschluß zu erschüttern.

Denn du, ein biegsamer Frühlingssproß
  Bey kleineren Dingen,
    Bist, wenn es größere gilt,
      Eiche, die dem Orkane steht.

Und deckte gebildeter Marmor euch das Grab;
  Schandsäul' ist der Marmor, Dichter: wenn euer
    Gesang
      Kakerlakken, oder Oranutane
        Zu Göttern verschuf.

N 2

Ruhe nicht sanft, Gebein der Vergötterer! Sie sinds
 Sie habens gemacht, daß nun die Geschichte nur
 Denkmal ist; die Dichtkunst
 Nicht Denkmal ist.

Gemacht, daß ich mit zitternder Hand
 Die Leyer von Daniens Friederich rührte;
 Sie werde von Badens Friederich rühren,
 Mit zitternder Hand.

Denn o wo sind die sorgsamen Wahrheitsforscher,
 Die gehn, und die Zeugen verhören? Geht hin, n
 leben die Zeugen,
 Und haltet Verhör, und zeiht, wenn ihr könnt,
 Auch mich der Entweihung!

Die Frühlingsfeyer.

Nicht in den Ocean der Welten alle
 Will ich mich stürzen! schweben nicht,
 Wo die ersten Erschaffnen, die Jubelchöre
 Söhne des Lichts,
 Anbeten, tief anbeten! und in Entzückung
 gehn!

Nur um den Tropfen am Eimer,

Um die Erde nur, will ich schweben, und anbeten!

Halleluja! Halleluja! der Tropfen am Eimer

Rann aus der Hand des Allmächtigen auch!

Als der Hand des Allmächtigen

Die größeren Erden entquollen!

Die Ströme des Lichts rauschten, und Siebenge-

stirne wurden,

Da entrannst du, Tropfen! der Hand des All-

mächtigen!

Als ein Strom des Lichts rauscht', und unsre Sonne

wurde!

Ein Wogensturz sich stürzte, wie vom Felsen

Der Wolk' herab, und Orion gürtete,

Da entrannst du, Tropfen! der Hand des All-

mächtigen!

Wer sind die tausendmal tausend,

Wer die Myriaden alle,

Welche den Tropfen bewohnen, und bewohnten?

Und wer bin ich?

Halleluja dem Schaffenden!

Mehr, wie die Erden, die quollen!

Mehr, wie die Siebengestirne,
    Die aus Strahlen zusammen strömten!

Aber du Frühlingswürmchen,
    Das grünlich golden neben mir spielt,
    Du lebst, und bist vielleicht
    Ach! nicht unsterblich!

Ich bin herausgegangen anzubeten,
    Und ich weine? Vergieb, vergieb
    Auch diese Thräne dem Endlichen,
    O du, der seyn wird!

Du wirst die Zweifel alle mir enthüllen,
    O du, der mich durchs dunkle Thal
    Des Todes führen wird! Ich lerne dann,
    Ob eine Seele das goldene Würmchen hatte.

Bist du nur gebildeter Staub,
    Sohn des Mays, so werde denn
    Wieder verfliegender Staub,
    Oder was sonst der Ewige will!

Ergeuß von neuem du, meine Auge,
    Freudenthränen!
    Du, meine Harfe,
    Preise den Herrn!

Umwunden wieder, mit Palmen

    Ist meine Harf' umwunden! Ich singe dem Herrn!

       Hier steh ich. Rund um mich

          Ist alles Allmacht! und Wunder Alles!

Mit tiefer Ehrfurcht schau ich die Schöpfung an,

    Denn du!

       Namenloser, Du!

          Schufest sie!

Lüfte, die um mich wehn, und sanfte Kühlung

    Auf mein glühendes Angesicht hauchen,

       Euch, wunderbare Lüfte,

          Sandte der Herr? der Unendliche?

Aber jezt werden sie still, kaum athmen sie.

    Die Morgensonne wird schwül!

       Wolken strömen herauf!

          Sichtbar ist, der kommt, der Ewige!

Nun schweben, und rauschen, und wirbeln die Winde!

    Wie beugt sich der Wald! wie hebt sich der Strom!

       Sichtbar, wie du es Sterblichen seyn kannst,

          Ja! das bist du, sichtbar, Unendlicher!

Der Wald neigt sich, der Strom fliehet, und ich

    Falle nicht auf mein Angesicht?

Herr! Herr! Gott! barmherzig und gnädig!
Du Naher! . . . . erbarme dich meiner!

Zürneſt du, Herr,
Weil Nacht dein Gewand iſt?
Dieſe Nacht iſt Seegen der Erde.
Vater du zürneſt nicht!

Sie kommt, Erfriſchung auszuſchütten,
Ueber den ſtärkenden Halm!
Ueber die herzerfreueude Traube!
Du zürneſt nicht, o Vater!

Alles iſt ſtille vor dir, du Naher!
Rings umher iſt alles ſtille!
Auch das Würmchen mit Golde bedeckt, merkt
Iſt es vielleicht nicht ſeelenlos? Iſt es
ſterblich?

Ach, vermöcht' ich dich, Herr, wie ich dürfte, zu pre
Immer herrlicher offenbareſt du dich!
Immer dunkler wird die Nacht um dich,
Und voller von Seegen!

Seht ihr den Zeugen des Nahen den zückenden Str
Hört ihr Jehova's Donner?
Hört ihr ihn? Hört ihr ihn,
Den erſchütternden Donner des Herrn?

Herr! .... Herr! .... Gott! ....
  Barmherzig, und gnädig!
    Angebetet, gepriesen
      Sey dein herrlicher Name!

Und die Gewitterwinde? Sie tragen den Donner!
  Und sie rauschen! wie sie die Wälder durchrauschen!
    Und nun schweigen sie. Langsam wandelt
      Die schwarze Wolke.

Seht ihr den neuen Zeugen des Nahen, den fliegenden
      Strahl?
  Hört ihr hoch in der Wolke den Donner des Herrn?
    Er ruft: Jehova! Jehova! Jehova!
      Und der geschmetterte Wald dampft!

Aber nicht unsre Hütte!
  Unser Vater gebot
    Seinem Verderber,
      Vor unsrer Hütte vorüberzugehn!

Ach! schon rauscht, schon rauscht
  Himmel, und Erde vom gnädigen Regen!
    Nun ist, wie dürstete sie! die Erd' erquickt,
      Und der Himmel der Seegensfüll' entlastet!

Siehe, nun kommt Jehova nicht mehr im Wetter,
 In stillem, sanftem Säuseln
   Kömmt Jehova,
    Und unter ihm neigt sich der Bogen des Friedens!

Ich sage nichts zu dieser Feyer, die empfunden seyn
will, als daß ich dir ein Fragment aus der Messiade
schicke — und du wirst leicht errathen: warum. Die
Seele des Frühlingswürmchens und des Hündchens!
Wo ist der Mensch der Gefühl hat, und nicht wünsche,
daß alles was lebt auch fernerhin leben möge. Der's nicht
hoffe und drüber grübele! Doch was wissen wir, deren
Wissen Stückwerk und deren Weissagen Stückwerk ist?

Die Stelle gehört in den sechszehnten Gesang. S.
38. zwischen, Pfade betraten, und: Freuderufend erhob
sich die Seele Celtors 2c.

Manches sahn sie zuvor auf ihren Wegen und lernten
Manches, umtanzt von fröhlichen Stunden. Mich
          deucht, es ertönte
Einst von diesem mir auch die vollbesaitete Harfe.

Irgendwo in Gefilde der Ruh wird eines Säug-
          lings
Seele geführt. Auf einem der Blumenfelder begegnet
Ihr die Seele des einzigen Freundes, den Elisama
Uebrig behielt, und der dem todten Greise die Hand noch
Leckt' und starb. Und die Seele des treuen Thieres ge-
          sellet

Sich, zu der Seele des Säuglings, und folgt ihr, und
will sich nicht trennen.

Dieser verstößet sie nicht, bald aber wird sie sich dennoch
Trennen müssen, wenn er nun hinauf in höhere Sterne
Steigt: doch gesellt sie sich gern zu neuankommenden
Seelen.

Nun von Kaiser Heinrich * auf Kaiser Joseph
zu kommen: das was Klopstock für die Wissenschaften bey
ihm hat ausrichten wollen, macht ihm Ehre und ist gewiß eine der merkwürdigsten Begebenheiten seines Lebens. Sein Biograph darf es nicht verschweigen. Zwar
ich könnte dich auf die Gelehrtenrepublick deswegen ver-
weisen, wo er sich selbst darüber erklärt hat. Aber wie
sich Klopstock erklärt! mit seiner gewöhnlichen Kürze.
Nackt die Sache! — und damit gut! Und so kurzsichtig
sind seine Leser, daß fast alle mit denen ich über die Gelehrtenrepublick gesprochen habe, es nicht merkten,** daß

---

* Man sieht wohl, daß dieses Fragment unmittelbar nach der
Erklärung dieser Ode geschrieben ist. Allein überhaupt ist
in der Zusammenstellung aller dieser Fragmente auf keine
chronologische Ordnung Rücksicht genommen worden.
A. d. H.

** Merkten!) Braucht man auch etwas zu merken, das mit
klaren Worten da steht? — O Vorkauer und Einbläuer!
deine Hülfe! —

das Fragment aus einem Geschichtschreiber des neunzehnten Jahrhunderts, Klopstocks eigener Plan sey, den
er dem Kaiser hat vortragen lassen. Ich will dir also
(bisweilen mit Beziehung, auf das was er dort sagt) die
Sache noch einmal mit dem kältesten Blute eines Histo-
rikers erzählen.

Eben damals wars, als er überhaupt mehr als jemals in dem Gedanken an Vaterland lebte und webte,
da seine Seele ganz von dem voll war, was Deutsche
sind, daß er den Entschluß faßte, wo möglich nicht blos
darüber zu schreiben, sondern auch zu handeln. Er wollte
für die Wissenschaften eine Unterstützung auswirken, die
wenn sie zu Stande gekommen wäre, einen Einfluß auf
Deutschland gehabt haben würde, wie Augusts Zeitalter
auf die Römer. Mit derselben Wärme, mit der er seinen
Unwillen über unsre Trägheit ausgoß, mit der nemlichen
Inbrunst, mit der er einst liebte, dachte er sich diesen
ganzen Plan, und legte Hand an das Werk, in so fern
ers vollführen konnte. Wie glühte er damals! In derselben Zeit schuf er seine Hermannsschlacht! war der Gedanke der Gelehrtenrepublick in ihm entstanden. Seine
Freunde, Cramer, Gerstenberg, Schönborn und Andre
nahmen Theil an seiner Freude, ihnen sagte er seine Hofnungen, sprach über die Briefe ... und die ganze Unter-
nehmung die jezt umsonst gewesen ist. Wenn ich an die
Zeiten mich erinnre! das wäre wahrhaftig eine Geschichte
für den Verstand, wofern sich das so entwickeln ließe, wie

aus der Seele eines großen Mannes eine Idee keimt, und zum Baume wird, wie die wieder andre zeugt, wie sich der Baum in tausend Aeste verbreitet, oder — nenns auch, wenn du willst, einen Strom! .. wie sich dann der in Bäche ausgießt und das Land umher wässert . . . das ist, ohne Bild, wie der Geist eines solchen Mannes immer mit einem Gedanken schwanger geht, ganz an ihm hängt, sich in ihn verliebt, wie das hernach an andre Gegenstände anhakt, und so sein ganzes Leben und seine Werke ein einziger dicht zusammen gesponnener Faden sind. Das entwickelt zu haben .. aber es ist eine Welt, deren Verkettungen niemand, auch er selbst nicht durch-schauen kann. So entstanden aus dem Messias seine Lieder, seine schönsten Oden, seine Trauerspiele! und dem Patriotismus haben wir alle seine deutschen Gedichte, den Bardiet, die Republik, die Grammatik einst zu verdan-ken — und hätten ihm noch mehr vielleicht zu danken ha-ben können.

Er war durch seinen Umgang, und den Zirkel des bernstorffschen Hauses, in dem er den größten Theil seines Lebens nach dem Tode von Meta zugebracht hat, mit verschiednen fremden Gesandten am dänischen Hofe, un-terandern auch mit dem wiener in Bekanntschaft. Ich übergehe hier manches, das zu weitläuftig seyn würde, aber genug durch Unterhandlungen mit diesem wars daß die Sache anfing. Der Gesandte, da er von Coppen-hagen abging, nahm Klopstocks Plan zur Unterstützung

der Wiſſenſchaften an den Kaiſer mit, dem jener es ganz
zutraute, daß er einen ſolchen Plan ergreifen und ihn
zur Wirklichkeit bringen würde. Der Fürſt Kaunitz, und
Graf Dietrichſtein, den der Kaiſer ſehr liebte, waren
diejenigen in Wien von deren Eifer er den guten Fortgang
der Sache (und vom lezteren auch mit Recht) erwartete.

Der Plan war eines großen Inhalts, mit Lebhaftigkeit geſchrieben, und ohne Eigennutz, den Klopſtock
nicht kennt. Hier iſt er mit ſeinen eigenen Worten:
(Denke dir dieß einzige nur in Abſicht der Form des Vor-
trags, die darſtellend iſt, daß er ſich in den Geſichtspunkt
eines Geſchichtſchreibers des folgenden Jahrhunderts
verſezt, und dieſen reden läßt, wie er würde haben reden
können, wenn dieſer Plan ausgeführt worden wäre.
Nur darauf mache ich dich aufmerkſam, daß er nicht blos
für Dichter Unterſtützung, ſondern für alle großen Männer und Schriftſteller in jeder Wiſſenſchaft, mit gerechter Unpartheilichkeit ſuchte.)

“Wir müſſen erſt überſehen, in welchem Zu-
ſtande der Kaiſer die Wiſſenſchaften fand, ehe wir
von dem, in den er ſie geſezt hat, urtheilen. Dieſer
Zuſtand war, daß die Gelehrten Deutſchlands von
keinem ihrer Fürſten unterſtüzt wurden; und daß, indem
ſie das Verdienſt hatten, alles, was ſie thaten, allein
zu thun, die Unterſtützung auf die man ſich hier und da
ein wenig, und nur auf kurze Zeit einließ, viel zu unbe-
deutend war, als daß ſie auf die Gegenwagſchale jene

Verdienstes gelegt werden könnte. Stolz konnte freylich
ein solches Verdienst diejenigen machen, die es hatten;
aber zu einer Zeit, da eine Nation in Absicht auf die Wissenschaften in einer gewissen Bewegung ist, ist dem Fort-
gange derselben, und der Erreichung eines hohen Zieles
nichts hinderlicher, als es haben zu müssen. Der Kaiser
sah die Bewegung in der die Nation war, und daß er in
einem Perioden lebte, den seine Vorfahren vergebens
würden haben hervorbringen wollen; er ergriff den Augenblick des Anlasses, und entschloß sich zu seyn was er,
weil er vaterländisch dachte, zu seyn verdiente... Unterdeß fuhr die Nation fort ihre Sprache zu lieben, die
Werke ihrer guten Schriftsteller mit Beyfalle aufzuneh-
men, und überhaupt Talenten mit viel mehr Antheile als
sonst gewöhnlich gewesen war, Gerechtigkeit wiederfahren zu lassen. Und dieß war der Zeitpunkt, in welchem
ein junger Kaiser, der den Muth Carls des fünften in
sich fühlte, Deutschlands Oberhaupt wurde. Die Nation war ungeachtet der Bewegung, in welcher er sie fand,
gleichwohl noch nicht patriotisch genug; einige der besten
Werke in den schönen Wissenschaften waren noch unge-
schrieben, und viele Erfindungen der philosophischen waren noch nicht da. Ein Volk das in viele Fürstenthümer
abgesondert ist, konnte auch nicht eher mit einem gewissen Feuer, und mit Festigkeit vaterländisch seyn, als bis
man es veranlaßte, Gesinnungen der Verehrung und der
Dankbarkeit in seinem Oberhaupte zu vereinigen. Die-

ſes, auch durch Unterſtützung der Wiſſenſchaften zu thun,
und ihm durch die Kürze Zeit in der es ausgeführt wurde,
eine noch ſtärkere Wirkung zu geben, war, und verdiente das Werk eines Kaiſers zu ſeyn, deſſen Nahmen
unſre beſten Dichter und unſre ſtrengſten Geſchichtſchrei-
ber ſo oft ausgeſprochen haben.   Da die, welche in den
philoſophiſchen und in den ſchönen Wiſſenſchaften gut
ſchrieben, als ſolche von Männern erkannt wurden, denen man Entſcheidung auftragen konnte; ſo wurde hier-
durch ein Grund gelegt, ohne den die Belohnungen würden Verſchwendungen geweſen ſeyn.   Die Zahl derer, die
zu entſcheiden hatten, war klein.   Sie hatten und durften nichts Geringers, als die Ehre des Vaterlands, des
Kaiſers, und der Beſchützer der Wiſſenſchaften, die der
Kaiſer durch dieſe Befehle unterſcheiden wollte, zum Zwecke haben. Auch ihre eigne Ehre konnte ihnen nicht gleichgültig ſeyn.   Sie hatten anderen Gelehrten, oder wer ſich
ſonſt ins Urtheilen miſchen wollte, gar keine Rechenſchaft
aber dem Kaiſer und den Beſchützern der Wiſſenſchaften
alle mögliche von ihren Urtheilen zu geben: und da dies
oft gegeben wurde; ſo ſahe man in das Innerſte der Sache, und war nicht in Gefahr, Unwürdige zu belohnen.

Der Gedanke eine kaiſerliche Druckerey anzulegen,
fand deswegen nicht ſtatt, weil es ſchwer war auszuma-

---

* Ueber denſelben Wunſch hat er einmal lange mit Friedric
dem fünften geſprochen, und er wäre ausgeführt worden
wenn nicht Hinderniſſe darzwiſchen gekommen wären, d
— — der König ſelbſt war geneigt dazu. —

chen: Welchen Grundsätzen die Censoren dennoch folgen mußten, wenn es auch bey den Büchern nicht in Betrachtung kommen sollte, ob die Verfasser Catholiken oder Protestanten wären. Wenigstens hätte die Festsetzung dieser Grundsätze zuviel Zeit erfodert; und man hätte sich gleich Anfangs in Schwierigkeiten verwickelt, statt mit schnellen Schritten zur Erreichung des vorgeschriebenen Zweckes fortzueilen.

Die Belohnungen für die guten und vortreflichen Scribenten, und für die nicht schreibenden Erfinder vom gleichen Unterschiede, bestanden in Geschenken von zweyerley Art. Die ersten erhielten Geld und Ehre dadurch, daß ihnen jenes gegeben wurde; die zweyten Geschenke zwar auch von nicht geringem Wehrte der ersten Art, aber zugleich von solcher Beschaffenheit, daß der Empfang nicht allein die Ehre davon ausmachte. Man kannte alle, die Verdienste um die Wissenschaften hatten, so unbekannt sie auch ausser ihrem Kreise zu seyn glaubten; und man ließ es ihnen dadurch merken, daß man sie zu Schriften oder Erfindungen auffoderte. Diese Ausspähung des bescheidenen Verdienstes erhielt den Beyfall der Welt so sehr, daß ihr Deutschlands Kaiser alle Fürsten zu übertreffen schien, die jemals durch die Unterstützung der Wissenschaften waren berühmt geworden. Man war sogar auf junge Genies aufmerksam, und sie bekamen Beyhülfe sich weiter zu bilden. Wenn für

angezeigte Erfindungen, oder für Schriften von bestimm
tem Inhalte Preise ausgesezt wurden; so erfuhren die
welche sie erhielten, oder sich umsonst darum bemüht hat
ten, die Nahmen dererjenigen die ihre Beurtheiler gewe
sen waren. Ueberhaupt wurde auf eine Art ver
fahren, die den Wehrt dessen, was geschah, noch erhöhte
Mannigfaltigkeit in dem Betragen, und Neigung, das
Verdienst liebenswürdig zu machen, gab Allem ein
Wendung der Anmuth, mit der nichts als die gutwäh
lende Beurtheilung konnte verglichen werden.

Durch dieses alles stieg der Ruhm des Kaisers so schnell
daß es bald lächerlich wurde, ihm publicistisch zu räu
chern. Denn er ward wirklich verehrt und geliebt.
Lessing und Gerstenberg, die Unteraufseher der Schau
bühne, wählten sowohl die deutschen Stücke, die gespielt
als die Ausländischen, die für die Vorstellung übersez
werden sollten. — Sie hatten die Gewalt ohne jeman
den von dem Gebrauche derselben Rechenschaft zu geben
Schauspieler anzunehmen und fortzuschicken. Sie gaben
ihnen zugleich Unterricht in der Kunst der Vorstellung
und bereiteten sie zu jedem neuen Stücke. Bey der Wah
der Stücke wurde nicht nur auf die poetische, sondern
auch auf ihre moralische Schönheit gesehen. In Absich
auf diese hatte der Oberaufseher den streitigen Fall zu ent
scheiden. Denn dieser höchstwichtige Punkt ist nicht di
Sache der Kunst, sondern des Staats. Weil die Schau
bühne nicht allein von ihren Einkünften, sondern im Fall

es Mangels auch vom Hofe unterhalten würde; so kam
er Gedanke, daß man weniger Zuschauer haben würde,
enn man auf diese oder jene Art verführe, nicht in Be-
rachtung, und man konnte kühn mit dem griechischen
Dichter sagen: "Ich bin nicht da, ihr Athenienser von
uch, sondern ihr seyd da von mir zu lernen. . . . . End-
ch eine Geschichte unsers Vaterlandes schreiben zu laß-
n, dazu gehörte mehr Zeit, als die Schaubühne zu he-
en, oder ein Singhaus (es ist hier nicht von der Oper
ie Rede) einzurichten. Einige Gelehrte, die blos Sam-
r waren, erhielten von zwey Geschichtschreibern, einem
atholiken und einem Protestanten genaue Anweisung zu
m was sie samlen sollten. Sie konnten nicht eher als
ach einigen Jahren von ihrer Reise zurückkommen. Nun
aren zwar die Geschichtschreiber von einer großen Menge
toff, Ruinen, aus denen sie bauen sollten, umgeben;
er gleichwohl musten sie erst lange und sorgfältig wäh-
n, ehe sie schrieben. Wir dürfen sie keiner Zögerung
eschuldigen. Was hatten sie nicht zu thun! Sie mußten
stsetzen, was wirklich geschehen sey, und sie durften aus
m Wahren nur dasjenige herausnehmen, was Wiß-
nswürdig war. Sie konnten also nicht anders als mit
ngsamen Schritten fortgehen. Dafür haben sie uns
er auch ein Werk geliefert, darauf die Nation stolz seyn
ann."

Bey Uebersendung dieses Plans (man hatte ih[n]
nämlich von ihm verlangt) schrieb er an den Fürsten Kau[=]
nitz: Er sähe, daß der Zweck dieses Entwurfes wäre, de[n]
Gelehrten, die man der Belohnung würdig hielte, auße[r]
den Ermunterungen der Ehre, auch Muſſe zu geben, un[d]
eine solche, die ihrer Arbeitsamkeit angemessen wäre. –
Er hob darinn den Einwurf, den die Großen gemeini[g=]
lich zu machen pflegen, so bald es Unterſtützung der Wi[s=]
senschaften gilt: die Finanzen! da die Finanzen zu ga[r]
unnützen Ausgaben doch immer zureichen: Die Ausg[a=]
ben könnten von keiner Erheblichkeit seyn. Nur im A[n=]
fange könnten sies einigermaaßen seyn, da schon so v[ie=]
les da wäre, das Belohnung verdiente. Aber doch au[ch]
den Anfang mit gerechnet, hätte dem König von Pol[en]
seine Oper in wenigen Jahren mehr gekostet, als di[e]
Unterſtützung der Wiſſenschaften in vielen kosten wür[de.]
Und welcher Unterschied wäre da in den Folgen! Auf [d]
einen Seite, diese nun vergeßne Oper, die Einigen V[er=]
gnügen gemacht hätte; und auf der andern Seite, [die]
Wiſſenschaften in Deutschland zu einer Höhe gebra[cht]
welche von der Geschichte als Epoke würde bemerkt w[er=]
den. — Für ſich selbſt suchte er nichts, und würde ſ[ich]
für glücklich halten, wenn er etwas für die thun könn[te]
denen es in den Wiſſenschaften gelungen wäre. . . [Der]
Brief enthielt noch verschiedne Bestimmungen seir[es]
Wunsches: man möchte nicht so dabey verfahren, [wie]
man Frankreich nachzuahmen schien; die Unterſtütz[ung]

er Wiſſenſchaften ſollte eben ſo wenig den Geiſt der
Nachahmung haben als ihre Werke.

Einige Monate darauf, (den 12. Jul. 68.) ſchrieb
Klopſtock, dem die Sache nicht mit Feuer genug angekommen zu werden ſchien, wieder nach Wien: Es hätte
ihn nicht wenig Ueberwindung gekoſtet, bis dahin ſtill zu
ſchweigen. Denn mit eben der Ungeduld und Unruh liebte
man, mit der er oft mitten unter andern Beſchäftigungen
zu dieſer Sache, und gewiß des Vaterlandes, zurückgekommen wäre. — In dem Plane ſelbſt ſchlug er, in
Abſicht des Punktes von der deutſchen Geſchichte eine
kleine Veränderung vor. Er glaubte jezt einen noch
kürzern Weg, als in dem Plane von der Geſchichte unſers
Vaterlandes ſtünde, anzeigen zu können. Die Hauptſache davon wäre: Unſre Geſchichte in Perioden abzuſon-
dern, und für die Ausarbeitung eines jeden einen Preis
beſtimmen. Die Preiſe für die gute und für die vortrefliche Ausarbeitung müßten nicht allein verſchieden ſeyn,
ſondern wenn für einen Perioden eine gute und eine vortreffliche Ausarbeitung erſchiene, ſo bekäme dieſe den
größeren Preis und jene gar keinen. Solche Erklärungen in einer Ankündigung wären Stacheln, die in den
olympiſchen Spielen das Pferd das zum Siege leicht
genug wäre, zwar nur von ferne blinken zu ſehen brauchte;
er ſehen müßte es ſie gleichwohl. . Die lezte Periode
der Geſchichte, und die glänzendſte würde alsdenn die

D 3

die jezige seyn, wenn der Kaiser überhaupt fortführe zu
handeln wie er thäte, und wenn er insbesondre die Ehre
der vaterländischen Wissenschaften an sein Zeitalter mit
Blumenketten fesselte.

* *.* meldete drauf Klopstock, in zwey verschiednen
Briefen, (den ersten vom 24 Aug. 68.) der Gesandte hätte
bey der ersten Gelegenheit dem Fürsten Kaunitz alles vorgetragen, und ihm sodann die Schriften übergeben. Er
hätte auch anderwärts die Sache angebracht, um sie zu
befördern, und sich ihrer so ernstlich, als es sich nur thun
ließe, angenommen. Doch hätte er noch keine positive
Antwort bekommen. Der Kaiser wäre erst spät zurückgekommen und bald drauf verreist. — In dem zweiten
(vom 16. Sept. 68.): Er hätte erfahren, daß der Kaiser
die Dedication angenommen habe; dieß sagte er ihm nur
sub rosa; das weitere würde er vom Gesandten erfahren.

Diese Dedication war die Dedication der Hermanns-
Schlacht. Er hatte sie zugleich mit dem Plane, von der
sie einen wesentlichen Theil ausmachte, nach Wien geschickt. Aus wahrer Achtung wollte er seinen deutschen
Bardiet dem deutschen Kaiser widmen; er hatte aber noch
einen wichtigern Zweck. Der war, durch diese Dedication des Kaisers Wort und Genehmigung seines Plans
öffentlich zu erhalten, indem sichs von selbst ergiebt, daß
er einen Vorsaz des Kaisers nicht bekannt machen könnte
den dieser nicht zu erfüllen den Willen hätte. In der
Staatscanzeley merkte man das auch. Man meint

Da doch die Sache noch ungewiß wäre, obs nicht besser
en, sie nur in allgemeinen Ausdrücken abzufassen? Das
war aber Klopstocks Sinn nicht. Bekanntmachung der
Sache, oder gar keine Zueignung!

Er schrieb nochmals, diese Sache zu beschleuni-
gen, folgenden inhaltsvollen Brief an den Gesandten:
den 20. Sept. 68.) "Ich kann mir vorstellen, daß viele
und große Geschäfte die Untersuchung solcher Sachen hindern, die noch ausgesezt werden können. Jene unterdrücken selbst den Entschluß diese zu untersuchen. Denn
sonst würden leicht zu entscheidende Dinge oft nicht so
langsam entschieden werden. Wenn ich mir eine andre
Ursache der aufgeschobnen Entscheidung denke; so fürchte
ich alles. Aber ich habe gute Gründe diese Furcht zu entfernen, erst Ihren Character, nach welchem Sie bey
mir unter die Wenigen gehören, die mehr halten als sie
versprechen; und dann alles das was ich durch Sie von
dem Fürsten Kaunitz weis. Aber lassen Sie uns einmal
das Schlimmste setzen, ich meine, daß der Fürst Kaunitz
keinen Geschmack an der Sache fände. Dieß also gesetzt,
frag ich Sie: Wollen Sie denn mein Führer werden,
wie ich es machen muß, die Sache unmittelbar an den
Kaiser selbst gelangen zu lassen? ... Ich habe Ew. Excellenz in meinem letzten Briefe gestanden, (ich that es,
weil ich nichts Geheimes in der Sache vor Ihnen haben
mochte,) daß ich mit einigen meiner Freunde von unserer

O 4

unserer Sache geredet habe. Ich habe sie durch meine
Hofnung des guten Erfolgs zum Hoffen gebracht. Sie
waren desto eher dazu zu bringen, je bekannter es ihnen
ist, daß ich sonst eben kein größer Hoffer bin. So oft ich
mir die Sache als mislungen denke; so ist mir die Vorstellung von dieser Mittheilung derselben unangenehm.
Unterdeß kann ich es nun nicht mehr ändern... Ich
fürchte nicht, daß wenn irgend ein Theil meines Plans
keinen Beyfall erhalten sollte, dieser Umstand Einfluß
auf das Ganze haben werde. Es giebt viele Arten der
der Ausführung einer so vielseitigen Sache. Ich hätte
noch mehre anführen können, als ich angeführt habe,
wenn ich mir hätte erlauben dürfen, auch nur weitläufig
zu scheinen. Es ist nur ein Punkt, von dessen Gegentheil ich schwer zu überzeugen seyn werde. Dieser ist:
Der Kaiser muß entweder gar nichts für die Wissenschaften thun, oder er muß etwas dafür thun, das seiner
würdig ist. Es würde völlig überflüßig seyn, dieses
Grundsatzes erwähnt zu haben, wenn ich nicht in der Geschichte die Meinung so oft an den Höfen fände, daß es
genug sey, diese und jene Kleinigkeit für die Wissenschaften zu thun. Aber die Beschaffenheit des Verfahrens
an sich selbst, und die Geschichte haben mich gelehrt, daß
der Erfolg des Nutzens und der Ehre auch nur von geringer Bedeutung seyn könne; und gewesen sey. Vielleicht
sind Sie auf diese Meynung, in Betrachtung deß, was
sie in der Geschichte, die sie in ihren Wirkungen zeigt

für Eindrücke macht, nicht so aufmerksam gewesen, als
ich. Dieses ist die Ursach, warum ich sie berührt habe.
Wenn Sie in den Fall kommen sollten, sie bestreiten zu
müssen; so kenne ich keine besseren Waffen, als sich auf
ihre Folgen zu beziehen. . . Ich wünschte sehr, daß Sie
in Ihren Bemühungen für unsre Sache bald einmal zu
der Frage kämen: Wie viel man jedes Jahr, und zwar
fürs erste nur auf einige Jahre, für die Wissenschaften
bestimme? . . . Ich bin nicht gern Vorausversprecher;
aber ich bin überzeugt, daß der Erfolg weniger Jahre so
seyn würde, daß man sie ohne meine Bitte würde vermehren wollen. „

Hierauf erhielt er wieder von ⸗ ⸗ ⸗ folgende Nachrichten, in drey verschiednen Briefen (den 19. Oct. 68.
den 10. Dec. 68. den 24. Apr. 69.): Da sie wieder auf
dem Plaze wären, wo der Gesandte handeln könnte, so
wären sie doch schon um soviel wieder näher. . . Es
würde doch, wo nicht im Ganzen, doch gewiß zum Theile
gut gehen; und was ihn immer freuen müßte, was auch
ihn, den Schreiber des Briefs für Klopstock, und für
Wien unendlich freuete, wäre, daß man ihn da kennte,
und daß er durch die jezige Negotiation da immer mehr
bekannt würde. — — ihr angebeteter, hofnungsvoller
Kaiser hätte (wie er sich ausdrückte) mit der edelsten,
mit einer Seiner würdigen Art, seine Dedication angenommen. Der Graf hofte alles wieder gut zu machen;

wenn er ihm selbst schreiben würde. Er sollte alsdenn
auch die Zueignungsschrift mit den wenigen Veränderun-
gen, die wohl nicht groß seyn würden, so wie sie gedruckt
werden dürfte, von ihm erhalten. Allein . . . (welches bey der Annahme dieser Dedication, schwer zu begreifen ist .) wegen des Plans könne er noch nichts
weiter sagen. Freylich hätte es der Fürst Kaunitz gut
aufgenommen, aber noch keine weitere Erklärung oder
Entschließung gemacht. Vielleicht würde die Sache früher als sie dächten, genutzt, und in Ausführung, wo
nicht im Ganzen, doch in etwas gebracht werden.

Der Kaiser hatte Klopstock zu dieser Zeit sein Brust-
bild mit Brillanten eingefaßt, nicht zur Belohnung, sondern zur Bezeugung seiner Hochachtung, wie sich sein
Resident gegen ihn ausdrückte, geschickt; so angenehm ihm
aber auch dieses war, so wenig konnte es ihn von dem
allgemeinen Plane für die Wissenschaften überhaupt ab-
bringen. Die Langsamkeit und das Zögern in dieser
Sache machte ihn halb ungeduldig; er wollte seine Zueignung schon zurücknehmen; fing auch wirklich einen
Brief an den Gesandten an: Er hätte bey Uebersendung
des Plans an den Fürsten Kaunitz geschrieben, daß er
nichts für sich suchte. Bey dieser Gelegenheit hätte ihn
das Geschenk des Kaisers vornemlich deswegen gefreut,
weil es demjenigen wäre gegeben worden, dessen Plan
für Andre der Kaiser mit dieser Gnade angenommen hätte.
Wenn aber der Plan nun nicht angenommen seyn, oder

die Annehmung deſſelben doch wenigſtens ſo ungewiß ſeyn
ſollte, und alſo auch die Zueignungsſchrift aufhörte ein
Theil des Planes zu ſeyn; (und dieß wäre ſie dadurch,
daß ſie eine jezige Ankündigung der Sache enthielt) ſo
wäre er wirklich in einer Stellung, die nicht ohne Schwi=
rigkeit wäre, ſie zu ändern. Er hätte gleichwohl auf den
Fall hin, daß jene Nachricht völlig gegründet wäre, ſei=
nen Entſchluß gefaßt. Er würde nämlich, ohne Tadel
von denen zu befürchten, deren Beyfall er am meiſten
wünſchte, die Erlaubniß zu erhalten ſuchen, das Gedicht
lieber ohne Zuſchrift herauszugeben. — Allein nun=
mehro änderte ſich auf einmal der ganze Zuſtand der Sa=
che, und dieſer Brief ward alſo nicht fortgeſchickt.

Es war nämlich bisher gewiſſermaßen eine bloße
Privatunterhandlung zwiſchen Klopſtock und einigen
wiener Großen geweſen; auf der einen Seite ein edler
großer Wunſch in Abſicht einer großen Sache; auf der
andern, völlige Freyheit dieſen Wunſch mit ihren eignen
Augen zu ſehen, ihn zu erfüllen, oder zu verwerfen.
Jezo ward die Sache öffentlich eine Sache des Kaiſers.
Klopſtocks Dedication, in der beynahe nichts anders als die
Ankündigung desjenigen, was der Kaiſer für die Wiſſen=
ſchaften, und bald thun wollte, enthalten war, ging
durch einen Vortrag von der Hofcanzeley an den Kaiſer
ſelbſt, und ward von ihm gutgeheiſſen. Der Kaiſer ver=
ſprach alſo, (und um ſo viel bündiger, weil eine Stelle
darinn, die man aus andern Gründen in Wien nicht bil=

ligte, ausgelaſſen werden ſollte,) durch Klopſtock, ſeinem
Vaterlande: Unterſtützung der Wiſſenſchaften, baldige
Unterſtützung, und dieſe einzelne **Beſtimmung** der
Sache, (den Ton, den ſie überhaupt haben würde, anzu-
zeigen,) er würde die Werke, welchen er Unſterblichkeit
zutraute, bey den Bildniſſen derer, die ſie geſchrieben
haben, aufbewahren.

Hermanns Schlacht ward alſo gedruckt; und mit
dieſer Zueignung: Ich übergebe Unſerm erhabnen Kaiſer
dieſes vaterländiſche Gedicht, das ſehr warm aus meinem Herzen gekommen iſt. Nur Hermann könnte ſeine
Schlacht wärmer ſchlagen. Sie, gerecht, überdacht,
und kühn, wie jemals eine für die Freyheit, und deutſcher, als unſre berühmteſten, iſt es, die gemacht hat,
daß wir unerobert geblieben ſind.

Niemanden, oder dem Kaiſer, mußte ich ein Gedicht
zuſchreiben, deſſen Inhalt uns ſo nah angeht. Und dieſe
Zuſchrift ſoll zu denen ſeltnen gehören, welchen man ihr
Lob glaubt. Was ſage ich ihr Lob? Wenn der Geſchicht-
ſchreiber redet; ſo lobt nicht er, ſondern die That. Und
ich darf That nennen, was beſchloſſen iſt, und bald geſchehen wird.

Der Kaiſer liebt ſein Vaterland, und das will Er,
auch durch Unterſtützung der Wiſſenſchaften, zeigen. Nur
dieß darf ich ſagen.

Aber ich wage es noch hinzu zu ſetzen, daß Er die
Werke, welchen Er Unſterblichkeit zutraut, bey den Bild-

niſſen derer, die, ſie geſchrieben haben, aufbewahren
wird.

Mit gleichen Geſinnungen ſchätzte Karl der Große
die Wiſſenſchaften, indem er die Geſchichte zu ſeiner Weg-
weiſerinn machte, die Bewegung der Geſtirne unterſuchte,
die Sprache bildete, und die Geſänge der Barden nicht länger der mündlichen Ueberlieferung anvertraute; ſondern ſie
aufſchreiben ließ, um ſie für die Nachkommen zu erhalten.

Die Zeiten Karls waren ſeiner nicht würdig; ihr
eigner geringer Nachlaß, und der Verluſt des von ihm
geſammelten älteren, zeigen dieſes genug: Ob es unſre
Joſephs waren, entſcheiden zwar nur die künftigen; aber
wir dürfen doch, wie mir es vorkommt, gute Ahndungen
von dieſer Entſcheidung haben.

Ich kenne keinen ſtärkern Ausdruck der Verehrung,
mit dem ich mich, bey Ueberreichung dieſes Gedichts, Ew.
Kaiſerlichen Majeſtät nähern könnte, als daß ich meinem
Vaterlande, und Ew. Majeſtät Selbſt zu dem, was Sie
für die Wiſſenſchaften thun wollen, Glück wünſche. Niemals bin ich ſtolzer auf mein Vaterland geweſen, als bey
dieſer Vorſtellung. Und mich deucht, ich höre ſchon mit
dem frohen Beyfalle Aller, welche von Werthe urtheilen
können, die unentweihte Leyer der Dichtkunſt erſchallen;
und ſehe die Geſchichte aufſtehn, ſie den goldnen Griffel
nehmen, und ſich dem daurenden Marmor nahen. Dieſer
ganze Erfolg wird deſto gewiſſer ſeyn, je gerechter es iſt,
die, welche ſich zudrängen, zu entfernen, und je edler,

die aufzusuchen, die unbekannt zu seyn glauben. Diese
wird die schönste der Blumen in dem Kranze Ew. Kaiser-
lichen Majestät seyn.

Ich würde es nicht wagen, hier von mir zu reden,
wenn ich nicht zugleich Ew. Majestät den Namen eines
großen Mannes nennen könnte. Ich war wenigen bekannt; und ich kennte den Grafen Bernstorf gar nicht:
dennoch war Er es, der mich zu dieser Zeit einem Könige
empfahl, dessen Andenken mir auf immer theuer und unvergeßlich seyn wird.

Ich bin mit jeder Empfindung der Aufrichtigkeit und
des Vergnügens, welche die freyeste Verehrung hat, ꝛc.

Klopstock war jezt mit Recht voll Hofnung wegen
einer Sache, in der der Kaiser nun selbst sein Wort gegeben hatte. Er sandte noch einige Anmerkungen zu seinem
Plane ein. — Er wäre stolz darauf, daß er das edle
Vorhaben des Kaisers in der Dedication vor Hermanns
Schlacht zuerst habe bekannt machen dürfen; so stolz, als
wenn er die Erlaubniß erhalten hätte, eine Aufschrift
unter eine Bildsäule des Kaisers zu setzen, und seinen
Nahmen dabey zu nennen. Er läse bisweilen in Gedanken jene Worte der Bekanntmachung, als eine Umschrift
des von ihm oft wieder angesehenen Brustbildes der Me-
daille die ihm der Kaiser gegeben hätte. — Die Anmerkungen athmeten deutschen Geist, und sollten selbst
die Unterstützung für den Kaiser noch ehrenvoller machen.
— — Genaue Prüfung empfahl er. Man müßte mit

den Urtheilen die eine Schrift oder Erfindung für gut er=
klärten, sparsam; und mit denen die ihre Vortreflichkeit
entschieden, geizig seyn; nicht wenige der französischen
Werke, welche dem Jahrhunderte Ludwigs des vierzehn=
ten angehörten, würden die deutsche Untersuchung nicht
aushalten. Man sollte das bescheidne Verdienst ja aus=
spähen! denn diese Art zu verfahren würde allein schon
zureichend seyn, die Unterstützung der Wissenschaften
durch Joseph den Zweyten von denen zu unterscheiden, die
in andern Ländern und Zeiten, größtentheils blos zur
Schau wären unternommen werden; denn es wäre dann
ja der so wesentliche Unterschied des Scheinens und des
Seyns . . . Man sollte sich vom Scheine der Nachah=
mung dabey hüten; weil er vor der Erreichung eines ho=
hen Zieles in den Wissenschaften eben so sehr zurück hielt,
als er der Ehre der Nation nachtheilig wäre; und es wäre
unter dem Kaiser, ihm auch nur mit Einem leisen Tritte
zu folgen. Zugleich bat er sich von * * * * * * * * * * * *
nur einen ununterbrochnen Abend aus, und daß sie
den * * * * überzeugten, er thue etwas recht nützliches
wenn er diese vaterländische Sache dem Kaiser mit Wärme
vortrüge. In dieser Stunde ihrer Zusammenkunft, und
zugleich der Grundlegung zu dauernden Denkmählen,
würde Deutschlands Génie mit hoher Fackel vorleuchten!
Es gäbe auch fürs Vaterland — — (o vortreflich!)
— — Thränen der Ehrbegierde und Seufzer einer edlen
Rache, wenn es verkannt worden ist!

So handelte Klopstock, so trieb er an. Aber de
Erfolg war nicht wie seine Wünsche, und seine gerechte
Erwartungen. Man hielt ihn mit Versprechungen hin
mit unbestimmten Entschuldigungen: daß man die Hof
nung und Gedult nicht verlieren müsse, man könne in de
jezigen Lage der Sachen nichts anders thun, als nur im
mer die guten und nicht einmal gesucht zu seyn scheinende
Gelegenheiten abpassen, wo man nöthige Erinnerunge
machen könnte, die denn, wenn es einmal recht Ern
werden würde, gewiß nicht ohne Wirkung bleiben könn
ten. Man schlug ihm eine Reise nach Wien vor. Va
Swieten liebte ihn ungemein, er müßte Maria Theres
kennen lernen. — Klopstock antwortete ziemlich spä
darauf; ließ sichs sehr deutlich merken, daß wenn aus de
Unterstützung etwas werden sollte, und seine Gegenwar
erfodert würde, er selbst gern nach Wien kommen würd
Man lud ihn auch ein; aber unbestimmt, ohne entsche
dende Versprechung eines guten Erfolgs in der Unterne
mung. Was sollte er thun? Reisen? um vielleicht u
verrichteter Sachen zurückzukommen? Ja! wenn er ei
Voltaire gewesen wäre, und ihm etwas daran gelege
hätte, für seine Person an einem Hofe bewundert und g
zeigt zu werden! Da er aber Klopstock war, so blieb er.

So endigte sich dies, und bis jezt, in sieben Ja
ren ist noch nichts weiter darinnen geschehen.

Unangenehm ist es ihm freylich sehr. Eine so übe
dachte, so gewünschte, aus solchen Gründen erwarte

Unterstützung, eine That von solcher Wichtigkeit und dem Einflusse, zerrinnen zu sehen! Auch fehlts nicht an Leuten, unter denen, welche jede Sache blos nach dem Erfolge beurtheilen, die ihn beschuldigen, er habe Hofversprechungen für baare Münze angenommen — er, der aus Erfahrung den Hof von aussen und innen kennt. Sie untersuchen nicht, mit welcher Ueberlegung er die ganze Unterhandlung geführt hat, wie zweifelnd bey allem Hoffen, wie sehr er den Boden vorgefühlt hat, auf den er treten wollte, und wie wenig es seine Schuld ist, wenn er falscher Versprecher geworden ist. Er redt ungern, und selten von dieser Sache; und immer so, daß man sieht, er hält sie mit für den größten Verdruß seines Lebens. Doch verzweifelt er noch nicht ganz; und Deutschland hoft mit ihm, daß aufgeschoben nicht aufgehoben seyn, sondern daß Joseph sein gegebenes Wort erfüllen werde. Aber — erfüllen! und bald erfüllen! und durch etwas Ausgezeichnetes erfüllen! — Was läßt sich auch vom Kaiser nicht hoffen, der Voltaire vorbeygereist ist, und Hallern besucht hat?

Cäsar war groß wie Wenige. Cäsar sagte vom Cicero: Sein Lorbeer wäre schöner, als die Lorbeern aller Triumphe. Denn es wäre größer, die Gränzen des römischen Geistes eben so sehr erweitert zu haben, als die Triumphirenden die Gränzen des Reichs erweitert hätten.

Ende des ersten Stücks.

Klopstock.

(In Fragmenten aus Briefen von Tellow an Elisa.)

Fortsetzung.

Πολλα αυτω ὑπ᾽ αγκω-
νος ωκεα βελη
Ενδον εντι ψαρετρας
Φωναντα συνετοισιν᾽ ες
Δε το παν, ἑρμηνεων
Χατιζει.

Hamburg,
in der Heroldschen Buchhandlung
1778.

Im Zeitenstrome bleiben oben
Die Werke, die den Meister loben;
Wers umkehrt ist Gesell, sein Werkchen trinkt
Des Stroms, und sinkt.

Den blöden müden Augen,
Die sich am halbentwickelten Gewirre
Der Dinge weiden, aber blinzen oder schlummern,
So bald du scharf und rein es sonderst,
Empfindung oder Begriff;
Den Augen scheint deswegen eben, weil sie nun
So ganz sie selber ist,
Die Deutlichkeit dunkel.

Da ich ſo Manches über die Oden ſchreibe, ſo iſts
nicht unintereſſant, auch einmal zu beleuchten, was andre
drüber ſagen; andre, die ich achte und ehre. Herder
hat ſo viel über Dichter geſchrieben, iſt bey allem, was
man auch gegen ihn einwenden mag, ſo ſehr Philoſoph;
hat ſo viel Gefühl des Wahren und Schönen, daß ich
mir keinen würdigern Ariſtarchen zu erwählen weis, wie
der darüber zu richten. Berichtigung von Begriffen iſt
allemal wichtig, und nirgends wird Wahrheit mehr ins
Licht geſezt, als wenn man die verſchiednen Urtheile
Verſchiedner hört.

Vielleicht daß die Anmerkungen, mit denen ich
ohne Schonen ſein Urtheil begleite, und erläutere, und
berichtige, ihn beleidigen könnten. Meine Abſicht iſt
das gewiß nicht. Denn wie viel ich auch gegen den
Detail ſeiner Critik einzuwenden habe; ſo erkenne ich
doch ſehr in allem dieſen den denkenden Kopf, den
Mann, der auf ſeinen Schriftſteller überhaupt entrirt,
und vor allem den Mann, der ihn nicht misverſtehen
will; und der über dieſen in Deutſchland ſo verkannten
Theil der Dichterverdienſte Klopſtocks, das Geſundeſte
und Beſte geſagt, was noch drüber geſagt worden iſt.
Ohne weitere Vorrede alſo ſeine Worte.

"Wenn„ ſagt er, "die Ode, ſelbſt nach dem Begriff des kälteſten Kunſtrichters, nichts als eine einzige

ganze Reyhe höchst lebhafter Begriffe, ein ganzer Aus-
fluß einer begeisterten Einbildungskraft, oder eines erregten Herzens, nichts als eine höchst sinnliche Rede
über einen Gegenstand seyn soll: so müßten selbst für
den, der blos nach der Definition prüfte, die meisten der
vorliegenden Oden vortrefliche Stücke und Muster in
ihrer Art seyn. Welche Natur! welches ganze volle
Herz! und ungetheilt sich hinopfernde schöne Seele erscheint nicht insonderheit in den Stücken des zweyten
Buchs, in den menschlichen und am meisten in den Ju-
gendstücken des Dichters! Kann ein Abschied ganzer
und wahrer seyn als der an Gieseke? Kann die traurige, wehmüthige Empfindung des ewigen Scheidens
vom leisesten Seufzer zur lautesten Hofnung hinauf,
und wieder bis zur trübsten Thräne hinunter treuer gesagt werden, als in der Ode an Fanny? Und giebt es
ein schöneres Bild gesellschaftlicher Naturfreude und
Frühlingswonne mit allen Wallungen und Steigerun-
gen des erregten Herzens als der Zürchersee? Und da
dieser Naturgeist, die ganze Fülle des Herzens und der
Seele, alle Stücke des Verfassers durchgeht und jedes so
eigenthümlich bezeichnet: welch ein Geschenk hat unsere
Sprache, unsre Dichtkunst, ja, wir möchten sagen, die
Menschheit unsers Vaterlandes an dieser einzigen Sammlung Oden!.

P 2

Ein Mann vor zweyhundert Jahren, der großer Geist, und wirkliches Genie war, hatte ein Lieblingsbuch, das er allen in der Welt vorzog. Es war eine Sammlung Oden; wir nennen sie die Psalmen. Davids und der Mann hieß Luther — man höre, was er über sie sagt, und uns dünkt, er sagte mehr, als der schöne lateinische Lowth über seine drey Classen dieser Oden.

Im Vorbeygehen: ich liebe solche verächtliche Seitenblicke auf vortrefliche Männer nicht. Denn wenn auch einiges noch vollständiger, noch scharfsinniger gesagt, verschiednes noch aus hellerm Lichte betrachtet werden könnte, als Lowth gethan hat, so ist er doch der Erste, der über diese Materie schrieb, und tief genug in den Geist der orientalischen Dichter eindrang. Gerechtigkeit! vor allen Dingen Gerechtigkeit in unserm Urtheil! Wir erhöhen uns dadurch nicht in den Augen der wahren Verständigen, wenn wir uns Mine geben das zu verachten, was Schätzung verdient. Ich ehre und liebe Herdern, aber das caustische Wesen, das jede Minute zu Unbilligkeiten verführt, haß ich auf den Tod!

"Ich halt, daß kein feiner Exempelbuch oder Legenden der Heiligen auf Erden kommen sey, denn der Psalter ist. Es ist des Psalters edle Tugend und Art, daß andre Bücher wohl viel von Werken der Heiligen rumpeln, aber gar wenig von ihren Worten sagen. Da ist der Psalter ein Ausbund, daß er erzählt der Heiligen Wort; zudem nicht schlechte gemeine Rede derselben, sondern die allerbesten, so sie mit großem Ernst in der

allertreflichſten Sachen geredet haben — damit er alſo
ihr Herz und gründlichen Schatz ihrer Seelen für uns
legt, daß wir in den Grund und Quelle ihrer Wort und
Werk ſehen können, was ſie für Gedanken gehabt haben, wie ſich ihr Herz geſtellet und gehalten hat in allerley Sachen, Fahr und Noth gegen Gott und jedermann. Denn ein menſchlich Herz iſt wie ein Schiff auf
wildem Meer, welches die Sturmwinde von den vier
Orten der Welt treiben. Hie ſtößet her Furcht und
Sorge für zukünftigem Unfall; dort fähret Grämen her,
und Traurigkeit von gegenwärtigem Uebel. Hie webt
Hofnung und Vermeſſenheit von zukünftigem Glück;
dort bläſet her Sicherheit und Freude in gegenwärtigen
Gütern. Solche Sturmwinde aber lehren mit Ernſt
reden, und das Herz öfnen und den Grund herausſchüt-
ten. Denn wer in Furcht und Noth ſteckt, redet viel
anders vom Unfall, als der in Freuden ſchwebet; und
wer in Freuden ſchwebt, redet und ſingt viel anders
von Freuden, denn der in Furcht ſteckt. Es geht nicht
von Herzen, ſpricht man, wenn ein Trauriger lachen, oder
Fröhlicher weinen ſoll: Das iſt, ſeines Herzens Grund
ſtehet nicht offen und iſt nicht heraus. Was iſt aber das
meiſte im Pſalter, denn ſolch ernſtlich Reden in allerley
ſolcher Sturmwinde? Wo findet man feiner Wort von
Freuden, denn die Lob- oder Dankpſalmen haben? Da
ſieheſt du allen Heiligen ins Herz, wie in ſchöne luſti-

P 3

ge Gärten, ja wie in den Himmel! wie feine herliche, lustige Blumen darinnen aufgehen, von allerley schönen frölichen Gedanken gegen Gott und seine Wohlthat. Wiederum, wo findest du tiefer, kläglicher, jämmerlicher Wort von Traurigkeit, denn die Klagpsalmen haben? Da siehest du abermal allen Heiligen ins Herz, wie in den Tod, ja wie in die Hölle. Wie finster und dunkel ists da von allerley betrübtem Anblick des Zornes Gottes. Also auch wo sie von Furcht und Hofnung reden, brauchen sie solches Wort, daß dir kein Mahler also könnte die Furcht oder Hofnung abmahlen, und kein Redekündiger also vorbilden.,, Der Ton würde wahrscheinlich unsern Bibliothekbesuchern zu schwärmerisch scheinen, wenn wir also fortfahren, oder deutlich anwenden sollten. Obige Wahrheit indessen und Treue als Charactereigenschaft dieser Gedichte, wenigstens poetisch, zum Grunde gesezt, welch ernstliches Interesse wird daraus! und wie manche fühlbare Jünglinge werden seyn, die nicht ausrufen: Hättest du so gesungen! so geleyert! sondern: wärst du es, Der so dächte, so fühlte!

Natürlich folgt hieraus, daß Kl. am meisten und vielleicht allein auf die wirken könne, die mit ihm sympathiren; allein, sollte er nicht wenigstens fodern können, so fern du mich als Dichter liesest, so mußt du mit mir wenigstens sympathisiren wollen: d. i. setze dich in meine Umstände, Denk-, Fühlungsart, Lieblingsbegriffe und s. w. Solltest du diese auch blos für Mythologie anzusehen geneigt seyn: habe wenigstens die Billigkeit, sie mir als etwas mehr zu gönnen, oder uns in Frieden zu trennen:„ willst du zur Rechten: so will ich zur Linken! ... u. s. w. Mich dünkt, das sind auch selbst nach dem strengsten Kriegsrecht der Critik zugestandne Punkte, ohne die auch kein Recht und Urtheil mehr bleibt. Möge der Autor als Mensch, als Religionsverwandter denken, was er wolle: Als Dichter mußt du ihm glauben. Und außer dem Gedicht sollte es nicht eben so viel Ungläubige an Ramlers Friederich geben können, als Ungläubige an Klopstocks Jesus Christus?

Indeß da dieser Zwang sich doch immer unvermerkt mehr oder minder äußern wird: so singt Orpheus immer für Wald und Fels, und der Dichter für die am meisten, die kein System haben, die sich von allem, was in ihnen ist, entäußern können. Für die ist sodann jede Situation neu und ganz: sie sehen mit den Augen des Sehers, und natürlich, so sehen sie seine Wunder. — —

In solcher Sympathie nun, wie ächt und zart und schön characterisirt sich nicht beynahe jedwedes klopstocksche Stück! Welche eigne Farbe und Ton des Ausdrucks ruhet auf jeglichem, die sich von der ganzen Mensur, Haltung und Beäugung des Gegenstandes bis auf den kleinsten Zug, Länge und Kürze des Perioden, Wahl des Sylbenmaaßes, beynahe bis auf jeden härtern oder leisern Buchstab, auf jedes O und Ach

erſtrecken. Mir dünkt, daß hierinn dieſe Gedichte ſo was
Eigenes, Urſprüngliches und Eingegeiſtetes haben, daß
ſo wie die Natur jedem Kraut, Gewächſe und Thier ſeine
Geſtalt, Sinn und Art gegeben, die individuel iſt und
eigentlich nicht verglichen werden kann: ſo ſchwimmt
auch ein anderer Duft und webt ein anderer Geiſt der
Art und Leidenſchaft in jedem individuellen Stück des
Verfaſſers. Die Oden an Fanny (er hat nur Eine der-
ſelben behalten,) ſind ganz andre, als die an Cidli; die
Jugendgedichte warlich nicht die -- härtere oder veſtere? --

> veſtere! mein Freund, veſtere! männlichere! bearbei-
> tetere! aus Verſtand und Imagination mehr als aus
> dem Herzen und Imagination fließende! — wie kann
> man doch über ſolche Fragen zweifeln?

des dritten Buchs; das Gebet um Friedrich oder die
Meſſias Ode warlich nicht die Elegie um ihn, und
ſo gehts bis auf die kleinſte Witterung etwa der
Scene, der Zeit, der Umſtände. Die Seele·hat immer
gewirkt, wie ſie war, wie ſie ſich damals fühlte. Der
Duft erfüllt den Leſer bis aufs kleinſte, und wir würden
unſerer Privatäſthetik Glück wünſchen, wenn wir uns
dieſe Melodie, dieſe Modulation jedes Stücks deutlich
machen und in einem Worte dafür ſchreiben könnten.
Welch eine herliche Abenddämmerung geht zum Ex. durch
die Erſcheinung des Thuiskon! Mit Sylbenmaaß und
Ideenfolge und Bildern und Anfang und Ende gleich

sam aus den lezten Sonnenstrahlen und dem stäuben=
den Silber und rauschenden Wipfeln, wie heilig, feyer=
lich und stille zusammen gewebt! So ähnlich die Som=
mernacht und die frühen Gräber! So, nur tönender
der Bach und Siona! —— Braga, welch ein lebendig
Gemählde voll Wintermorgen, Reif, Mond, und Schritt=
schuetakt! Der Rheinwein — Teone — wiederum die
todte Clarissa — man habe eben den lezten Band die=
ses himmlischen Mädchens geschloßen, sehe sie im Sar=
ge — — Cidli darneben — Klopstocks Herz in der
Brust — — und es wird der so eigne, sanfte, schauder=
hafte Klang werden, der dieß Stück durchwehet — —
und welches hätte in dem Verstande nicht seinen eigenen
Geist?

Nichts muß daher abscheulicher seyn, als alle diese
Stücke mit feister Hand fortlesen, und mit feister Stimme
nach einem gegebenen antiken oder modernen Flöten=
tone fortdeklamiren wollen. Wie jener der sich vor sein
Stammbuch setzte, die Namen seiner Freunde, sämt=
lich und sonders, Blatt für Blatt, flugs und fort mit
Gesundheiten zu ehren: so ohngefähr würde der han=
deln, der sich hinlagerte, um alle Klopstockischen Lie=
der nach der Reihe hin wegzusingen, und so zu versu=
chen, ob sie auch viel Empfindung enthielten? oder der
alle Klopst. Oden nach der Reihe in einer Faßunz vor=
declamirte. Zu jeder Ode würde ohne Zweifel so eine ei=

gene Bereitung sein selbst und des Kreises, in dem man
lieset, gehören, als — nun! als die Ode eigne Art hat.
Ein Gassenhauer läßt sich natürlich auf allen Straßen
singen und ein blos künstliches Phantasiestück zu aller
Zeit mit Pomp und Anstand hertönen — eine hölzerne
Maschine kann überall hingestellt werden, aber ein Na-
turprodukt, eine Blume eine Pflanze? — muß auf
ihrer Stelle wachsen, oder sie verdorret. Hierüber
redt Teone.

Darüber redte Teone? nicht eine Sylbe steht davon
drinn. S. Tellows Erklärung. Sie thut nichts als
den theoretischen Saz lyrisch vortragen: Declamation
ist sehr wichtig für den Dichter, und hat selbst einige
Nüancen mehr als der Gesang. — Herder hat einen
Sinn also nur geahndet, und zwar einen falschen, also
die ganze Ode nicht gefaßt.

Wer sieht nicht, daß wir wenig Lust haben, das bekannte Regelnlineal der Ode hier anzulegen und zu versuchen, ob jedes Stück schönen Plan, schöne Unordnung 2c. habe. Sofern diese Regeln wahr sind; d. i.
so fern sie in der Natur des Einen Gegenstandes und
der Weise, wie der Affeckt handelt, liegen, wird sie gewiß
die begeisterte Einbildungskraft von selbst in ihr Werk
wirken, weil dieß ohne solche Gesetze nicht möglich wäre.
Und so dünkt uns, könnten aus den vornehmsten Stücken
dieser Sammlung die feinsten Regeln des Affekts und

ine Theorie der Ode abgezogen werden, die wir viel=
icht noch nicht haben.

Ueberhaupt dünkt mich, ist unter allen Arten der Poesie
die lyrische diejenige, wovon die Theorie nach am we=
nigsten bearbeitet ist. Wenn doch da ein Lessing mit sei=
ner Fackel auch drüber käm, wie über Drama, Fabel
und Epigramm! - - Was Klopstock in dem kleinen Frag=
mente zur Poetik (S. 320. Gelehrtenr.) über die lyri=
schen Gedichte sagt; darin

> sind wahrer tiefgedachter Regeln mehr,
> Als in des Lehrbuchs ausgedehnten bis zum Schlafen
> Fortplaudernden zehnhundert Paragraphen.

Die meisten Oden des zweyten und einige des dritten
Buchs sind so horazisch:

Horazisch? So würde ich nicht sagen. Ich wüßte nicht:
worin? Darinn etwa, daß horazische Sylbenmaaße ge=
braucht sind? So wäre Horaz auch alcäisch. Es ist in
ihnen weder der horazische Geist der Behandlung, noch
dieselbe Sprache, noch dieselbe Mythologie, noch diesel=
ben Gegenstände. Das, was Herder vielleicht dunkel ge=
fühlt und characterisiren wollen, ist der Unterschied, der
allerdings zwischen den frühern und spätern Oden Klop=
stocks merklich ist. Jene sind leichter, weniger gedrängt,
behandeln mehr Gegenstände des Herzens und der Em=
pfindung, als der gelehrten und theoretischen Specula=
tion, sind bisweilen nicht so scharf gefeilt, verrathen
weniger die dichtende Kunst als seine spätern; sind mehr
Nahrung für eine Jünglings= als für eine männliche

Seele, als seine spätern; aber das heißt nicht horazisch seyn. Das muß psycholochisch aus dem immer fortschreitendem Wachsthum der Seelenkräfte Klopstocks, aus den Uebergängen des dichtenden reifen Jünglings, zum dichtenden noch reiferem Manne erklärt werden; nicht durch so eine Vergleichung. — Auch kann man von Klopstock nicht sagen, daß er nachahmt, wenn man genau reden will. Selten, sehr selten verpflanzt er wohl einmal eine Stelle aus einem alten Dichter in seinen Grund und Boden, parodirt einmal eine. Der Begriff des Nachahmens aber ist wesentlich vom Begriffe der Parodie und der Uebersetzung unterschieden. Ramler ahmt nach. Und wenn ich das sage, so will ich ihm nicht zu nahe treten Es giebt auch große nachahmende Genies; ob ein Originalgenie aber nicht größer sey, das ist eine andre bald entschiedne Frage. Sonst laß ich Ramlern alle Gerechtigkeit wiederfahren. Wenn man auch nicht Klopstock ist, kann man darum nicht viel, nicht sehr viel seyn? S. Gelehrtenr. S. 211. —

Eben so weiß ich nicht wie H. weiter hin den Wingolf ein pindarisches Odengebäude nennen kann. Da seh ich auch nicht den entferntesten Vergleichungspunkt. In Absicht solcher unschicklichen Vergleichungen, die aber immer dem Werke des Meisters den verdienten Ruhm der Originalität rauben, sagt er eben: (Gelehrtenr. S. 144.) "Untersuchest du deinen Gegenstand nur in Vergleichung mit andern; so wird es bald um dich von kleinen und großen Irrsalen wimmeln; untersuchest du ihn aber allein und für sich; so kannst du bisweilen dahinkommen, daß du ihn ganz siehest, und du stehest dann in Absicht auf die Erkenntniß, eine Stufe höher als die Vergleicher — — — Wer dieses noch nicht weis, der buchstabirt noch; und gleichwohl ists nicht überflüßig, es zu sagen. In unserm erleuchteten achtzehnten Jahrhundert wird mehr verglichen, als jemals ist verglichen worden. Es ersteht sich von selbst, daß dieses diejenigen am wenigsten glauben, die es am nächsten angeht.

Die nachgeahmten Stellen in so vortreflicher Manier nachgeahmt — und sonst müssen wir bekennen, daß uns die meisten Odengesetze, die man als solche in Lehrbüchern und Kritiken gäng und gebe gemacht, sehr willkührlich dünken. Sie sind fast nur, und nur aus dem kleinsten Theile des Horaz abgezogen, und würden auf Pindar, David, Hafiz, alle Araber, und wenn man will auch Engelländer angewandt, den meisten den Hals brechen; und wenn man sie so sicher für die einzige Ordnung und Gesetze der begeisternden Einbildungskraft angiebt, woher als solche bewiesen? Hat diese nicht vielmehr bey jedem Gegenstande ihre eigne Art zu handeln? Die Eigenschaften, mit denen sie handelt, sind sie nicht entweder so wandelbar, oder aber so allgemein, daß man alles unter sie subsumiren kann was man will? Und ich wüßte überhaupt nicht, warum nicht die Ode sich von einer kleinen poetischen Phantasie, wo es der Gegenstand erfoderte, gleichsam von einem Seufzer und einzelnen Ausbruch zum planvollesten Ge-

bäude erheben könnte? Singt Nachtigall und Lerch
immmer gleich? gleich lang? und nach Einer Melodie

Aeußerst richtig bestimmt und gedacht! daher auch Klop
stock denn so gern über die Theorien spottet; das th
denn freylich unsre Critici mächtig übel nehmen.   Ma
kann den allgemeinen Gesichtspunkt, aus dem Klopstock
Gedichte zu beurtheilen sind, nicht präciser und wahre
angeben.   Solche Stellen zeigen mir, daß Herder d
Mann ist, für den ich wünsche geschrieben zu haben! –
Laßt uns auch Klopstock selbst darüber hören: "Sind vie
die allerley Regel=Geschwäz treiben, über das was de
Dichter obliege; fromme aber selbes nicht, sondern ud
vielmehr Schaden an bey kleinlauten Gemüthern.   Wa
rer und ächter Regeln des Dichtens sind nur etliche w
nige; und die haben denn sichere und gewisse Merkzeiche
an denen sie gleich erkennen mag, wer Augen im Kop
hat.   Für erst sind solche Regeln guten Ursprungs, d
heißet so viel: Sie sind hergenommen aus des mensc
lichen Herzens Art und Beschaffenheit und dem Zustan
der Dinge, die um den Menschen her sind.   Zweytе
sind sie fein leicht anzuwenden, zeigen gerade gebahn
Straße dahin, wo der Dichter hin muß, wenn ihm v
Meistersange eckelt.   Sind drittens nicht kleine Ziele,
welchen er durch diese Regeln bracht wird; sondern wei
er dort ankommen ist, so fährt er aufs Herz zu, daß
nem schaudert oder froh zu Mut wird, oder was es sое
mehr für gewaltige Beweg= und Erschüttrungen sind,
einer gern haben mag.   Muß aber ja nicht dabey zu
wägen aus der Acht lassen, daß selbsten solche ächte u

wahre Regeln, zu nichts taugen, dem, der nicht Geisteskraft und Gabe dazu hat, etwas nach selbigen hervorzubringen.

Wäre es also auch, daß man hier manche Stücke insonderheit des ersten Buches an Gott für bloße Tiraden der Phantasie

Besser: für bloße "Ergüsse der Empfindung und Leidenschaft — „ dem lyrischen Gedichte, sagt Kl., ob es gleich die Handlung nicht ausschließt, ist Leidenschaft zureichend. Aber es ist, in sofern es diese allein hat, nicht ganz ohne Handlung. Denn mit der Leidenschaft ist ja wenigstens beginnende Handlung verbunden.

und manche im dritten Buch, für sehr kunstvolle Abhandlungen unodenmäßiger Gegenstände hielte, in beyden Fällen laßen sich keine Gesetze geben, was? und wie weit ichs mit Phantasie bearbeiten soll oder darf? oder es käme endlich darauf hinaus, wie fern es gut sey, daß dieser Mensch so viel Phantasie habe? und — wer beantwortet die Frage? — Wenn ich also auch bey dem Tanz der personificirten Sylbenmaaße

Wieder die ganze Ode misverstanden! Nicht der Tanz der Sylbenmaaße, sondern der Wettstreit der Versfüße. Ist das etwa einerley? Wer mir diese so wesentlich verschiedenen Begriffe verwechselt, für den, sehe ich, ist das Ganze ein leerer Schall gewesen, und sein Verständniß hat den abstracten theoretischen Satz nicht begriffen, den der Dichter in das sinnliche Gewand der Ode hüllt. Sonach ist ihm, kann ihm die Ode nur eine Maske seyn, ohne Kopf drinn — Sezt hier Sylbenmaaß statt Versfüße; und Kl. hat wahren Unsinn gesungen! Freylich mit Unsinn ist gut fechten. Er schiebt dem Dichter Unsinn unter, und denn ist er verschiedner Meynung mit ihm. — Sonst wüßte ich nicht wie man über den Satz zweyerley Meynung seyn könnte: Unsere Sprache hat ehedem mehrere Spondäen gehabt, als izt; und es ist für den Dichter zu bedauren, daß sie jezt ärmer daran ist. — Aber freylich, sagt Asmus, die Misverständnisse entstehen daher, daß man sich einander nicht versteht!

in Sponda, bey dem großen Glauben an unsre altdeutschen Dichter

Glaube an unsre altdeutsche Dichter ist eine Sache, über die man allerdings streiten kann . . . wie man will . . . und auch nicht streiten kann. Sie sind verlohren! Wie kann man sagen, wie das gewesen, was nicht mehr ist? ob vortreflich oder nicht? — Analogisch vermuthet Klopstock indeß aus dem, was man hat, auf das, was man nicht mehr hat, aus dem, was Offian ist, den niemand mehr verehrt als Herder selbst, was die Ueberbleibsel der alten dänischen und isländischen Poesie, was die Fragmente des sächsischen Dichters, den er aufgefunden, sind, auf das, was die alten Barden waren. Und so hat Kl. für seine Vermuthung Gründe; Herder wider sie, keine. —

an das Urtheil der Skulda, die oft ungerecht genug richtet,

So? giebts auch hier etwas zu dissentiren? Hier ist die Ode:

Ich lernt' es im innersten Hain, welche Lieder der Barden, ah! in die Nacht deines Thals sinken, Untergang, welch auf den Höhen der Tag bleibend umstrahlt.

Ich sahe, noch beb' ich davor! Sah der richtenden
Norne Wink! Ich vernahm (hör' ihn noch!) ihres Flu=
ges Schlag, daß bis hinauf in des Hains Wipfel es scholl!

Gekühlt von dem wehenden Quell saß, und hatt' auf
die Telyn sanft sich gelehnt Braga. Jezt brachte Geister
ihm, die sie, in Nächten des Monds, Liedern entlockt,
die Norne Werandi, und sie hatt' in Leiber gehüllt, die
ganz für den Geist waren, ganz jeden leisen Zug sprachen,
Gebilder als wär's wahre Gestalt; zehn neue. Sie kamen.
Nur eins hatte Minen der Ewigkeit! Vom Gefühl seines
Wehrts schön erröthend! voll Reize des Jünglings, und
voll Stärke des Manns!

Mit Furchtsamkeit trat es herzu, als es stehen die
Norne sah, die allein nach des Tags fernen Hügeln führt,
oder hinab, wo die Nacht ewig bewölkt.

Nachdenkender breitete schon Skulda schattende Flü=
gel aus; doch es sank nieder noch ihr der Eichenstab, des=
sen entscheidender Wink Thoren nicht warnt.

Die Neune betraten den Hain stolz, und horchten
mit trunkenem Ohr dem Geschwäz, welches laut Stim=
menschwärme schrien, und von dem wankenden Stuhl
Richter am Thal.

Sie schreckte das Lächeln im Blick Skuldas nicht,
und sie schlummerten noch getäuscht, ahndungsfrey auf
den Kränzen ein, welche jezt grünen ihr Traum, welken
nicht sah.

Ach Norne! .... Sie hub sich im Flug, schwebt'
und wies mit dem ernsten Stab in das Thal! Taumel

los endlich, flohen sie, kürzern, längern Weg; aber hinab! —

Denn Einen nur wandte sie sich nach den schimmernden Hügeln hin! Es entfloß Lautenklang ihrer Flügel
Schwung, da sie sich wandt', und ihr Stab Ewigkeit wies!

Sie ist also eine Fabel, wie man sieht; und ihr
Innhalt ein sehr ernster Blick auf das Seyn und nicht
Seyn derer die schreiben. Daß nicht Journale und Mo-
natsschriften, nicht das Händegeklatsch eines Höflings,
nicht hämischer Nebenbuhler Schlangenmusik, von der
Güte eines Meisterwerks entscheidet, sondern die Alles
reisende Zeit, die auch Eure Urtheile wegfegt wie Spreu
der Trost, die Gewißheit, die jeder große Mann in seinem Herzen trägt . . . (Anwendungen sind leicht in jeder
Nation hievon,) gegen diesen Satz, was kann man dawider einwenden? *)

---

*) Noch einige Anmerkungen zu der Sprache und
Darstellung in dieser Ode:

ihres Fluges Schlag) derselbe Schwung nämlich, in der
lezten Strophe . . hatte auf die Telyn sanft ꝛc.) die
pittoreske Lage! und wie viel sagt diese ruhige entscheidende Attitüde — um auch einmal mit Kunstwörtern zu
reden. Eine ähnliche kömmt vor S. 244. "Und gelehnt
auf die Harfe Wallhalls stellt sich vor Apollo Bragar hin,
und lächelt und schweigt, und zürnet nicht mit ihm.,
Diese ruhige superiöre Mine! . . . ist mirs nicht immer
dabey, als ob ich Klopstock selbst, seine ganze Art sich zu
tragen, seine Art auf Einwürfe zu antworten, leibhaftig,
seine hohe Physiognomie vor mir säh!

Izt brachte Geister ihm zc.) die Construction:
"izt brachte die Norne Werandi ihm Geister, die sie in
Mondnächten den Liedern entlockt, und (sie!) in Leiber
gehüllt hatte, die ganz für den Geist waren, ganz jeden
leisen Zug sprachen, die Gebilder waren, so sprechend
als wärs wahre Gestalt; zehn neue!„ (es wird angenommen; Braga habe schon über mehrere gerichtet. Dieß
ist eine zweyte Session.) — kühn! darf ich sagen: mir
zu kühn versezt? Sonst aber schlägt diese Stelle tief in
die Poetik ein. Die Nornen sind was bey den Griechen
die Parzen. Nur daß die Nornen auch über die Zeit die
Aufsicht hatten. Skulda die Parze der Zukunft; Werandi
der gegenwärtigen Zeit.

Nachdenkender breitete schon zc.) bereitete sie sich
schon zum Fliegen . . . . doch es sank nieder noch zc.)
sank nieder: hier blos poetisch; der Prosaist würde sagen
sie erhob noch nicht den Eichenstab; — dessen Wink zc.)
durch dessen Wink Thoren sich nicht warnen lassen.

Stimmenschwarme . . . Richter am wankenden
Stuhl.) Das Urtheil des iztlebenden Publiculus. . . .
die Ausrufer . . . an deren Beyfall den mittelmäßigen
und halbguten Schriftstellern immer sehr viel liegt.

Das Lächeln zc.) das ironische Lächeln.—
Taumellos endlich zc.) indem sie endlich aus diesem
Schlummer erwachten schlichen sie, einige früh, andre
zwar etwas später; aber mit alledem hinab schlichen sie!

und Sie,

Da kann man einmal auch mit Ehren wohl zweyerley Meynung seyn. Die Frage: Welche Nation hat in Ansehung
der Erfindungen, der Entdeckungen, der großen Natio-
naleigenschaften, der verrichteten großen Thaten, und
ihres Einflusses in unser jeziges Erdensystem, der Zahl,
des Gewichts ihrer großen Männer gegeneinander, vor den
andern den Vorzug? ist eine so complicirte Frage; erfodert so unendlich allgemeine historische Kenntnisse; so
eine genaue Enumeration von Datis, kann aus so tausenderley Gesichtspunkten angesehen werden, daß mans
in Folianten nicht zu erschöpfen fähig ist; und daß der
patriotische Engelländer so wohl Recht haben kann, als
der patriotische Deutsche. Kein Mensch sieht alle Data
die in diesem Urtheile wiegen; das darf ich behaupten;
sein Urtheil also lenkt sich nach der Seite hin, nicht eben,
wo die meisten Data sind, sondern wo er die meisten sieht.
Es ist sehr leicht eine Menge Erfindungen, Wissenschaften herzurechnen, wo wirs den Engelländern sehr zuvor-
thun; die Engelländer aber können das nehmliche wieder
in andern Punkten thun. Die Engelländer haben keinen
Dichter der Klopstock aufwöge; dafür haben sie wieder
Genien, die kein Deutscher aufwiegt, in ändern Gattungen, Richardson, Fielding, Yorik ꝛc. Und so in allem
übrigen. Der genaue, kaltblütige, philosophische Untersucher, der die Schranken seines Wissens kennt, der
Weltbürger, der sich zu gar keiner Nation zählt, entscheidet über so eine Frage lieber gar nicht, als unrichtig; und wenn ihr Klopstocken auf seiner Stube um seine

esoterische Philosophie fragt, so wird er euch dieselbe Ant=
wort geben. Aber ein anders ist der Dichter, ein anders
der Philosoph. Patriotismus ist Affect. Affect sieht alle=
mal Verhältnisse der Dinge lebhaft, aber nicht deutlich.
Ist deswegen aller Affect verwerflich? Bey der Einschrän=
kung des Menschen, die es einmal nicht verstattet, daß
er, endliches Geschöpf, über alles deutlich denkt, kann
es nicht oft seinen Nuzen haben, gewisse Dinge über die
strenge Wahrheit hinaus zu erhöhen? — Das sind Fra=
gen, die nur ein Narr für so gleich entschieden hält.
Stolze Philosophen! Wärt ihr wahre Philosophen, ihr
richtetet den Dichter so nicht, wie ihr thut.

an den Gebrauch der altdeutschen Mythologie, und in=
sonderheit an die Tapferkeiten Hermanns

Tapferkeiten Hermanns . . . und ob der Krieg der Deut=
schen gegen die Römer gerecht war? wieder so ein Zank=
apfel! wo der Lehrer des Völkerrechts, der Untersucher des
politischen Rechts zweyerley Meynung sind, wo Rousseau
und Grotius, der große Klopstock und der kleine Wieland dis=
sentiren. Ihm ists unterdessen klar — mir auch! Und für Her=
manns persönlichen Character bürgt Tacitus ausdrückliches
Zeugniß. — Der Jond der Ode, auf die sich Herder
bezieht, ist ein bloße Fiction von Klopstock — und über
eine Fiction kann man nicht dissentiren.

anderer Meynung wäre, und wollte daß die Sache von
andern Seiten angesehen würde, kann der Dichter nicht,
wie gesagt, fodern, daß man sie jezt mit ihm nur so an=

ſehe, wie Er will! Hier mit Phantaſie, und zwar in dem und dem Grade?

Es bliebe uns alſo nichts übrig, als von den Sylbenmaaßen zu reden, und daß dieſe ſehr mannigfalt ſind, iſt bekannt. Zuerſt hat Kl. einige Griechiſche, und die mit einer Leichtigkeit und Biegſamkeit nachgeahmt, die man an ſeinem Hexameter kennet, und die ſich dem Sinne ſo tief und ſanft anſchmieget. Sonderbar iſts, daß ſelbſt bey zween Autoren in einer Sprache der Wohlklang eines Sylbenmaaßes nicht derſelbe iſt, und in ſeinem zartſten Wuchſe kaum Vergleichung leidet. Ein Choriambe Klopſtocks und Ramlers ſcheint bey gleich vorgezeichnetem Maaße gar nicht das gleiche Ding zu ſeyn, und man verſuche nur, zwey Oden beyder nach einander zu leſen. So Klopſtocks und Kleiſts Hexameter, ob gleich beyde ſehr wohlklingend ſind: ſo Klopſtock und Noachide, obgleich in der letzten Ausgabe dieſer das Sylbenmaaß mit vieler Kunſt zugerichtet worden.

Die Bemerkung iſt fein und wahr, aber auch Rechenſchaft warum das iſt? Ich wills ſagen.

1) daher, daß Klopſtock der Erſte, ſchlechterdings der Erſte iſt, der Ohr genug gehabt hat, die Regeln der deutſchen Proſodie feſt ſetzen, (vorgetragen hat er ſie in der Gelehrtenrepublik S. 345 ffg. —) beſtimmen, was lange was kurze Sylben ſind, und vornehmlich, die Begriffe berichtigen zu können, die bisher ſ

schwankend über die Zweyzeitigkeit waren. (Ramler selbst, der größte Feiler vielleicht mit in Deutschland, braucht einsylbige Stammwörter, zur äußersten Beleidigung des Ohrs lang und kurz, wies kömmt, und oft läßt er die Stamsylben mehrsylbiger Wörter kurz seyn.) Nur durch vieljährige Beobachtungen ist Kl. endlich hinter dieß Geheimniß gekommen; und man wird allenfalls in den ersten Gesängen des Messias aber in keinem der lezten seltene Verstöße wider diese Regeln finden. In den Oden habe ich kaum mehr als drey oder vier Beyspiel angetroffen (dem glückseeligen Volk). Und ich wiederhole noch einmal die Anmerkung: Klopstock ist der einzige deutsche Dichter der eine ganz richtige Prosodie hat. Wenn ich etwa ein Paar Neuere (z. E. Voß) ausnehme, die hierinn von ihm gelernt haben.

2) daher, daß er über den Tonausdruck, über den Wohlklang, d. i. Zusammensezung schön tönender Sylben, Vermeidung zusammenstoßender häufiger Consonanten, da wo nicht gerade der Wortsinn diesen rauhen Wohlklang fodert, so unermüdet raffinirt hat. Wird man wohl in allen seinen Gedichten einen einzigen Hiatus finden, der nicht etwa absichtlich ist? (S. Gelehrt. R. p. 206. die Anmerkung.) So was, bemerkte er einmal gegen mich, habe ich mir niemals erlauben können. Ich sagte immer dabey zu mir selbst: So was ist gar nicht in der Sprache! Hieraus kommts, daß er die Consonanten aus vielen Wörtern heraus wirft, sie tönender zu machen, z. E. dornig, blumig statt dornicht, blu-

migt. Daher die Vorschläge zu einer neuen Orthogra
phie, die er gethan hat, weil er meynt, daß Orthogra
phie nicht bloß fürs Auge, sondern auch für Ohr sey.

Aus allen diesem resultirt nun eben das unnach
ahmlich Melodische das Klopstock so auszeichnet, und da
ihn eben für die so genießbar macht, die Ohren haber
ihn zu hören, und eine Zunge ihn zu lesen. Man ha
mir von einem unserer größten Tonkünstler erzählt: Jemand
bringt ihm ein Gedicht von Klopstock und bittet ihn, e
zu componiren. Dieser nimmts in die Hand, ließts, un
wirfts launigt wieder hin? Was? sagt er, componire
soll ich das? Es ist ja schon Musik! Klopstock ist darin
gerade den Deutschen das, was Metastasio den Italie
nern; nur daß diesem leider des Deutschen Größe, ode
soll ich sagen Grosheit? fehlt!

So Horaz und Catull, Virgil und Lucrez u. s. w. Alle
wird blos Werkzeug der Seele, die eine gewisse Farb
der Composition, eine Stärke oder Schwäche, Flu
oder Strom auch bis in das Sylbenmaaß überträgt—
wir wünschten die Sache mehr untersucht und tiefe
characterisirt.

Zweytens sind aus dem nordischen Aufseher d
freyen Sylbenmaaße bekannt, in die Klopstock nach de
Ausdruck der Litteraturbriefe, als in die Elemente de
Wohlklangs seine Zeilen aufgelöst hatte. Diese sin
nunmehro wieder zusammen geschoben; vierzeiligt
Strophen, aber ohne bestimtes Sylbenmaaß gewor
den, und wo er die Runde der vierzeiligten Stroph

verlezt oder mangelhaft fand, verändert. Sollte dieß
Zusammenschieben, und diese Veränderung nicht zeigen,
daß das Ohr nur eine gewiße Anzahl, einen Kreis,
einen Tanz von Tönen fodert, über den es nicht hinaus-
höret? Und nun hat drittens Kl. eine Menge neuer
Sylbenmaaße erfunden, die, wenn wir seiner Muse
glauben, Bereicherungen der Harmonie selbst in Vergleichung der Griechen sind. Er fodert Alcäus und
Apollo, Ossian, und Britten und Gallier und Nachahmer des Horaz auf, daß er sie übersungen, daß sie
des lyrischen Stabs Ende, er aber ihn ganz blinken
gesehen, daß sein großes Vorbild die Natur, der tonbeseelte Bach sey, u. s. f.

O wie! wie verstümmelt ihr mir meinen Klopstock!
Was für ein Schleyer neblichtes Verständnisses hängt
über euren Augen, wenn ihr ihn leßt! Den Sinn
überhaupt hat Herder gefaßt, aber in allem Einzelnen ist
hier gefehlt. Man vergleiche einmal meine Erklärung
des Bachs mit dieser Stelle.

Er foderte Alcäus auf daß er ihn übersungen! Gerade das Gegentheil davon sagt er. Alcäus,
sagt er, haben wir nicht mehr, ich kann davon nicht urtheilen! aber alle übrigen Griechen habe ich übersungen. —

Nachahmer des Horaz . . . H. sieht also nicht
daß dieß sich auf Horaz beziehet. Er hält Nachahmer an
der Stelle für den Vocativ der mehrern Zahl, und es

ist der Vocativ der einzelnen; und siehe im Hui ist vor dieser schiefen Erklärung der ganze Pinselstrich verwischt, der mir so fein den römischen Dichter characterisirte!

Der tonbeseelte Bach wäre also die Natur? Was ist Natur in diesem Sinne? Ein schlechterdings unbestimmter nichts sagender Begriff. Bach ist hier blos ein Gleichniß; und wenns Allegorie, Bild, seyn soll, so ist das darunter gemeynte nichts anders als: Bewegung der Verse, Zeitausdruck, aber nicht Natur. —

Es ist unläugbar, daß einige dieser Sylbenmaaße schon an sich betrachtet einen Gesang, eine Melodie haben, die den sanglosesten Leser und Declamator von der Erde erheben müssen. Die beyden ersten Zeilen in Siona, Sponda, Thuiscon, die frühen Gräber, die Sommernacht, Braga, die Chöre, Teone, der Anklang von Stintenburg sind voll Melodie; wir wünschten aber von andern zu hören, ob in den meisten dieser, (ich nehme die Sommernacht, Braga, die Chöre, Teone, aus) das Ende dem Anfange entspreche und den ganzen Strophenbau die unaufgehaltene Ründe und Glätte habe, die wir in den schönsten und gebrauchtesten Sylbenmaaßen der Griechen finden? Nach einem meistens sanften Anklange stemmen sich die Töne, stemmen sich oft zwey dreymal auf einander und dann schließt die Strophe, oder bricht meistens ab, ohne daß das Ohr im Tanze fortgeführt und bis zum lezten Tone ahndend erhalten wäre; und man weis, das war das Geheim

niß des griechischen Perioden, Hexameters, und der
schönsten lyrischen Sylbenmaaße. Aristoteles vergleicht
die Harmonie mit der olympischen Rennbahn, wo je
näher dem Ende, desto mehr arbeiten die Läufer, denn
sie sehen das Ziel. In den schönsten Tänzen, in den
gefälligsten Spielen und Bewegungen scheint eben dieß
Runde und Endeilende nicht minder zu herrschen wie
in Epopee und Drama. — Der Knote der in der Mitte
geflochten wird, wird immer nur im Verhältniß aufs
Ganze groß oder klein geflochten, wird wieder vorbe=
reitet uud stückweise aufgelöset, daß man zu Ende eilet,
und dahin gedrungen wird, ohne daß man weis, wie?
Der Recensent wäre äußerst begierig, sich die Zweifel
gegen einige der neuen Sylbenmaaße auflösen zu lassen.
Man nehme z. E. das melodische Siona:

Töne mir, Harfe des Palmenhains
Der Lieder Gespielin die David sang

wie fließend, wie singend! — Aber nun, geräth der
Bach mit einmal über Stein und Fels.

Es erhebt | steigender sich | Sions Lied,
Als des Bachs | welcher des Hufs | Stampfen
entscholl —

wo scheint hier Fortfluß, allmähliche Entwickelung, und
das prophetische Fortleiten des Ohrs zu bleiben? Die
Tacte fallen auseinander, und scheinen mehr zusammen
geschoben, als aus einander gearbeitet zu seyn.

Wie verschieden doch die Gehöre sind! Herder tadelt diese
Stelle, und ich, ich finde daß sie gerade ein Beyspiel von
Kl. Vollkommenheit in Absicht auf Bewegung und Wohl=
klang ist. Um zu beweisen muß ich analysiren.

Es erhebt . . . . wodurch kann man die Idee des Er=
hebens ausdrücken, als einzig durch den Anapäst? Setz
hier z. E. einen Dactyl an seine Stelle: Hebt sich das
Lied, und der Versfuß drückt gerade das Gegentheil von
dem Begriffe des Worts aus. Denn der Anapäst erhebt
sich; der Dactyl sinkt.

Steigender sich. Wenn das Erheben durch den Anapäst
ausgedrückt wird, so könnte es im ersten Augenblick scheinen,
als ob das Steigen gleichfals besser durch den Anapäst, oder
den dritten Päon (v v — | v v v — |) ausgedrückt würde,
als durch den Choriamb (— v v —). — Aber nein! stei=
gen ist mehr als erheben. Steigen sezt eine vorläufige
Anstrengung voraus, ehe man sich erheben kann, ein
Aufstemmen des Fußes. Und dieses Stemmen, das Her=
der richtig genug gehört hat, wird offenbar merklich durch
die lange Anfangssylbe des Choriambs. Der erste Fuß
des Verses ist also gerade dem Sinne gemäß in der Arsis,
der zweyte in der Thesi. Hätte Kl. umgekehrt, erst
Thesis, denn Arsis gebraucht, so wäre gerade die Be=
wegung mit dem Sinne im Widerspruche gestanden.

Eben so im folgenden Verse. Hier fallen die Tacte,
allerdings durch die sich entgegen gesetzten Füße des Ana=
pästs und Dactyls auseinander, stemmen sich gegen ein=
ander. Aber sollen sie das nicht? Eben das macht die
ganze Schönheit der Bewegung hier aus. Denn liegt

nicht auch dieses Gebrochene, sich Stemmende in dem Schlage des Pferdehufs? Aber überhaupt hat Herder in allem, was er hier schreibt, von diesen drey sehr unterschiedenen Dingen: Tonausdruck — Bewegung oder Zeitausdruck — und Tonverhalt, keinen bestimmten Begriff. Das was er hier Stemmen der Töne nennt, gehört in die Lehre vom Tonverhalt.

Wollte man also ja chicaniren, so müßte man die folgenden Strophen der Ode untersuchen, und sehen ob sich diese Bewegung auch darinnen eben so meisterhaft zum Sinne verhielt, als in dieser, oder ob Kl. nicht in den oft unvermeidlichen Fehler selbst großer Componisten verfallen sey, die, indem sie die erste Strophe einer Ode völlig ihrem speciellen Ausdrucke gemäß componiren, ihr eine Melodie geben, die zu manchen der folgenden wieder nicht paßt. Aber man würde, glaube ich, finden, daß wenn sich auch die Bewegung dem Sinne in den übrigen nicht so anschmiegt, wie in dieser ersten, sie ihm doch in keiner widerspricht.

Und auch in Absicht auf den Tonausdruck, zur Erläuterung des Satzes, daß auch rauhe Töne mit zum Wohlklange gehören, mag diese Stelle zum Beyspiele dienen. Was kann wohl rauher, unmelodischer, unitalienischer seyn, als diese Häufung von Consonanten — chs — lch — fs — Scht (denn so spricht der Obersachse das St. aus) — mpf — ntsch —, die die gewaltsamste Anstrengung aller Sprachorgane erfordern? Aber wie angemessen ist nicht auch diese Anstrengung dem Begriffe der Gewalt und Kraft eines niederschmetternden Pferdehufs!

Wenn man Klopstock so zergliedern wollte, so würde man in tausend Versen der Oden und der Messiade Stoff finden. Aber man würde eckelhaft werden, allzuscholiastisch. Genug in einem Beyspiele gezeigt zu haben, wie schief der Tadel ist, den man auf ihn werfen will; und daß meine unumschränkte Bewunderung seiner, nicht auf leerem Enthußasmus, sondern auf deutlichen entwickelten Vorstellungen seiner Vollkommenheit ruht. *)

Mir ist vor einigen Jahren ein Bogen Klopstockischer Sylbenmaaße zu Gesicht gekommen, da (es war

---

*) Ich habe einst mit Klopstock selbst über den Vorwurf des Stemmens, den Herder ihm macht, geredet; (er selbst nennt dieses Stemmen, den Contrast der Füße, und hat auch den sehr bestimmt aufs Reine gebracht) wobey er seine ganze Kenntniß der griechischen Sprache zeigte; und klar darthat, mit Exempeln bewieß, daß dieses Stemmen, selbst bey den wenigen übergebliebenen griechischen Dichtern sich noch in stärkerem Maaße und Anzahl findet, als bey ihm selbst. Es war mir zu merkwürdig und treffend alles, als daß ichs nicht gleich hätte festhalten und mir aufschreiben sollen. Wie weit er das Studium hierinn getrieben hat, davon ist mir ein Manuscript, das ich von ihm besitze, Zeuge, worinn er seine Sylbenmaaße aufgezeichnet, und aus allen griechischen Dichtern, ganzer und Fragmenten, Exempel von ähnlichen Zusammenstellungen der Füße aufgesucht hat.

Herder vergißt ganz, sagte er, an die Wirkung des Contrastes zu denken. Wenn man den dem metrischen

en die meisten von diesen,) hinter Zeile und Strophe

as Verhältniß der langen und kurzen Sylben bemerkt,

Ausdrucke nimmt, so sezt man ihm sehr enge Gränzen; und am wenigsten darf diese Gränze lyrischen Sylben- maaßen gesezt werden. Wie weit überhaupt der Contrast gehen könne oder nicht, um rhytmisch schön zu seyn, (er nennt jezt Rhythmus Tonverhalt) was Vers mit Con- trast, gegen Vers ohne Contrast, und diese gegen jene für Verhältnisse haben, kann ich Ihnen hier im Gesprä- che nicht auseinander setzen. — Herder bezieht sich hier auf die Griechen, und eben ihr Beyspiel, behaupte ich, sey für mich. Wollen Sie Beyspiele sehen? — Gern! gern! sagt ich. Er nahm sein Büchelchen her. Die bey- den Verse, Es erhebt steigender sich Sions Lied, als des Bachs, welcher des Hufs Stampfen entscholl, haben Herdern zu starke Contraste. Wir müssen sie in ihre Theile absondern. Erst diesen also ∪∪— | —∪∪— | (wie des Bachs, welcher des Hufs)

Megatoo | agte m'eroos | Anacreon.

Der andre, der weniger stark ist: —∪∪— | —∪— (stei- gender sich Sions Lied,)

alla chrysaigidos I | toonias. | Bachylides.

Dieser ist also weniger stark, und noch weniger Contrast ist es, aber doch immer Contrast, wenn sich zwey Chori- amben folgen. Sappho, Praxilla, und Alcäus setzen den Choriambus sogar dreymal hintereinander; vermehren also dadurch den Contrast. Exempel? Hier!

Eumorphoteia | Mnasidika | tas hapalas | Gyräne

und also die Harmonie ausgezählt war. — Aber außer
der Harmonie, wird wohl die Melodie berechnet

Atmätu logon oo | 'taire, mathon | tus agathus | phile

Mä se palei | tood' aphanzi | pas hepetai | dolos

Sind Ihnen das genug? Herder kann sicher voraussetzen
daß ich auch noch mehr Beyspiele zu andern Contraste
anführen könnte. Wider die einzelnen Verse könnte e
also wohl nichts mehr haben, aber gleichwohl wird e
den Bau der Strophen vielleicht noch zu contrastirend fin
den. Auch hierinn wieder Sophocles Beyspiel! Kein
griechischer Dichter hat so viel schönen Rhytmus, als S
in seinen Chören. Wenn von Mustern die Rede ist, s
können es die wenigen lyrischen Sylbenmaaße, die wi
von Sappho, Anacreon, Alcäus übrig haben, nicht allein
seyn. Nehmen Sie aus Sophocles vielzeiligen Stro
phen vier auf einander folgende Verse, (denn Herder
redt nur von der vierzeiligen Strophe) und dieß Ganz
wird oft mehr Contrast haben, als in meiner Stroph
ist. Z. E.

Ton son daimona ton son oo thlamon

Oidipoda brotoon udena makarizoo

Hostis kath ' hyperbolan toxeisas

Ekratäsas tu pant' eydaimonos olbu

Und nun vollends gar in solchen Versen, als

Joo philos sy men emos

ommt hier nicht alles auf die Succeſſion der Töne, auf
as Entwickeln des Geſanges der Seele, und der Be⸗

    ᴗ ᴗ ᴗ ᴗ ᴗᴗ ᴗ ᴗ ᴗ
Epipolos eti monimos

    ᴗ ᴗ ᴗ ᴗ ᴗ — — ᴗ
Sy gar hypomeneis ton ge

   — — — — — — —
Typhlon Kädegoon phey phey

Und nun ſtelle man ſich vollends ein ganzes vielzeiligtes
Gebäude des Sophocles vor! — „

    Darüber daß Herder auch in Aganippe und Phiala
ſo viel Contraſt fände, wunderte er ſich lächelnd; denn
es wäre gerade gar keiner drinn. Er machte die Anmer⸗
kung zum erſten Verſe: Wenn vor dem Antibacheos
(— — ᴗ) eine lange Sylbe vorherginge, ſo verlöhre
dieſer Fuß den Contraſt, den er hätte, faſt gänzlich da⸗
durch. — Zum zweyten: Wenn der Spondäus (— —)
zwiſchen noch ſo contraſtirenden Füßen ſtünde, ſo hübe
er allen Contraſt auf. — Zum dritten: der wäre ein ge⸗
wöhnlicher anapäſtiſcher Vers, ohne allen Contraſt, und
der vierte, nun vollends das Gegentheil des Contraſtes. —

                           ᴗ ᴗ — — ᴗ
(Im Vorbeygehen: Horazens bekanntes Miſerar' eſt nec
ᴗ — —
amori &c. wäre in dieſen nicht contraſtirenden Füßen; und
bey einer ganzen Ode in dieſem Sylbenmaaße brächten ſie
unvermeidlich eine unausſtehliche Monotonie zuwege. Al⸗
                ᴗ ᴗ — — ᴗ ᴗ — — ᴗ ᴗ
cäus hätte ihn auch), z. E. Eme dailan eme paſan. Kako⸗
— — ᴗ ᴗ — ᴗ
taᴑtoon pedechoiſan . . . [denn ſo las er ſtatt des ge⸗
wöhnlichen ſinnloſen podechoiſan.] aber beyde hätten

R

bungen des Herzens an, wo wir freylich hinten nach
auch immer die vorige Proportion finden; aber gewi
nicht umgekehrt, sonst wäre der tiefste Berechner auch
immer der Melodievollste Tonkünstler. ————

Ich habe Herdern ganz geduldig ausssprechen lassen, den
ich gestehe es, mir gehts wie manchen, ich versteh
ihn hier schlechterdings nicht, und kann nicht mit ih
denken, weil er selbst sich das nicht deutlich und kl.. ge
dacht hat. Es ist solch ein Gewebe von tiefsinnigschei
nenden Redensarten, neologischen Phrasen, philosoph
schen Kunstwörtern, die aber so unbestimmt, so unzwed
mässig zusammen gesponnen sind, daß mirs rein wie ein
blauer Dunst aussieht. Ich ermesse, er hat was einwen
den wollen! aber ich verstehe nicht was; und, wärs der
Mühe wehrt, so wollte ich den Scharfsinn von gan
Deutschland auffodern, dieß dunkle Gespinnst zu entwi
ckeln und einen einzigen klaren Begriff herauszupressen
Was sind z. E. Sylbenmaaße an sich betrachtet? was

ihn zu oft gebraucht.) — Das Sylbenmaaß zu Kaiser
Heinrich, endlich, wäre nur in der vierten Zeile griechisch,
in den drey ersten wäre es deutsch, obgleich dem alcäi
schen immer ähnlich.

Und demohngeachtet solls seyn, wenn man diese
Contraste bey Klopstock liest, als käme man aus einem
griechischen Tempel in ein gothisches Gewölbe! da die
Griechen das gothische Wesen noch so viel weiter ge
trieben haben!

heißt das? kann man ein Sylbenmaaß an sich betrach=
ten? unabhängig von Worten? Kürzen und Längen der
Worte und ihre Verbindung unter einander, ohne Worte
dabey zu denken? — — — Was ist unaufgehaltne
Ründe und Glätte? Aufhalten sagt man ja nur von
der Bewegung, aber nicht der Gestalt von Gegenstän=
den — — stemmen sich, bricht ab. — Also darf sich
eine Strophe nicht stemmen? nicht abbrechen? was für
unerwiesene Grundsätze! — — Aristoteles ꝛc. Was ent=
scheidet ein Gleichniß hier? Das alles sind Luftstreiche! —
Epopee und Drama — wie ist das alles durch einander
gemengt! Hier ist ja die Rede vom lyrischen Sylben=
maaße. Ist dramatisches und lyrisches Sylbenmaaß einer=
ley? — Was heißt das: Ein Knoten in einem Sylben=
maaße? — Der ganze lezte Absaz: "mir ist . . . Ton=
künstler,, scheint was zu sagen und hat schlechterdings
wieder keinen Sinn. Was versteht Herder unter Me=
lodie und Harmonie? In der Musik weis ichs wohl:
Succession und Simultaneität der Töne. Aber in der
Poesie? da könnte, in einer willkührlichen Bedeutung
allenfalß Harmonie die Bewegung und Melodie der
Klang der Worte seyn. Aber er unterscheidet ausdrück=
lich Klang, oder wie ers nennt, den lebendigen Laut
und Ausdruck der Rede, von der Melodie. Sonach ist
Melodie ihm rein ein Nichts, ein Unding! — Was ist
ferner Entwickeln des Gesangs der Seele? Was ist Ge=
sang der Seele? Was sind Bebungen des Herzens in Re=
lation auf das Sylbenmaaß? "Der Kritikbeflißne,, sagt
Klopst., (und laßt mich das hier anwenden; denn es ist

"so treffend!") schlägt vornämlich drey Wege ein, a
"welchen er den kurzsichtigen Leser irre führt. . . . . .

"Er wendet wahre theoretische Sätze unrichtig an
"dieß nur selten, denn die wahren sind ihm gar wen
"bekannt.

"Manchmal verfällt er auch auf eine richtige A
"wendung; aber gewöhnlich sind die so angewandt
"Sätze falsch. Von dieser wimmelt es zwar in den Leh
"büchern; aber keine geringe Anzahl derselben wäd
"auch dem Kritikbeflißnen, während daß er sei
"Aufsätze verfaßt, unter der Hand wie Erdschwämme auf

"Was am meisten belustigt, ist die unrichtige A
"wendung falscher Sätze. Erst stelle man sich so ma
"chen lieben Leser vor, dem hier wahr und richtig n
"der kalt noch warm geben; und dann, daß, statt ein
"Pfeiles, ein Bolzen bey dem Ziele vorbey fliegt!„

Noch weniger, siehet man, ist hier von dem so g
nannten lebendigen Laut und Ausdruck die Rede, d.
von der musicalischen Zustimmung der Worte zum St
benmaaße: In der ist Klopstock allemal Meister, u
und auch die verflochtensten, sich stemmendsten Str
phengänge sind hier theils mit einer Macht durchgetri
ben, daß die Worte mit ihrem Klange gleichsam w
Orpheus Steine und Fels folgen müssen: theils au
so tief in den Inhalt gewebt, daß wir, z. E. jenem St
benmaaße unter den Gestirnen, jenen zwey lezten

inſtlichen, ſo knotenvollen Zeilen der Stintenburg,
er Barden, den Zeilen der Ode unſre Fürſten, unſre
Sprache, des Schlachtgeſanges des Eislaufs u. ſ. w.
ut werden, weil uns die Materie entſchädigt, und
leichſam über Stock und Stein gewaltig mitreißt. Es
äre alſo Thorheit zu denken, daß man hier für Klop=
ock kritiſirte; man betrachtet blos Klopſtocks Sylben=
aaße an ſich, allgemein, und zum Gebrauch für andre.
in Mädchen kann für ſich ſelbſt das Lispeln und das
eine Mal ihrer Wange liebenswehrt machen; deswe=
en wird aber an ſich und für Andre, Lispeln und Mal=
ichen, kein Stück, keine Regel der Schönheit.

Mich dünkt, daß in Sachen wo es blos auf ſinn=
hes Verhältniß ankömmt, keine neue Erfindungen ins
nendliche möglich ſind. Gewiße Formen des Schönen
üßen in der Sculptur, wie Proportionen in der Bau=
nſt wiederkommen, oder die Kunſt wird wieder Go=
iſch, d. i. es werden da Glieder angebracht, wo keine
n dürfen, Glieder verwickelt, wo der Fortgang des
uges eine gelinde Succeſſion foderte; auf eine oder
e andre Weiſe erliegt das Ganze unter ſeinen Theilen.
n Verſuch über die Sylbenmaaße, wo ſelbige ohne
nwendung auf Sprache und Worte, blos als Tanz,
s Folge von Tönen zu einer Melodie betrachtet wür=
n, dürfte vielleicht daſſelbe zeigen. Aus Pindar hat

R 3

Klopstock wenig nachgeahmt, weil ihm die Sylbenmaaße dieses Dichters nicht gefielen: Der Rec. muß bekennen, daß er die Sylbenmaaße des Pindar und der
Chöre meistens nicht versteht. Sein Ohr ist zu kurz,
eine Pindarische Strophe zu behalten, folglich kann
daßelbe auch nicht sinnlich urtheilen, und das Ganze
des Tanzes und der Melodie der Töne empfinden. Den
Römern muß es eben so gegangen seyn, denn sie gingen nicht über die vierzeiligte Strophe: Klopstock geht
auch nicht drüber: man sollte vermuthen, daß Alcäus
u. s. w. auch seltner darüber gegangen seyn möge, wo
nicht eine andre Anordnung, Theatermusic, olympische
Musik, den Numerus sehr hob und unterstüzte. Sollt
es nun nicht in dieser engern vierzeiligten Bahn, auch
nur eine gewiße Anzahl Bewegarten und Melodien der
Sylben geben, die ausschließend die schönsten seyn müßten? Der Rec. sollte es fast vermuthen, denn wo er
auch bey den neuern Klopstockischen Sylbenmaaßen
die harten Contraste sich zu mildern, die Töne simpler
in einander zu verstoßen, und das ganze der Strophe
runder zu machen versucht hat: ist immer mehr oder
minder ein schon bekannteres Sylbenmaaß unvermerkt
daraus geworden; wovon viele Proben gegeben werden
könnten, wenn der Raum es litte. Selbst unverändert scheinen von den neuen Sylbenmaaßen doch eben
die simpelsten die schönsten, z. E. die Sommernacht

Braga

Wie wenig Herder sich bey allem diesen etwas di-
stinktes gedacht hat, wie auf Gerathewohl hingeschrie-
ben das alles ist, um nur etwas zu sagen, das den An-
schein von Einsicht in diese Dinge hat, sieht man auch
unterandern an der Wahl dieser Beyspiele. Das
Sylbenmaaß zu Thuiskon ist nichts weniger als
simpel, es gehöret gerade zu den schwersten und verwi-
ckeltesten die Klopstock erfunden. Aber es wimmelt hier
ohnedieß von Widersprüchen. Daß man ein Sylbenmaaß nicht allgemein, an sich, das heißt in Abstracto,
ohne sich die Worte dabey zu denken, betrachten könne,
habe ich schon gesagt; es ist evident. Wenn er also im
Concreto zugiebt, wie sein richtiges und sonst gegen Klopstock gerechtes Gefühl, ihn wohl zuzugeben zwingt, daß
seine Einwürfe Klopstocken nicht treffen können, daß bey
ihm alles fließt, der Materie, dem Sinne gemäß ist, so
giebt er ja auch eben dadurch den allgemeinen Satz zu,
daß sich gegen diese Sylbenmaaße, klopstockisch, d. i.
richtig, mit prosodischer Genauigkeit, mit anpassendem
Zeitausdrucke bearbeitet, nichts einwenden lasse. Mich
dünkt, das ist bündig und logisch richtig geschlossen. Denn
aber, was resultirt aus allem diesem anders, als der von
niemand bestrittene, ausgemachte Satz, zu dessen Beweise
ein solcher Aufwand von Subtilität gar nicht nöthig war:
daß diese Sylbenmaaße, nicht klopstockisch behandelt,
ohne prosodische Genauigkeit, ohne Uebereinstimmung des
Zeitausdrucks mit der Materie, mit einem Worte, früh-
eilig nachgestümpert, tadelhaft, verwerflich, ekelhaft

find? Aber trift denn das nicht ebensowohl, die griech

schen Sylbenmaaße und jedes Sylbenmaaß in der Welt?

Thuiskon, die Chöre, der Anklang des Bachs, Si

nas, u. s. w. Sollte das nun nicht schon, da diese de

Griechischen sich eben dadurch auch nähern, ein Voru

theil erwecken? — Und wenn man denn nun vom ve

wickeltsten neuen Sylbenmaaße z. E. von einer Ag

nippe und Phiala denn plözlich zu einem rein griech

schen Heinrich überkömmt: ists nicht, als ob man au

einem allerdings erhäbnen, aber zu künstlichem, du

keln, und ungeheurem gothischen Gewölbe in ein

freyen griechischen Tempel käme, und da in einer M

lodie, als in einem schönen regelmäßigen Säulengän

wandelte? Der Recens. fühlt sich frey von allem Eige

sinn und Partheylichkeit: an Ungewohnheit des Ohr

glaubt er, könne es nicht liegen.

Und an Ungewohntheit des Ohrs dürfte es am En

denn doch wohl liegen! Herdern getraute ich mich n

allenfalls durch Vorlesen zu bekehren. Übrigens fällt

hier eine Parallele sehr auf. So wie Herder hier ü

Klopstock spricht, habe ich unzählichemal Musiclieb

ber über Bach streiten gehört. „Wie hier die Vergleichu

der griechischen und neuerfundenen Sylbenmaaße, so da

Vergleichung zwischen italienischer und „Bachs Mu

Was soll ich sagen? die unendliche Mannigfaltigkeit,

hohe raffinirte Ausdruck, dieser dichterische Eigensinn

Neuheit und der höchsten anpassendsten Gleichheit zwisc

Sinn und Worten und Tönen, erfodert geübte Ohren!
hier und dort! Anfänger schaudern hier und dort zurück.
Aber je weiter man in beyden Künsten kömmt, je mehr
hängt man sich daran. Vielleicht ist es Verwöhnung,
aber ich gesteh es: die griechischen Sylbenmaaße sind
meinem Ohre, seit ich Klopstocks Mannigfaltigkeit stu-
dire, beynah schaal Wasser; kommen mir so vor, wie
etwa den Griechen unsre Alexandriner geschienen hätten.
Seit ich Bach habe verstehen gelernt, ist mir fast alle
andre Claviermusic verleidet. Man hat das andre alles
schon gehört! Man ist satt!

So, wenn wirs genauer untersuchen wollten, würden wir finden, daß von allen diesen Einwürfen die Quelle
nur die ist, daß die Metra neu sind; und alles Neue,
wißt ihr, ist schon darum verwerflich, weil es neu ist.
Machten nicht ehemals die Anhänger der Jamben, und
Trochäen, eben die Einwürfe, als der Hexameter und die
griechischen Sylbenmaaße eingeführt wurden, wie Herder hier gegen Klopstocks Erfindungen. Klopstock sah das
vorher, und um die Leute zu erleuchten, schrieb er eben
die Fragmente vom Sylbenmaaße, wo er die Sache aufs
scharfsinnigste untersucht; und mit einer Feinheit des Gefühls, wie ich sie noch bey keinem griechischen Gramatiker
kenne, auseinander sezt. Damals als Herder dieß verhan-
delte, war der vierte Band der Messiade noch nicht heraus,
und also auch das Fragment vom gleichen Verse nicht — ich
verzeih es ihm darum desto leichter, daß er so unperti-
nent hiervon hat reden können. Aber auch so! warum

schwieg er nicht? Einem Mann, der solche Revolutionen
in seiner Sprache angerichtet hat, als Klopstock; der
dreyßig Jahre practisch drüber nachgedacht, probirt,
verworfen, gewählt, so die Alten studirt hat, trau ichs
auch im Blinden, ohne Belege allenfalls zu, daß er davon mehr verstehe als ich, der ich bey ein Paarmal lesen seiner Gedichte meine ersten Gedanken dagegen nie-
derschreibe, und Zweifel mache. Erste Gedanken sind
Jedermanns Gedanken; und mit Jedermanns Gedanken
bleibt man am besten zu Hause.

Aber diese Zweifel sind doch so bescheiden vorge-
bracht! . . . . das räume ich ein; und doch sind auch
die bescheidesten Einwendungen dieser Art unangenehm.
Man setze sich an Klopstocks Stelle. Man fühle die un-
sägliche Mühe die ihm das gekostet, die Nächte die er
vielleicht drüber verwacht, und nun bringt er nach Jahren die Frucht seines Tiefsinns; stellt sie auf; und anstatt
daß gerade dieß Verdienst im ganzen Umfange bemerkt
werde, laufen die Schuster (und wenn Herder auch kein
Schuster ist, so sinds seine Nachtreter, wovons wimmelt) laufen aus allen vier Winden der Erde herbey
und kritisiren eben das Meisterhafte des Meisterwerks.
Oder wen soll nicht schmerzen, gerade deswegen getadelt zu werden, weswegen man die unumschränkteste Bewunderung, vor allen Dichtern aller Nationen verdient?

Und gehts ihm nicht in Allem so? den practischen
Theil dieses Verdiensts greift Herder an; den theoretischen Lavater. (Ihr seht, ich nenne Gegner von ihm
die Männer von Ansehn sind.) — Der kömmt und ärgert

sich, daß er seinen Lesern Sylben vorzählt! Es wäre eben
als ob Raphael ein Recept vom Farbenreiben an eines
seiner größten Gemählde gehängt hätte! Auch die unkri=
tischsten Leser müßte es beleidigen, so eine Versanatomie
zu finden, indem sie sich bereiten, mit dem Dichter bald
auf Golgatha Gott zu sehen! — Versanatomie! — Das
heißt doch wohl Dinge umkehren, um sie umgekehrt zu
zeigen! Versanatomie! Versanatomie! — durch so ein
Wort will ich den wichtigsten Dingen einen Anstrich des
Lächerlichen geben. Was will denn Lavater? die theore=
tische Untersuchung selbst tadeln? Räsonement des Künst=
lers über die Grundsätze wornach er gearbeitet? So eine
Seichtigkeit trau ich ihm nicht zu. Das Gleichniß aber das
er braucht ist sehr hinkend. Denn wäre wohl Räsone=
ment über die Machänick des Versbaues im Verhältniß
gegen Werke der Poesie selbst, das was das Farbenreiben
gegen ein Gemählde ist? — Also heißts nur soviel: er
hätte die Fragmente nicht mit dem Messias zugleich sol=
len drucken lassen! Also! — damit sie vollends von unserm
einsichtsvollen Publico ungelesen geblieben wären. Ein
kurzer Rath! Wer sie nicht studiren mag, oder zu studi=
ren vermag, der binde sie besonders; oder sehe sie für
einen Buchdruckerstock an! — Ueber die nichtswürdigen
Einwendungen, die sich doch KL. muß machen lassen! und
von wem nicht machen?

. Aber eine kleine Schadenfreude habe ich bey dem al=
ten; die ich nicht wohl bergen kann. Die ist, zu sehen,
wie auch diese Recension von Herdern mit meinen An=
merkungen wohl sonnenklar darthut, daß eben unsre

berühmteſten Ariſtarchen, nicht einmal den buch
ſtäblichen Sinn von Klopſtock richtig interpre
tiren, geſchweige denn daß ſie in alle die feinern Nü(
acen ſeiner Darſtellung eindrängen. Herder ſagt hie
nicht ein Wort von Klopſtocks Dunkelheit, thut mit a
len ſeinen Ideen ſo vertraut, hat ganz die Mine ihn z
verſtehn, und doch ſo oft er bey einer Ode ſich näher ei
läßt, ſo oft geirrt! entweder gänzliche Verfehlung de
Sinns, oder unrichtige Interpretation des Einzelnen
Was würde ein alltäglicher Schulmann von einem Unter
gebnen ſagen, der ſo den Horaz exponirte. Und das ſin
Klopſtocks Richter!

Nun komme denn einer und ſage daß Klopſtock mein Hel
iſt; daß ich ein Bewunderer bin, daß . . . . . Ja! er iſt mei
Held, ich bewundre ihn, weil ich ihn bewundern kann.—
Und woher kann ich wohl wiſſen, was an ihm, und i
ihm nicht misverſtanden wird? Und Sie Freund Wie
land, und Ihre Naſe! . . . . Wie ironiſch die geliebte Naſ
nicht iſt! . . . "weil man lieber fährt als einſam zu Fuß
reiſt., Ain'tu? — Nur Schade daß das Gleichniß auc
hier nicht paßt. Denn, ſehen Sie, lieber Herr, bey Ih
nen iſt nicht vom Einſamreiſen die Rede, ſondern vo
Blinden und Lahmen, denen man einen Wagen leih
und ſehr hämiſchen dazu, die den Fuhrmann nützen, abe
. . . . doch ſollt ich mich gegen Den? vertheidigen? . . .
oder, — wenn ſelbſt Herder hier hinken kann — ſage
Sie mir myn Her van der Donderblonderdegewdenſtronke
ſind Sie etwa ein Gehender?

eil er Ohr und Zunge schon ganz zu diesem Gedichten
ewöhnt, und alles auch musicalische Leben sonst in der
Sprache fühlt — Kurz! er wünscht sich dieses oder
ines bessern belehrt, und warnt blos Nachahmer, deren
s in Deutschland sogleich hundert Arten giebt, auch
ür früheiliger Nachstümperung dieser Sylbenmaaße,
ie bey ihnen vollends unerträglich werden müßten.
ier hat der Dichter seiner Materie zugleich sein Syl=
enmaaß eingehaucht, und jene mit diesem belebet: wie
ber? wenn dieß Sylbenmaaß ein dürrer Leichnam
äre oder elend nachschlepte.

Ein Theil dieser Oden ist schon bekannt und zum
heil abgedruckt gewesen — welche Critik in den Ver=
nderungen! mit welcher Jugend! mit welchem Geiste!
ierzu wird nun wenigstens die elende Sammlung Klop=
ocks poetischer und prosaischer Schriften einigermaßen
räuchlich; die sonst aber in allem Betracht falsch, feh=
erhaft und erbärmlich geworden.

Wo Klopstock die Alten nachahmt: mit welcher
igenheit, mit welchem Geiste! Man sehe die erste
de des zweyten Buchs, und mehrere in diesem Buche:
sonderheit das große Pindarische Gebäude Wingolf;
as mir indeß in seiner alten Griechischen Gestalt doch
och mehr Jugend und Naturgeist zu athmen schien als
n seiner correctern Form. Das große Bild von Hebe
on der Berecynthia aus Catull sind verlohren gegan=

gen und das Stonehenge der Freundschaft ist damit do[
nicht in einem griechischen Tempel verwandelt.

Die verzweifelten Gleichnisse! durch die man, auch den u[
richtigsten Critiken, ein blendendes Ansehen giebt! Klo[
stock hatte diese Ode in früheren Jahren gedichtet m[
griechischer Mythologie. Als er später die nordische li[
gewann, änderte er sie durchgehends, so wie die ei[
Schrittschuhode. —. Und so mußten denn freylich die B[
der von der Hebe und Berecynthia ausgelassen werde[
Hat aber die Ode nicht auch wieder neue nordische B[
der gewonnen, die jene ersetzen? Bedauern hätte Herd[
immer jenen Verlust mögen; aber nicht ohne den Ma[
zu loben, der reich genug ist, solche Aufopferungen thu[
zu können, und streng gegen sich selbst genug, sie zu thu[
Wollten wir uns in Gleichnissen herumbeissen, so möchte i[
H. fragen, ob denn ein Stonehenge nicht einen griech[
schen Tempel wehrt seyn kann? Das weiß der Himme[
wann ich so einst im Winterkasten bey Cassel war, u[
der geringste Schall die majestätischen Gruppen aufg[
thürmter Felsensteine wie ein Donner durchlief, und i[
die blühenden seegenvollen Thäler aus den Wolken übe[
sah — nein! ich bedauerte nie, daß ich nicht in eine[
eleganten corinthischen Gewölbe stand — etwa mit d[
Aufschrift: dem Amor gewidmet!

Wo endlich Klopstock im Guße seiner Empfindu[
und im Fluge der Phantasie Gedanken einwebt (m[
erlaube uns den Schulausdruck, an den uns uns[
Metaphysik leider! schon gewöhnt hat — welche Geda[

n!.... Man lese den Gesang an den König! den Zürchersee! den Rheinwein! welche innere tiefe Philosophie des Lebens! — Die Oden an Cidli, welche Metaphysic der Liebe! die aus dem lezten Buche, welche hundert feine Sentiments über Sprache, Dichtkunst, Sylbenmaaße, nordische Mythologie, Vaterland, u. s. w. Nur freylich hätte, wer blos pensées sucht, eben den schlechtesten Theil der großen Seele Klopstocks.,,

Bis hier Herder. Und nachdem ich so weit seine Schritte begleitet, trenne ich mich wieder von ihm; und wenn er will, mit herzlichem Handschlag. Denn er sprach viel wahres vortreflich; und was er falsch sprach, doch bescheiden. Antwortete ich lebhaft, so wird ers mir verzeihn; er der so selten Ansehen der Person hat. Es ist mir nur um die Wahrheit zu thun; und der gallischen Höflichkeit rühme ich mich nicht. Sie hat unsern Umgang so schaal gemacht — soll sies auch unsre Schriften? —

Klopstock! Klopstock! großer Apostel des Eislaufs! ich habe Ihnen eine Neuigkeit zu berichten, die sie freuen wird. Ich habe einen Proselyten gemacht! Einen Heiden zum Christenthume bekehrt! und ich rechne die für eine starke Acquisition. Denn sehen Sie, daß

Sie so gern auf dem Eise sind, der herlichen Natur u[nd]
Bewegung sich zu freuen, das geht noch ... Di[e an]=
dern ..... wissen Sie wohl — Aber, dieser Pro[se]=
lyt ... . unerhört! werden Sie sagen, und i[ch]
sehe auch im Geiste so manche Perücke darüber gesch[üt]=
telt, so manche ironische Nase gerümpft! Aber .. b[ey]
allem Respect vor den Knotenperücken und den ironisch[en]
Nasen, ... weil sie so wenig in Conto bey uns umko[m]=
men ... wir wollen das gut seyn lassen, und ich w[ill]
mich des Proselyten rühmen.

Denn er hats heute schön bräv gemacht. Und i[ch]
habe ihm die Lection ertheilt. Abend ists; ich bin mü[de]
aber nicht matt, und habe noch Schreibelust genug, [um]
von eine lange und breite Erzählung zu machen. [Neh]=
men Sies auf, wie Sie pflegen, mein planloses G[e]=
schwäz. Denn was Sie so feyerlich gesungen hab[en,]
der Eislauf, davon muß ich einmal verzeichnen, w[as]
ich weis — nicht zu Ihrem Unterrichte; Sie sollens n[ur]
lesen, und mir sagen, ob ichs wohl behalten habe? U[nd]
fehlt meinen Eiskenntnissen was, versteh ich Sie n[och]
nicht ganz; so gebe Gott, daß Sie selbst herüberko[m]=
men mögen, Ihr Werk zu vollenden. Die Tage s[ind]
heiter; der Weg ist hart. Leicht rollt ein Wagen h[in]=
ber weg, und was will Ihre Alster gegen den weit[en]
Hafen hier, der so eine Meile ins Land sich erstre[ckt,]
und von dem ich so gute Hofnungen habe, daß er d[ies]
Jahr sich ganz belegen wird. Kämen Sie nur!

Also, ich hatte Holken so viel davon vorgeredt, was
es eigentlich sagen will: Eislauf! Sie ihm so gemahlt,
mit aller Ihrer lebendigen schrittschuhläuferschen Grazie!
wie Sie so eine Art von neuern Tialf wären! einherzu-
schweben mit Eichenlaub bekränzt! den tönenden Stahl
unterm Fuße, die Schönheiten der Winternatur zu pre-
sen; hatte ihm das alles erzählt, wie ich Sie einst
auf dem Eise gesehen, ach die schönen Tage, die wir in
Ungbye hatten, erinnern Sie sichs noch? da die große
Schlittenfahrt von Copenhagen aus angestellt ward,
am Tage des Eisfests, Münters, und Preislers, und
Willhelmi's, wo Meinichen den holsteinischen Bauern,
masquirt, so spielte, daß wir alle vor Lachen nicht essen
konnten, wenn er schamlos die Puterkeule mit den
Händen zerriß, die Instructionen von den la Callmets,
unsern vorjährigen Lauf in Hamburg (da schwieg ich
her wohl von dem verstauchten Fuß!) und so weiter!
Das machte ihm alles große Lust, und Eindruck viel.
Sein Blut läuft auch noch mit Kraft in seinen Adern,
und gottlob die Hofsluft hat sein Gefühl nicht vergiftet,
noch die Pest des qu'endirat'on seinen Natursinn erstickt!
Es ward also kurz beschlossen, man wollte es lernen;
Anton mußte nach meinen Schrittschuhn auf meinem Gelten herein; und sie kamen gegen Mittag.

Nun wars die Frage, wo gelaufen werden sollte.
Der Hafen . . . ja der war noch nicht zu. Die Fuul-

see hat Tiefen, wie Sie wissen; im Schilfe ists nimm
sicher gnung! die warmen Quellen ··· eine hab i
einmal von ferne gesehen, an die ich denken will ··
das Wasser sprudelte in kleinen schreckenden Bläsche
herauf. Drum ward beschlossen; erst, auf dem Pferd
teiche; denn ist auf einer Wiese ein artiges Wasser übe
getreten, vollkommen sicher. Vollkommen sicher! sag
ich zur Gräfin, die von Anfang an große Augen g
macht, und eben nicht sehr zufrieden damit war. Den
wie Sie auch wohl aus Erfahrung haben werden, d
lieben Furchtsamen sind so dem jüdischen Glauben zug
than: Moses habe keine Balken unter das Wasser g
legt; und sie träumen von nichts, als Quellen. A
gründe sind auf dem Pferdeteiche nicht, sagt ich; al
können Sie sicher seyn; ich schwörs, beym Lernen bi
ich auch nicht einmal gefallen, und wollte Gott, ··
auch Sie wären zu bekehren! denn fängen wir von de
ersten Tritt mit dem auf der Flut Sophia zitterte .
klein ist ihr Fuß! und blinkend ihr Stahl! — — f
lächelte; es schien als regte sich Wunsch in ihrem He
zen. Doch dieses Werk sey Ihnen aufbehalten. W
sagt, was geschieht, wenn Ihre Beredtsamkeit ··
der Himmel weis, es giebt nichts Gutes, dessen Si
nicht fähig ist. Zwar spricht sie noch unehrerbietig von u
serer Kunst. Schrittschuhe gehen, sagt sie: Gehen
Tanzen! sollte sie sagen — schweben! — und hätte d
Sprache noch ein edlers Wort! — Nach einigen Wa

ingen denn, die sie ihm gab, und Küssen, und Bit-
n, sich ja inachtzunehmen, litt sie es doch. Wir gin-
n hinaus, und er schnallte an. Freylich muß man
st buchstabiren, ehe man lesen kann; und ein Stuhl
nterstüzte den Lernenden. Ich stand am Ufer und pre-
gte, Ihr Jünger, und moralisirte das Ufer entlang . . .
chande für die Menschheit! daß der Erfinder großer
ahme so oft in ewige Nacht vergraben ist! Wir lau-
n hier Schrittschuh, aber wissens nicht, wer zuerst...
Himmel! was ihr Geist grübelnd entdeckt, nuzen
ir; aber belohnt Ehre sie auch? Wer nannte Ihnen
n kühnern Mann, der zuerst am Maste Seegel er-
ob? Ach verging selber der Ruhm dessen nicht, wel-
er dem Fuß Flügel erfand? und sollte der unsterblich
cht seyn, der Gesundheit uns und Freuden erfand,
e das Roß muthig im Lauf niemals gab, welche der
all selber nicht hat? *) Von den Freuden, sagte
olf, fühl ich noch nichts. — Werden schon kommen!
er Anfang ist schwer. — Klopstock läuft also gut? —
h ein Meister! Ich redte ihm drauf vor von den Ar-
n; des Laufs vom deutsch und holländisch! Unser Apo-
el hat bis zum Holländer sich noch nicht emporge-
hwungen; aber sehr nah ist er doch der Spitze dieser

S 2

---

*) der Ball selber nicht hat.) Der Tanz, nicht, wie man
auch etwa nehmen könnte, das Ballspiel.

Kunſt. Auf Eiskünſte hat er ſich nicht gelegt; Poſſe
ſind das eigentlich! auch läuft er nicht eben äußer
ſchnell. Aber mit ſolchem Anſtand! —. "Nur Herz
Herz! ich ſehe das Talent ſchon keimen. Feſt a
Stuhl!„ — Erfinden muß er allenthalben; und auf
Eiſe auch, iſt ſein Nahme unſterblich dereinſt! Wer
wir ſo einen Tag auf der Cryſtallbahn zuſammen ware
ſo raffinirte er bis ins Unendliche! Einen regelmä
gen Tanz wollte er einrichten. Claudius, der pfeilſchn
läuft, und treflich ſpielt, war gewöhnlich mit. H
rief er denn aus, ich erfinde noch dem ſchlüpfende
Stahl ſeinen Tanz! Leichtern Schwungs fliegt er h
kreiſet umher ſchöner zu ſehn! "Nun, dächt ich, kön
ten Sie den Stuhl wohl laſſen. Je eher Sie alle
gehn, deſto beſſer!„ Von Claudius alſo! den mahn
er denn, er möchte Muſic zum Tanze componiren: I
kenneſt jeden reizenden Ton der Muſic, drum gieb de
Tanz Melodie! — Was für Inſtrumente? — Je
frage! Lolli wird auf dem Eiſe nicht ſpielen. — Hobo
und Clarinets! das wäre, wenn ich mir ſolch eine G
ſellſchaft denke! das wäre ein Lauf! Mond und W
höre den Schall ihres Horns, wenn ſie des Flugs L
gebeut! .... denn munterte er uns auf: O Jün
ling, der den Waſſercothurn —— (Cothurn! Soph
möcht' ihn gerne zum Soccus erniedren!) —— zu
ſeelen weis, und flüchtiger tanzt, laß der Stadt ihr
Camin! Komm mit mir, wo des Cryſtalls Ebne

inkt! Sein Licht *) hat er in Düfte gehüllt! Wie er-
üllt des Winters werdender Tag sanft den See! Glän-
nden Reif, Sternen gleich, streute die Nacht über
n aus! — "Brav! ohne Stuhl! — so! können Sie
cht auch bald Müllers Arm entbehren?„ — So brach
e fröhlich in entzückende Ausrufe aus! — Wie schweigt
n uns das weiße Gefild! Wie ertönt vom jungen
roste die Bahn! Claudius lief voraus; und das krei-
sende melodische Einschneiden des Schrittschuhs hört
an weit! weit! wenn auch der Nebel den Laufenden
hüllt! Fern, rief er ihm nach, verräth deines Co-
rns Schall dich mir, wenn du dem Blick, Flücht-
g! enteilst. — Er sorgte auch für den Mittag. Wir
en doch zum Schmause genug von des Halmes
icht und Freuden des Weins? Winterluft reizt die
ier nach dem Mahl; Flügel am Fuß reizen sie
or! . . . Sie waren unterdessen ein gut Stück We-
fortgekommen, und er raffinirte weiter auf den Tanz,
Eisnoverre! Claudius, wenden Sie sich nun, zur
ken, ich will zu der Rechten hin, halbkreisend mich
n. Nimm den Schwung wie du mich ihn neh-
siehst! Also! . . . nun fleug schnell, mir vorbey!
gehen wir den schlängelnden Gang an dem langen
schwebend hinab! . . . Einige, die mitliefen,

S 3

---

*) Sein Licht) der werdende Tag nämlich. —

machten Schnirkeleyen. Klopſtock commandirte: Künſt
nicht! Stellung, gezwungne, wie die, lieb ich nicht
zeichnet dir auch Preisler *) nicht nach! . . . . Dra
belehrte er uns ſehr weiſe und erfahren von den Vo
ſichtigkeiten auf der Bahn. Er ſezte das auseinande
Einen doppelten Schall gäbs auf dem Eiſe, erſt, wer
ſichs zuſammendrängt, der iſt hell und melodiſch . . .
dann ſpaltet manchmal das Eis, und iſt der Fluß gro
meilenweit hinunter; wers nicht weis, erſchrickt entſ
lich, und denkt, es bricht unter ihm. Aber auch, wen
ein Paar Tage gethaut hat, oder was noch nicht re
zugefroren iſt, giebts einen dumpfen gräulichen Kna

---

*) Preisler.) Dank Klopſtock, daß er auch dieſem Mo
ein Denkmal ſezt! Ein Künſtler, den Frankreich und
gelland mit tiefer Bewunderung ſeinen Willen und Str
gen zugeſellt, der unter den wenigen noch das Wa
Große der Kunſt, Zeichnung und Mannheit des Grif
aufrecht erhält, gegen den nur Deutſchland, ſeiner ſchä
lichen Gewohnheit nach, kalt und undankbar bleibt; r
er . . . kein Ausländer iſt! Und dabey ein eben ſo
benswürdiger Mann, als großer Künſtler! So ein ſo
tiſcher Wirth! Ein Mann wie ein Kind, in der faſt w
lichen Beſcheidenheit und ſtillem Dehmutsſinn! N
ſern vom Eisſee in Lyngbye hatte er die Werkſtatt
nes Genies; ein ländliches einfältiges Haus, das un
gaſtlich offen ſtand! Wie manche Stunde der Freude
ben wir in dieſem Hauſe verlebt!

it dems im Ernste zerbricht. Wir Lehrlinge wagten
s denn wohl zu weit auf den Strom, was nicht sicher
ehr war; hielten still wenns anfing zu knakken und
rchten nach der Insel hinauf. — Warum thut ihr
s? rief er. — Weg! Weg! — O, sagt ich, da
ufen ja doch welche! Kl. Sind nur unerfahrne Läu=
! Die Bahn ist nicht sicher da, sag ich! — Eher Wa=
n und Pferde auf dem Eise gewesen sind, und die Fi=
er drauf gefischt, und Waaken gehauen haben ists
rmessenheit drauf zu gehen. — Wissen Sie das aus
fahrung? fragten wir. — Das sollte ich meinen!...
o er wandte sich zu Claudius: Sonst späht dein Ohr
alles, vernimm, wie der Todeston wehklagt auf
Fluth! O wie tönts anders! wie hallts, wenn
Frost Meilen hinab spaltet den See! — Zurück,
er uns zu! Laßt nicht die schimmernde Bahn euch
führen weg von dem Ufer zu gehn! Denn wo dort
fen sie deckt, strömts vielleicht, sprudeln vielleicht
uellen empor! Dem ungehörten Wogen entströmt, *)
n geheimen Quell entriefelt der Tod! Glittst du
leicht, wie dieß Laub, ach! dorthin; sänkest du
, Jüngling, und stürbst! — — Sie können leicht
ken, daß Holk wissen wollte, was das für eine Er=

S 4

*) entströmt .. entriefelt) sich entgegen gesezt. Wie be=
stimmt!

fahrung war! ich mußts ihm erzählen. Die Geschich[t]
ist mir noch zu lebendig, zu schreckhaft. Gott! we[nn]
wir... wenn Deutschland Sie damals verlohren hätte[!]

Er war auch, sagt ich, eines schönen Winterm[or]
gens ausgegangen, auf dem lyngbyer See zu schwebe[n]
und ein Kunstverwandter, Beindorf hieß er, jetzt is[t]
Landprediger bey Oldenburg, begleitete ihn. Nun ke[n]
nen Sie ja wohl den See, den der sorgenfreyer Wa[l]
so schön umkränzt; und wissen vielleicht, daß er mit d[e]
friedrichsdahler durch eine schmale, wenn ich so sag[en]
soll, Meerenge zusammen hängt. Klopstocks Fehl[er]
ist zwar bey aller seiner Kühnheit Unvorsichtigkeit g[e]
rade gar nicht, und hier war um so weniger Gefa[hr]
weil schon viele Wochen her das Eis hielt, und a[lle]
Welt drauf umher lief. Aber eins wußte er nic[ht]
Denn,... und merken Sie sich das ja genau! zwey gro[ße]
Gefahren giebts auf dem Eise, die großen verborgen[en]
Ströme, und die warmen Quellen. Lange liefen [wir]
sicher auf den lyngbyer See umher. Endlich will [er]
hinüber auf den friedrichsdahler. Auch der war [zu]
und fest; aber der Zug Wassers der beyde verein[igt]
hatte die bedeckende Rinde auf dem kleineren See ni[cht]
dick genug werden lassen. Er wagts, weis das nich[t]
gleitet hin. Kaum ist er drauf: knaks! brichts! Er san[k]
Schwimmen kann er, aber schwimme mir wer im Ei[s]
wasser mit Kleidern. Doch arbeitete er sich durch; ab[er]
wie er eine Hand auf legt, sich heraufzuschwinge[n]

...icht das papierne Eis. Endlich schwimmt er an fe-
...es, altes an; aber neue Gefahr! der Strom hinter
...m drängt ihn, und drohet ihn unter das Eis zu sto-
...n. Zwanzig, dreyßig Anstrengungen, sind vergeb-
...ch, sich empor zu heben. So nah am Tode, hat er
...ir gesagt, hätte er sich völlig schon gefaßt gehabt, und
...ott seine Seele befohlen. Aber sein immer gegenwär-
...ger Geist verließ ihn nicht. Beindorf! rief er, der
...mmernd in der Ferne stand, und nicht näher sich traute,
...s hier ist das Eis fest! Her! bey Allem was heilig
...! ich bringe Sie nicht mit in Gefahr! — Beindorf
...at näher; erschrocken; voll Willen, ohne Rath, bleich! —
...lopstock wars, der in der Angst, der untersinkend bey-
...nh, Mittel der Rettung ersann. Beindorf stand am
...ande! Nicht stehn! rief er, da ist Rath! niedergekniet!
...it dem andern Schrittschuh eingehackt! Schnupftuch
...n die Hand! mir zugeworfen! — Beindorf thats, er
...griffs, noch ein Ruck! und er war oben! — Ach daß
...n Name nicht vergessen werde, der Klopstocks Leben
...nem Vaterlande erhielt!

Gott bewahre mich, sagte Holk, daß meine Frau
...nichts von dieser Geschichte erfährt. — Er hatte schon
...geschnallt; es war Mittag. Begier nach dem Mahl
...ar da, und Weins und Brodts die Fülle.

Den ganzen Nachmittag haben wir noch so verlebt,
...d Holk kam schon so weit, daß er allein ging. Große

S 5

Hofnungen hab ich von ihm, in ihm lebt und webt d[i]
ächte wahre Enthusiasmus des Eises. Den Abend [la]
sen wir Adepten noch Ihre beyden Oden zusamme[n]
selbst Sophia, die Ungeweyhte, nahm so herzliche[n]
Antheil daran. Ich der ich nun jede kleinste Beziehu[ng]
drinn wissen muß, o wie bewundre ich Sie! Kein U[m]
stand der Winternatur, so klein er auch ist, von Grö[n]
lands Eisgebirgen bis zu den Alpen hin ist Ihnen do[ch]
entwischt! Verzweifelt! wer je dran sich wagte, fänd[t]
nichts mehr. Es ist Alles Alles erschöpft.

Hier sind meine Erklärungen. Habe ich etwa[s]
übergangen, so sagen Sies mir. Ich sagte zu Holk, i[n]
dem ich vorlas:

Braga, es ist wieder eine seiner Grübeleyen üb[er]
die Erfindungen. Er möchte den Eisgang so gern u[n]
sern Vorfahren zuschanzen; denen er denn auch gebüh[rt]
Braga hats erfunden. Das ist der Inhalt. Ein G[e]
sicht, das der Dichter hat.

Wenn Sie erst weiter kommen werden in der Kun[st]
so werden Sie fühlen daß das Sylbenmaaß, (melodisch[e]
kenne ich keins,) den Schwung des Schrittschuhs so deu[t]
lich nachahmt! Aber das ist nur den Adepten enthüllt!

Die Scene ist des Morgens. Er hat früh, se[hr]
früh noch bey Mondenlicht gelaufen! und kommt nu[n]
herein, auf Sturzens Zimmer. Denn, unter uns! Stur[z]
sein Freund, der brave Mann! ists . . . der nicht son[n]
derlich gern lief, und über den er nach seiner Art spö[t]

te — ihn einen Sybariten schalt, den er hier anredt.
…les so was ist individuell im Grunde — hernach frey=
…lh generalisirt. *) Sie kennen ihn nun selbst, um mich
…cht miszuverstehn. Aber nicht genug reden davon kann
…ch, was das für ein Eiswesen war, damals in Copen=
…gen als er die Oden schrieb. Derselbe Mann, den
…eutschland als so einen ernsten Mann, als diesen tie=
…n Denker verehrt, weilte mit seiner ganzen Darstel=
…lngskraft auf solchen, sagen nicht die regelrechten Leute?
…leinigkeiten. Und das doch so weit von Affectation,
…m Gesuchten entfernt! Aller diese Details des Scher=
…s, doch von einer gewissen feinen Würde begleitet, daß
…die ernstesten Leute mit sich fortriß. Es sollte damals
…ne Academie der Eisläufer errichtet werden. In Bern=
…rfs Hause sprach man nur vom Wohl Dännemarks
…d vom — Eisgang! Er, Sturz, Claudius, Schön=
…rn, Gerstenberg ꝛc. die den Club ausmachten, kauften
…n allen Kupferhändlern und Nürnbergern alle Kupfer=
…che die Schrittschuhlauf behandelten auf, illuminirten
…e Figuren, theilten Würden aus, machten Inschriften

---

*) generalisirt.) So liegt Sturz hier zum Grunde in der
ersten Strophe; die zwente aber ist wieder allgemein, paßt
nicht auf ihn, denn er liebte die Jagd nicht vorzüglich. —
Allein wodurch erhalten Gemählde anders die Darstellung,
als eben durch das Individualisiren, das der Dichter her=
nach wieder zum Allgemeinen erhebt?

drauf. Ach! Kleinigkeiten, deren Erinnerung mir
süß ist! — Aber die Ode! —

Säumst du noch immer an der Waldung auf der
Heerd' und schläfst scheinbar denkend ein? Wecket di
der silberne Reif des Decembers, o du Zärtling, nic
auf? Nicht die Gestirne des crystallnen Sees? — S
haben doch wohl die sternartigen Figuren des Rei
auf der Oberfläche des Eises bemerkt? — die Morgen
wenn die Sonne aufgeht so blinken?

Lachend, spottend, erblick ich dich in der Wildschu
wie du eben von der Jagd kömmst! Blutig noch vor
Pfeil, welcher dem entscheidenden Blick in die Seite d
Eroberers *) schnell folgte, daß nieder in den Strau
er sank! — Schrittschuhvergnügen ist ganz ein ander
als das der Jagd! will er damit sagen.

Auf denn! erwache! der December hat noch n
so schön, nie so sanft, wie Heut über dem Gefilde g
strahlt! und die Blume von dem nächtlichen Fro
blühte noch niemals, wenn es tagte, so! Ach! di
Blume!

---

*) des Eroberers) der Wolf; obgleich dieß Individu
nicht derselbe Wolf seyn kann, in dessen Pelz er da st
Aber dieß einzige Wort erweckt sogleich in seiner See
die Idee des andern Subjects. Nun kanns kein Hirsc
kein Bär seyn, den er geschossen hat; es muß auch ei
Wolf seyn.

Neide mich! schon von dem Gefühle der Gesund=
eit froh, hab ich, weit hinab, weis an dem Gestade
emacht den bedeckenden Cryſtall, und geſchwebt,
lend, als ſänge der Bardiet den Tanz.

Unter dem flüchtigeren Fuße (ſingt er von ſeiner
orgenfahrt) vom geſchärften Stahl leicht getragen,
oll ſchnelleres Getöne der Bahn! Auf den Mooſen
dem grünlichen See., floh mit vorüber, wie ich floh,
ein Bild! — All das Moos, das Schilfgras das ſo
nter dem Eiſe einen grünen Teppich bildet! Das ſind
aturbemerkungen!

Aber nun wandelt' an dem Himmel der erhabne
ond wolkenlos hinauf, nahte die Begeiſtrung mit
m, o wie trunken von dem Mimmer! (Die Begei=
rung ſelbſt hat aus dem Begeiſtrungsquell getrunken.)
h ſah fern in den Schatten an dem Dichterhain,
raga! Es tönet' an der Schulter ihm kein Köcher
cht, (wie etwa, dem Apoll bey den Griechen,) aber
nterm Fuß tönete, wie Silber, der Stahl, da ge=
andt er aus der Nacht in den Glanz ſchwebt', und
ur leiſe den Cryſtall betrat.

Sing! (das iſt nun wohl nicht an den Zärtling
ehr gerichtet) — es umkränzete die Schläfen ihm
r Eiche Laub! — Sings, o Bardengeſang: ſchim=
ernder bereifet war ihm der beſchattende glaſoriſche
ranz! golden ſein Haar, und wie der Kranz be=
ft! — Vortrefliches Gemählde von Bragas Anblick;

und von der Würde seines Gesangs. Er war Apoll
Er besingt, Tapfere und Weise. Nur zwey Würd
kannten unsre Vorfahren: Helden, oder Barden u
Druiden, Gelehrte, zu seyn. — Feurig beseelt er
Saiten, und der Felsen lernts, denn die Telyn scho
Tapfere belohnte sein Lied, und den Weisen! von d
Ehren Wallhalls rauscht es im freudigern Strophe
gang.

Nun — was er gesungen hat: Es sind Kriegs
der von seinen Heldenthaten.

"Ha wie sie blutet', und *) den Adler aus
Wolke rief meine Lanze! — „ sang's! (sagt Kl
schwebte vorüber den Tanz des Bardiets wie in
kanen, — izt schnell, langsamer jezt mit gehalt
Schwung. Ein Paar Zeilen aus der innigsten Ken
niß des Eislaufs herausgeschöpft! —

"Schlaget, ihr Adler mit den Sittigen, u
kommt zum Mahl! Trinket warmes Blut! „ (F
sezung des vorigen Kriegslieds.) — schwebete den T
des Bardiets in dem schimmernden Gedüfte! So s
schwang sich Apollo Patoreus nicht her.

---

*) Ha wie sie blutet, und ꝛc.) Diese äußerst schnelle
führungen von Reden sind ich auch im siebzehnten
sange der Messiade S. 63. — eine schwere Stelle,
aus Vergleichung mit dieser ihr Licht erhält.

Leichtere Spiele der Bewegungen begann Brago
t, leichteren Bardenton: "Lehre, was ich singe, den
in! An dem Hebrus, wie der Grieche das träumt,, *)
er der Woge von Cryſtall erfand, dieſe Beflüglun=
des Stahls der den Sturm ereilt Thrazens Orpheus
bt! eilete damit auf dem Strom zu Euridice nicht
! (das Hineilen zu Euridice hat hier keine Beziehung
f den Eislauf, ihre Erwähnung iſt nur Characteriſi=
g des Orpheus) — Ich! der Sänger Walhallas,
drängt von Enherion, der Begeiſterer des Barden
d Skalden, der altdeutſchen und altdäniſchen Dich=
! ich! (tön' es Telyn laut! hör's du am Hebrus!)
nd dieſe noch ſchnellere Bewegung als Lanze und
urm haben, erfand vor der Lanze und dem Sturme
bey ſiegend zu ſchweben! Und den ſchönen Sohn
ohia (nun rechnet er alle auf, die je auf dem Eislaufe
ühmt geweſen ſind: Uller, Tialf, Harald, ders in
em alten Bardenliede, das uns die Edda aufbewahrt,
en erſten Wiſſenſchaften zählt.) lehrt' ich es! — Wie
ken ihm ſein Fuß und Pfeil! Lehrts Tialf, dem nie
er in dem Laufe voran, wie (als) des Zaubernden
eeltes Phantom tönte! **) (Da röthete der Zorn

_____

) wie der Grieche das träumt.) hat Kl. wirklich irgendwo
gefunden, daß die Griechen ſich dieſe Erfindung zueignen?
oder erdichtet er hier dieſen Umſtand? — Das leztere!
*) Wie des Zaubernden beſeeltes Phantom:) Die Edda
erzählt: Tialf und Thor hätten eine Wandrung ange=

Tialf!) — Lehrt' es den tapferſten der Könige des ┊
hen Nord; Dennoch floh vor ihm Ruſſiens Ellis┊

ſtellt, ihre Kräfte auf Erden zu prüfen. Ueberall hät┊
ſie geſiegt, aber endlich in dem Lande eines Rieſ┊
Skrymner, der zugleich ein Zauberer geweſen, wä┊
ſie in allem beſiegt worden. Im Ringen, im Laufen,┊
Trinken, endlich auch im Eisgang. Aber alles du┊
Zauberey. Skrymner hätte nämlich, ſtatt eines Menſch┊
ein Phantom mit Tialf in die Wette laufen laſſen.┊
Hier! wenn man die Geſchichte leſen will in einem Fr┊
mente . . . : Tialf: Hier, Rieſe ſteh ich beſchuht┊
Flügeln des Sturms! Komm ſtreite mit mir in dem L┊
hier auf dem blinkenden Eis! Ich fodre dich laut z┊
Tanze des Eisſtahles auf! Auf! auf! und zögre n┊
mehr! Beflügle dich bald! und wafne mit Eile den ┊
Siehſt du am Ende der Bahn, beym fernen Gebüſch┊
ſchimmernde Pforte von Eis? den hellen Spiegel ┊
Sonn' im farbigten Hang, wie er mit blendendem ┊
den Thau der Blumen beſtrahlt? die ſez ich zum Ziel┊
pfeilverfolgenden Laufs! — Skrymner: Ha Jüng┊
wähneſt du daß im ſchwindelnden Tanz der Rücken ┊
Stromes mich trägt? Vor des Gewaltigen Tritt zerb┊
das Eis, zerſpaltete krachend die Bahn! Doch wenn┊
Fluge des Nord zu ſchweben du meinſt, ſo ſteige n┊
Sohn von dem Fels, der dort in Wolken ſein Haupt ┊
hüllet herab! Dann ſieg' in dem Laufe des Stahls!. T┊
Er komm' er komme nur her! vom Felſen herab! ┊
ſtreite mit ihm um den Sieg! und fleugt er nicht ┊

tt' ihn denn geflohen der Unſterblichen Stolz; Noſſa
nn, Thörinn? . . . .

Er entſchwebt, ſagt Klopſtock, und es wehet ihm
n goldnes Haar. Seiner Ferſe Klang, fernte ſich hin=
am Gebirg — des einſchneidenden Schrittſchuhs Ge=
! bis er endlich in der Düfte Gewölk unter dem
nge des Gebirgs verſchwand.

Endlich kamen wir zur dritten; mir die liebſte! —
ie richtig zu überſehen, muß ich Ihnen ſagen, daß ſie
lb dramatiſch iſt und halb erzählend; mit den zwey
orten werden Sie aus dem Hanfe finden. Drama=
he Oden! freylich eine Gattung, wovon unſere Theo=
n nichts wiſſen, aus der kleinen Urſache, weil Klop=
ck der erſte iſt, der welche gemacht hat. Man hat
ar wohl dialogiſche Oden (wie die vom Horaz zum
empel: Donec gratus eram tibi.) allein keine dra=
tiſchen. Da iſt ein ſehr weſentlicher Unterſchied zwi=
en. Halb geht die Sache, von der die Rede iſt, unter
n Barden Wittekinds ſelbſt vor, und halb erzählt der

Orkan aus Norden vorbey, ſo ſieget ſo ſieget, er nicht! . . . .
Iſt das, o Rieſe dem Sohn am Ende der Bahn? Ha fürch=
terlich rc. . . . . . Geſieget haſt du, geſiegt! da wiegt
er ſchon am Horizont' im Triumph! und des Unſterbli=
chen Stirn färbt glühende Schaam, umſonſt mit der
Röthe des Zorns!

T.

Dichter durch Heinings Mund was nachher noch vorg
gangen ist. — Aber versetzen Sie sich ganz in die Scen
Laßen Sie Wlid einmal Klopstock seyn, und Heining Cla
dius. — Den: so ists. Es war ein ewiger Zank unter ihn
über schnell und langsam. Claudius schoß hin auf dem E
wie ein Pfeil, und Klopstock strafte ihn: der Eisla
verlöhre alle Grazie dadurch; die arbeitenden Glied
der gestreckte Leib ... Stellung wie die; lieb ich nicht!

Klopstock, Claudius auf dem Eise; einem lang
Flusse, der nach einer Stadt führt, wo ein Ball vero
redet ist. Wandor und Hlyda, Braut und Bräutiga
sollen auch hin; und wer fährt wohl auf Wagen, we
man zu Schrittschue und Schlitten wohin kann. T
sind voraus schon; haben Musik mit; Einige ihrer Z
gleiter tragen Flaschen Weins und Becher, zur Erf
schung auf dem Wege. Das weis Claudius wohl; Kl
stock nicht. — Claudius läuft voraus.

Klopstock: Wie das Eis hallt! .... Töne ni
vor! ich dulde das nicht! ... Wie der Nacht ha
glänzt, auf dem stehenden Strom! ... Wie fliegest
dahin! mit zu schellem Flug scheuchest du Nossa weg

Claudius (der noch immer, ihn zu überraschen,
Ursache seines Vortönens verschweigt:) Sie schw
schon nach! Bardenliedertanz *) hascht Pfeile wie

*) Bardenliedertanz.) hier: der Eislauf. Zu den
dern der Barden wurde Waffentanz getanzt. Wat

...inglinge Bogen sie entfliehn! Wie rauschet ihr Gefie=
...r! Ereile sie vor mir! Nossa schwebet schon nach!

Klopstock (ironisch:) Pfeilverfolger! reize sie
...ht! Verachtet kehrt sie nicht um! ich seh es, halt
...n, ich seh es, sie zürnt! Das Wölkchen Laune däm=
...rt schon auf ihrer Stirne. — Indem so haben sie
...e zweyte Parthey, Wandor, Hlyda, ins Auge gefaßt,
...d es ergiebt sich warum Claudius so lief:

Claudius: Siehest du sie kommen bey dem Felsen
...um, in dem hellen Dufte des schönsten der Decem=
...morgen? — Wie schweben sie daher! Besänftigen
...r mir Hlyda die Zürnende!

Klopstock (der sie sieht, aber noch nicht unterschei=
...kann:) Wer ist es? Wer kömmt? Wie verschö=

T 2

---

nicht auch Schrittschuhtanz? — Der Sinn: 'Eislauf muß
pfeilschnell seyn! gar schneller noch! muß Pfeile haschen,
ereilen können!,, (die höchste lyrische Versinnlichung: ich
wage das Wort!) Allgemeiner Satz: Eislauf . . pfeil=
schnell! So gleich sieht er das Bild realisirt. Schon
rauscht ihr Gefieder! Schon fodert er Wlid auf: Er=
eile sie vor mir! Lauf noch schneller als ich! — Nossa
schwebet schon nach; mit der Grazie hats gute Wege! —
Besänftigen soll mir Hlyda die Zürnende! . . . um so
einer Ursach kann man wohl grazienlos laufen! —
Mir ists hierbey als ob ich Klopstock mit * * * über
Schackespear und Göthe streiten hörte.

nen sie den schönsten der December morgen! Ha, r[e]
du Beleidiger der Göttinn! Wer sind sie, die daher
dem weissen Dufte schweben? ... Wie des Jäge[r]
Lenzgesang aus der Kluft zurück, tönt unter ihr[e]
Tanze der Crystall! Viel sind der Schweber um d[ie]
leichten Stuhl, der auf Stahlen wie von selber schlüp[ft]
... Und Sie die in Hermeline gehüllt, auf dem eile[n]
den Stuhle ruht, und dem Jüngling horcht, der hi[n]
ter ihr den Stahlen der Ruhenden *) Flügel giebt? –

Claudius: Um des Mädchens willen beleidigt [sie]
Nossa, darum versöhnt sie die Göttinn mir! Der Jün[g]
ling liebet das Mädchen; sie liebet ihn. Sie feye[rn]
heute des ersten Kusses Tag! (Nun sind sie ihnen so n[ah]
gekommen, daß sie sie abrufen können. Claudius r[uft]
sie an:) O du in die Hermeline gehüllt, und du, (Jün[g]

---

*) Stahlen der Ruhenden rc.) In ganz Oberdeutschl[and]
muß diese Stelle dunkel seyn. Denn so viel ich we[iß]
giebts eigentlich nur in Sachsen und Niedersachsen di[e]
Art von Vergnügen auf dem Eise: kleine Schlitt[en]
mit Kufen von Stahl für Einen eingerichtet, die
Schrittschuhläufer durch Anstoß von hinten regiert [und]
windschnell forttreibt. Das ist eine Art; auch hat m[an]
hier zu Land noch eine Andre, die der gemeine M[ann]
Peeckschlitten nennt; wo der Schlittner hinten auf s[ie]
und sie durch eine Stange mit einem Stachel bewegt [und]
regiert.

ng), mit dem Silberreif in dem fliegenden Haar, wir
nzen ihn auch den Bardenliedertanz, und feyern
er Fest mit euch! — Wandor (der darauf
twortet:) Willkommen uns! Ihr tanztet ihn schön
n säuselnden Schilf herab! Nur ein Gesez: Wir ver-
ssen nicht eh den Strom, bis der Mond am Himmel
kt!... Weit ist die Reise zum Tanz in der Halle, der
t dem sinkenden Monde beginnt! Ihr müßt euch
rken! die Lauscherinn hier (sie hatte ihm ja ge-
rcht,) liebt flüchtigen Stahl! — — Du Schweber
rt (zu einem der Begleiter, der den Wein trägt,) mit
r blinkenden Schale dort! Den! (Wein) den der Win-
des Reins kelterte! den!.. und die Schaale voll
zum Rand herauf! im Fluge geschwebt! doch kein
opfen fall auf den Strom!... (Der Vers sagt für
n Eisläufer wieder mehr als drinn steht. Denn sehen
ie, das gehört zum Hohen der Kunst, mitten im
chwunge voll einzuschenken, und nichts zu verschüt-
! —) — So rund herum, und dann der Hörner
chall zu altem Brautgesanges Tritt! zu diesen Bragas
chtigsten Reihn, auf dem Sternkrystall. —

Nun hört die Ode auf dramatisch zu seyn und wird
zählend. Später, nachdem Eislauf, und Tanz und
es vorbey ist, sagt Heining uns denn wies weiter den
g gegangen:

Wandor sang das, und die weiſſe Hlyda glitt a
dem Zuge des Stroms; *) die Hörner tönten hinter i
her. An den beyden Ufern eilten um ſie die Begl
tenden, und wogen ſich leicht auf der Schärfe d
Stahls.

"Wie glatt iſt der ſchimmernde Froſt! Schall d
umher **) in dem Felſen, nicht hier, mit dem Str

---

*) auf dem Zuge des Stroms.) Man weis, daß auf
Strömen ſelbſt gewiſſe Richtungen des Waſſers ſind, ſ
ker flieſſende Züge, etwa wo ein Bach hineinläuft. —

**) Schall dort umher ꝛc.) Wie anſchaulich alles! wie
bendig gemahlt! Es iſt Morgen, zur rechten Seite ſche
die Sonne, ſie lehnen ſich rechts an ihren Strahl, (
ſeine Kunſt kann, weis das; zum Erhabenen des La
gehörts, ſich wechſelsweiſe ſo tief auf jeder Seite nie
lehnen zu können, daß man mitten im Schwunge ei
Strohhalm vom Eiſe aufnimmt.) zur Linken weht
ſanfter Wind! ſie lehnten ſich links an die wärm
Luft . . . verwüſtendes Beil! . . die Fiſcher hauen
Aexten Oefnungen ins Eis damit die Fiſche nicht e
cken; dieſe nennen wir eben in Niederſachſen Waak
dadurch wird die Eisbahn gefährlich und verdorben. —
Auch ſind die Stachel bey den Peeckſchlitten, der Eisſpo
und die geſchärften Hufe der Pferde ihr Verderb.
Wir brachen beym Laufen oft in recht tragiſche Kla
über die Sachen aus. — — Längſt dem Fluſſe ſind M
der. . . . man ruft ſich zu . . . jubelt vor guter Dinge

nab, hau droben im Walde, verwüstendes Beil! „
Wir sangens, und lehnten uns rechts an den wär-
menden Strahl! — „ O Bahn des Crystalls! Eh sie
im Schlittner den Stachel reicht, eh sie durch Schär-
ung den Huf, durch den Eissporn den Wanderer
 übert, erstarr, erstarr, an der Esse die Amboshand!
Wir sangens und lehnten uns links an die leisere
Luft. — Wir sangen der Eisgangs Lieder noch viel.
Dem Weste dem Zerstörer ach! wenn die Blume des
nächtlichen Frostes welkt! von der Tücke des verborg-
nen warmen Quells, da der schöne Jüngling sank!
Er schwung sich herauf, sein Blut färbte den Strom,
dann sank er wieder und starb! .... Von dem bräun-

T 4

es tönt wieder .... man kommt vor Ruinen einer alten
Burg vorbey ... Welch ein Anblick! die herüberhan-
genden Bäume, die sich im glatten Eise spiegeln! ...
tiefer in den Wäldern wird Holz gefällt; die dumpfen er-
schütternden Hiebe der Axt schallen laut uns entgegen
durch die elastische Winterluft!.. man zeigt sich die Stelle,
wo neulich, ach! ein Unvorsichtiger ertrank,.. man läuft,
wetteifert.. spricht von allem was zum Eise gehört ....
Klopstock erzählt von seinen Reisen ... wies in der
Schweiz damit ist? .. wie in Holland? ... da laufen
die Weiber mit! .... wir jammern daß wir bald nicht
mehr laufen werden können! über den Westwinst! den
Zerstörer! über den Schnee! so bald der auch fällt, so ist

lichen Hirten, *) der schneller die wartende Braut e[r]
eilt, getragen auf dem Flügelschwunge des Stahls, hi[n]
die hundertfarbige Pforte vorbey, dem siegenden Wi[n]
ter auf der Gletscher Höh wie Bogen der Triump[h]
gebaut, dort den Klee des Thals vorbey, und d[er]
weidende Lamm .... von der kahnvern chtend[e]

---

in zwey Stunden alles vorbey —— — wir streiten d[ar]
ber, was besser ist; Skylauf oder Eislauf? Skyla[uf]
sagt einer ... wie viel schneller geht das! ... nei[n]
Eislauf! sagt Klopstock ... denn bedenken Sie nur [–]
Stellen Sie sich einmal vor, sag ich, so eine Bahn [wie]
hier; und wenn nun Laub und Blüthen am Ufer wär! ...
Ach! sagt er, zu viel Glückseeligkeit fürs menschliche [Le-]
ben! ... Das wird für dem Himmel einst seyn! ruf[t er]
aus, darum fließt der Crystallstrom unter den Palmen.
und weiter gehts .... O! ich bin da so oft mit [ihm]
gewesen, und glaubts mir nur, da ist kein winzig[er]
Umständ den sein treues poetisches Auge nicht auffaßt u[nd]
darstellt! — — Keiner!

*) Von dem bräunlichen Hirten re.) In der Schw[eiz]
läuft auch der Schäfer, oder es wird wenigstens h[ier]
angenommen. Eine dort recht locale Naturschönheit
folgendes, was er mir erzählt: An den Ausgängen [der]
hohen Thäler der Gletschergebirge liegen oft ganze S[trec-]
cken von Eise an deren Seite man Weide findet. Ob [die]
Hirten auf diesem Eise immer gute Bahn haben, da[ran]
ist nichts gelegen.

locke! (ach, ſie verſcheucht den Waller, auf beſtirn=
m Cryſtall, wie der Gewitterregen den Waller im
rchblümten jungen Graſe,) ... von des Normans
ky ....*) (ihm kleidet die leichte Rinde der See=
und; gebogen ſteht er darauf und ſchießt mit des Bli=

T 5

---

*) Von des Normans Sky.) Das weis der deutſche Leſer
nicht. Eine norwegiſche Kunſt. Er ſagte mir, Graf
Schmettau habe es ihm auf dem beſchneyten Terraſſen
in Friedrichsberg gezeigt. Die Skys ſind anderthalb El=
len lange, krummgebogne Schuhe von Baumrinde mit
Seehundsfell überzogen, faſt in Geſtalt eines Kahns, auf
denen die Normannen in ihren Gebirgen durch den ſonſt
impaſſablen Schnee des Winters ihre Reiſen machen;
auch jagen. Auf Ebenen laſſen ſie ſich nicht brauchen.
Es koſtet unendliche Mühe, bergan damit zu gehen, aber
bergunter fahren ſie darauf mit der Schnelligkeit des
Blizes. — In Norwegen, in den Fielden, die es von
Schweden trennen, hält der König ein ganzes Regiment
Nationaltruppen von Skyläufern. Iſt wer ſo neugierig,
ſo findet er eine Beſchreibung und Abbildung davon in
Pontoppidans natürlicher Geſchichte von Norwegen. —
aber ich bitt euch! welche Verſe für den Vorleſer ...
dieſer blizſchnelle in Jamben und Anapäſten! ◡ — | ◡ — |
◡ ◡ — | — ◡ | ◡ ◡ — | ◡ — | ◡ ◡ — | ◡ — | und dieſer
faſt nicht in einem Odem zu leſende, mühſame, in Tro=
chäen, Spondäen und Dactylen! — ◡ | — ◡ | — ◡ |
— ◡ ◡ | — — | — — | ◡ ....

zes Eil, die Gebirg herab! arbeitet dann sich langsam
wieder herauf am Schneefelsen. Die blutige Jagd trieft
ihm an der Schulter, allein den Schwung, die Freude,
den Tanz der Lehrlinge Tialfs kennt er nicht! oft schleu=
dert sie (diese Lehrlinge) ein Orkan als in Schwindel
vor sich her, am vorüberfliegenden (wie optisch!) Fel=
sengestad' hinab. Schnell, wie der Gedanke, schweben
sie in weitauskreisenden Wendungen fort, wie im
Meere die Riesenschlange *) sich wälzt!

Noch, (hier so viel als: ferner) sangen wir von dem
ersten Tritte, mit dem auf den Teich Ida zitterte
Klein war ihr Fuß, und blinkend ihr Stahl. Sie hatt
des Stahles Band mit silberbereiftem Laube und röth=
lich gesprengten fliehenden Fischen gestickt. Ein lachen=
der, lieber, griechischer Vers. — Warum aber, dach
ich oft, wenn ich das las, denn eben mit fliehenden
Fischen gestickt? Fische stickt man ja nicht auf Band
Bis ichs endlich selbst auf dem Eise sah: warum. Ich
betrachtete den durchsichtigen Boden, und sah wohl ein
hundert Fische wie kleine Pfeile dicht unter meinen
Füßen vorbeyfliehn. Die (diese) Lieder sangen wir
iezo dem Wiederhalle der Wälder sie, iezo den Trüm=
mern der alten Burg, und tanzten fort, bald wie au

---

*) Die Riesenschlange.) Wieder ein ganz local norwegi=
sches Bild aus der Edda. Die große Meerschlange, vor
der sie dichteten daß sie die ganze Erde umzingelte.

Flügeln des Nords den Strom hinuntergestürmt! bald wie gewehet von dem leiseren Weste. Nun sank, ach viel zu früh! der Mond am Himmel herab. Wir kamen zum regelreichen Tanz in der lichten Halle, und dem lärmenden Heind, auf dem die junge Tanne sank. Wir kosteten nur mit stolzem Zahn *) von der Halle Tanz, und schliefen, zu der Nacht den Tanz, gesunden Schlaf.

Und nun leben sie wohl, Bester. Kommen Sie her, wo möglich. Denn das wird Sophia versöhnen. Erst ist sie mir gram, daß ich ein Verführer des Volks bin; und Ihnen nun doppelt. Ihnen der Sie doch alles Unheils Quelle recht sind. — Haben Sie mich das nicht alles gelehrt? Auch ist noch eine Scharte auszuwetzen, für Sie. Und rathen Sie die einmal! Welche?

Sie ist eine Norwegerinn. Im Larwig sind der Skyläufer viel. Und Sie haben das unter den Eisgang herab gesezt. Patriotisch ist sie auch, nicht minder wie Sie. Wenn Sie das nicht selbst versöhnen können: ich kanns nicht.

---

*) Zähne von der Halle Tanz.) Ist dir diese Methapher zu hart? dem Dichter war sies nicht. Wer von den beyden hat Recht?

Sturz sagt, er habe die Briefe über Klopstock gelesen; *) und möchten sie doch für den größten Haufen
manch unwichtiges **) enthalten; ihn interessirte jede

---

*) Sturz wirds mir verzeyhen, daß ich seinen Brief hier
herein verpflanze. Ich danke ihm, und wünsche viel solche
mehr, von seiner Bemerkungskraft, seinem Gefühle, seiner Einsicht und seiner Freundschaft.

**) Manch unwichtiges! .... aber doch nur für den größten
Haufen? So laß ichs gelten. Denn Sie sind nicht einsei-
tig genug mich darum strafen zu wollen. — Sie wissen
daß: Kleinigkeit, interessant, Publicum sehr relative Begriffe sind. Was dir Kleinigkeit ist, ists vielleicht mir
nicht. Interessant! habt ihr jemahls geliebt? ob euer
Mädchen roth trug oder blau, interessirte die Welt so viel
als nichts, aber euch, und euren Nebenbuhlern hing
mehr dran, als an der Wohlfahrt des römischen Reichs.
Publicum! Was ist Publicum? Welch Buch, welche
Wissenschaft, welche Begebenheit hat jemahls das Publicum interessirt? Und welcher Mensch hat denn die Regel festgesezt; daß Sie, Sturz, z. B. nicht mein Publicum seyn dürften, wenn es auch Sie allein interessirte,
was ich niederschrieb.

Auch ist nicht alles Kleinigkeit, was dem unbemer-
kenden Kopf im ersten Augenblick Kleinigkeit scheint.
Nichts kann beym großen Schriftsteller so heißen, was
irgend eine Stelle seiner Schriften zu erläutern, oder ir

Mine des Mannes, den er mit warmer Zärtlichkeit
liebte; alles erneuerte ihm den Genuß besser — ver=
gangener Zeiten.

---

besseres Licht zu sezen, oder zu vertheidigen dient. Wenn
ich erzählte, daß Klopstocks Nase die Potpourris nicht
leiden kann, die vielleicht Ihnen und mir sehr ange=
nehm duften, daß Sophia, ein berühmtes Recept da=
zu hat, und sie denn selbst des Sommers von den Laven=
delbeeten und Rosenhecken bereitet, daß Klopstock lezt
dazu kam, wie wir alle, und Windeme und sie darum
herum standen — und sagte: pfui, gehn Sie doch von
dem garstigen Zeuge weg! — "das wollen wir wohl blei=
ben lassen, denn wir mögen sie nun gern! — „ ich ver=
wette mein Leben, man wird schreyen: was das für Klei=
nigkeiten sind! der Thor! ders drucken läßt, ob Klopstock
eine Olla potrida lieblich oder übel duftet!

Gut! — und nun gehn Sie hin, und lesen die Fa=
bel von ihm, über den Mann, der in einem kleinen Ca=
binette die Originalwerke, und in einem großen Saale
die unzähligen der Nachahmer und der Ausschreiber ver=
wahrte; der jene seine Blumen, diese nach einer wört=
lichen Uebersetzung des französischen Ausdrucks, seine
verfaulten Töpfe nannte; der, wenn einer zu ihm kam,
es bald weghatte, wohin er, wenn er seine Bücher zu
sehen verlangte, ihn führen müßte; der nur selten je=
manden ins Cabinet zu führen Gelegenheit fand, son=
dern gemeiniglich mit den Leuten in den Saal ging, die

Als ich, fährt er fort, im Hause des unsterblichen
Bernstorfs mit ihm lebte, mein Herz mit ihm theilte,
über alle Wünsche glücklich war unter den besten, edel
sten Menschen — heiterer Morgen einer trübern Zu

Deckel links und rechts aufmachte, und sie hinein riechen
ließ: — (Gelehrten = Rep. S. 151) — falsches Bild!
unglückliche Vergleichung! werden Sie sagen, und mit
Recht, für Leute mit Nasen wie wir. Aber nun kennen
Sie seinen Geschmack; ist nun noch etwas falsches drinn?

Seine Lust Fußsteige zu suchen, Brücken zu bauen,
durch Moräste und Dornen gerad auf einen Baum, ein
Ziel loszugehn, haben Sie fein bemerkt. Ich auch, wie
viel hundert mal! Was er vorig Jahr mich plagte, wie
wir nach Eckhof gingen, daß ich die Fußstege nicht wüßte,
wie er sie ausspähte, wie er durch Wald und Sumpf,
über Zäune und Gräben den Weg dahin fand, mit Holk
über die Brombeergebüsche und Hecken auf die zwey kleinen Eichen wallfahrtete, die Julianenruh gegenüber
stehn — wir hatten hundertmal da gestanden, und nichts
dergleichen war uns eingefallen — erkennen Sie darinnen
nicht den Geist, die Unruh des Mannes, der auch in
den Wissenschaften die kürzern Wege sucht, die betrete-
nen Pfade verläßt, sich selbst neue bahnt, durch keine
Schwierigkeit gehindert, aufgehalten durch nichts, immer rege, neu im Kleinen wie im Großen, den schnellen, kühnen, kurzen, einsylbigen Klopstock? Und so mit
tausend Dingen!

kunft!— meine Bekanntschaft mit Klopstock bildete sich schnell, und in sieben unvergeßlichen Jahren, sind, aussen einer achtmonathlichen Reise, wenige Tage verflossen, daß wir uns nicht sahen. Nie hat in dieser Zeit ein Wölkchen Laune unsere Freundschaft umdämmert, denn auch als Freund ist Klopstock: "Eiche die dem Orkane steht!,, Gegenwärtig, ferne von ihm, oder im täuschenden Schatten, er verkennt seine Freunde nie! Hat er einmal geprüft und geliebt, so währts ewig, laß auf sein Urtheil Wahrscheinlichkeiten und künstlich erlogene Thatsachen stürmen.

Ich will auch aus meinem Gedächtnisse einzelne Züge für die Wenigen samlen, denen das Bild eines würdigen Mannes Geisteswollust gewährt. Alles ist mir ganz gegenwärtig, denn ich empfinde, lebe, genieße immer noch in der vergangenen Zeit.

Klopstock ist heiter in jeder Gesellschaft, fließet über von treffendem Scherz, bildet oft einen kleinen Gedanken mit allem Reichthum seiner Dichtergaben aus, spottet nie bitter, streitet bescheiden, und verträgt auch Widerspruch gern; aber ein Hofmann, lieber Tellow, ist er darum nicht, *) wenn ich auch nur einen Gefälligen un-

---

*) Das sagt auch Tellow nicht. Warhaftig! Hofmann, wenns nicht Stand, sondern Character bedeutet, ist ihm kein Ehrenwort nicht. Er sagt nur, dieß Wesen von Klopstock, diese Kunst des feineren Scherzes im Um-

ter dem Worte verstehe, der sich geschwind bey Höherer
einschmeichelt. Seine Geradheit hält ihn vielmehr vor
der Bekanntschaft mit Vornehmern zurück, nicht daß e
Geburt und Würde nicht schätzte, aber er schätzt der
Menschen noch mehr. Er forscht tiefer nach innerer

---

gang, dieser Ton wahrer großer Welt, den man in di
Welt lernt, diese Liebe zur Gesellschaft, und Wissensch
Allen alles zu seyn, (die das nicht ausschließt, dem Na
ren nach seiner Narrheit zu antworten, auf daß er si
nicht klug dünke; und nur demjenigen den Schritt üb
oder neben sich in seiner Achtung zu lassen, dem Her
Verstand und Seelenkraft ihn giebt, nicht aber Geld, u
Rang, und Band und Stern, u. s. w.) — Dieß all
mache, daß Leute, freylich von unrichtigem Ausdruck, i
sogar einen Hofmann genannt haben. Noch neulich sta
ich im Concerte, und sah ihn oben stehn, und die Leu
zischelten hinter mir, was das für ein Minister sey, de
da im perlfarbenen Kleide? Auch dünkt mich, ist der Z
nicht unbezeichnend. Denn kennen Sie keine großen Leut
die darinn das Gegentheil von Klopstock sind? Selbst Di
ter? die Pedanten, embarrassirt, mit Bücherstaub bestre
nur für ihr Zimmer gemacht sind? Wie verschieden z
seine Geselligkeit, von Rousseaus finstererm einsamkeit
chendem Sinn? Wie anders zum Exempel seine Stä
sich gegen den preußischen Friederich würde genomm
haben, als Gellerts liebenswürdige, aber sanftere wei
herzigere Seele es that.

...ehalt, so bald ihn Erziehung und Glanz blenden kön-
...en, und er fürchtet als eine Beschimpfung die kalte her-
...lassende Beschützung der Großen.   Darum muß nach
...m Verhältniße des Rangs immer ein Vornehmerer ei-
...ge Schritte mehr thun, wenn ihm um Klopstocks Ach-
...ng zu thun ist.   Selten findet ihr ihn in der so ge-
...nnten guten Gesellschaft, nämlich im Zirkel abgeschlif-
...r Leute, bey welchen, wie auf König Williams Schillin-
...n, kaum ein Gepräg mehr kentlich ist, die sich täglich
...ne Liebe suchen, ohne Kummer verlaßen, über alles
...eiten, und an nichts Theil nehmen, ihre Zeit unter
...pielen und Schmausen wie eine Bürde fortschlep-
...n — sie sind auf der Leiter der Wesen nur einen Sproß
...her als Puppen im Uhrwerk, die auf ihrer Walze be-
...stigt, sich ewig an der nämlichen Schwunglinie drehn.
...afür zog Klopstock lieber mit ganzen Familien seiner
...reunde aufs Land; Weiber und Männer, Kinder und
...iener, alle folgten und freuten sich mit.   Wir suchten
...nn einsame Oerter, finstre, schauervolle Gebüsche,
...nsame, unbewanderte Pfade, kletterten jeden Hügel
...nauf, späheten jedes Naturgesicht aus, lagerten uns
...dlich unter einer schattigten Eiche und ergötzten uns an
...n Spielen der Jugend; ja nicht selten mischten wir
...ns drein.   Oft zeigte Klopstock einen fernen Baum.
...orthin! rief er, aber gerade zu! — "Wir werden auf
...oräst und Gräben treffen „ — ey, Bedächtlicher!

U

so bauen wir Brücken — und so wurden Aeste gehaue
wir rückten mit Faschinen beladen als Belagerer for
sicherten den Weg, und erreichten das Ziel. Klopsto
ist immer mit Jugend umringt. Wenn er so mit ein
Reihe Knaben daherzog, hab ich ihn oft den Mann v
Hameln genannt. Aber auch dieß ist Gefallen an d
unverdorbenen Natur, und Deutschland verdankt ein
seiner bessern Menschen seiner Jugendliebe.

Klopstocks Leben ist ein beständiger Genuß. (
überläßt sich allen Gefühlen und schwelgt beym Mah
der Natur. Nur wenn sie aus dem Kunstwerk athme
ist die Kunst seiner Huldigung wehrt, aber sie muß wä
len, was Herzen erschüttert, und Herzen sanft beweg
Gemälde ohne Leben und Weben, ohne tiefen Sin
und sprechenden Ausdruck, eure Miris, Netscher, un
Slingelande fesseln seine Beobachtung nicht, aber zei
ihm Bouchardons Tiresias, wie er die Schatten b
schwört, Rembrands Lazarus, wie er zum Leben e
wacht, Rubens sterbenden Christus; dann hängt
trunken am Bilde. So auch Music. Sie durchströ
ihn, wenn sie klagt wie die leidende Liebe; Wonne seu
zet wie ihre Hofnung, stolz dahertönt wie das Jauc
zen der Freyheit, feyerlich durch die Siegspalmen hall
Immer muß sie der Dichtkunst nur dienen, Windemen
Stimme folgsam begleiten, nie das Lied verhüllen, son
dern leicht umschweben, wie der Schleyer eine griec
sche Tänzerinn. O wie oft lauschten wir entzückt a

nsers Gerstenbergs Clavier, wenn er den holden Wechselgesang mit seiner zärtlichen Gattinn anstimte!

Gerstenberg lebte damals in Lyngbye nahe bey
Bernstorf, und hatte durch eine Reduction den größten
Theil seiner Einkünfte verlohren, aber in seiner Hütte
wohnten heitre Ruhe der Tugend und alle Freuden der
Liebe,

licet sub paupere tecto
Reges & regum vita præcurrere amicos.

Hier sang er seinen unsterblichen Skalden, manches holde
scatullische Lied, und erfand die goldenen Träume des
guten leidenden Gaddo. Von ihm konnten die Hippia-
se lernen, daß die Blume der Freude nicht allein auf
ihren Parterren blüht, daß sie auch für die Sterne und
die Gerstenberge auf einer Sandwüste keimt. Wir eil-
en zum einsamen Haus, wie man durch le Notres Gärten nach dem kunstlosen Hain irrt.

Die freudigste Zeit des Jahres für Klepstock war,
wenn der Nachthauch glänzt auf dem stehenden
Strom. „ Gleich nach der Erfindung der Schiffahrt
verdient ihm die Kunst Tialfs ihre Stelle. Eislauf pre-
digt er mit der Salbung eines Heidenbekehrers, und
nicht ohne Wunder zu wirken; denn auch mich, lieber
B., der ich nicht zum Schweben gebaut bin, hat er bis
aufs Eis argumentirt. Kaum daß der Reif sichtbar
wird, so ist es Pflicht, der Zeit zu genießen, und eine

U 2

Bahn, oder ein Bähnlein aufzuspüren. Ihm ware
um Kopenhagen alle kleine Wassersammlungen bekann
und er liebte sie nach der Ordnung, wie sie früher ode
später zufroren. — — Auf die Verächter der Eisbah
sieht er mit hohem Stolz herab. — Eine Mondnach
auf dem Eise ist ihm eine Festnacht der Götter! —
"Nur ein Gesetz! wir verlassen nicht eh den Strom, bi
der Mond am Himmel sinkt!„ Wenn ich das Gese
durch Glossen verdrehte, oder es brach, so ward mein
Sünde durch ein Hohngelächter gerügt. In dem Eislau
entdeckte sein Scharfsinn alle Geheimnisse der Schön
heit, Schlangenlinien gefälliger als Hogarths, Schw
bungen wie des pythischen Apolls, schöner als der Lie
besgöttinn Locken wehet ihm Bragas goldenes Haa
Die Holländer schätzt er gleich nach den Deutschen, we
sie die Tyrannen verjagten, und — die besten Eislä
fer sind. Einst traf ich ihn bey einer Charte in tiefe
Nachsinnen an; er zog Linien, maß und theilte. —
Wird es wohl gar ein Partagetractat? Oder ein S
stem eines bessern Staatsgleichgewichts? — Sehe
Sie, rief er, man vereinigt Meere; wenn man die
Flüsse verbände, hier einen Kanal zöge, dort noc
einen, das wäre doch unserer Fürsten noch würdig
denn so hätte man Deutschland durch eine herrliche Ei
bahn vereinigt. Er hat Gesetze für den Eislauf gegebe
mit einem solonischen Ernst. Ueber alles, auch übe
seinen Scherz weis er Würde zu verbreiten. Ich ve

...ahre zwey Briefe von ihm für eine Dame geschrieben, ...ie mich zum Kampf herausfoderte — auf ein paar hölzerne Degen, hochtrozend — wie Longin für die Zenobia ...hrieb. Andre Briefe besitze ich wenig von diesem lie...en sophistischen Nichtschreiber. Ich liesse gern seine Scheingründe gelten, wäre nur ein anderes Mittel be...nnt, seiner abwesenden Freunde zu geniessen. Aber ...e Noth ist erfinderisch. Viele seiner Freunde werden ...m nun viertheljährig ihre Briefe durch einen Notar ...händigen lassen, der dann jedes Wort von ihm auf...ngt, und ein Instrument darüber verfertiget. Wol...a Sie mir auch Ihre Vollmacht einschicken?

In seiner schweren Geistesarbeit wird Klopstock ...rch keinen Einbruch, keine Ueberraschung gestört. ...h habe ihn, als er Hermansschlacht und manche seiner ...en dichtete, zu allen Stunden des Tags und der ...acht überfallen. Nie ward er mürrisch; ja, es schien, ...s wenn er sich gern durch eine leichtere Unterhaltung ...olte.

Klopstock ist dunkel. Grabt in die Mine, so fin...t ihr Gold, oder wenn euch das zu mühsam wird, so ...t Uebersezungen von Junker oder Colliers Kuba...ade. Freylich feilt er so emsig die Sprache, schnei...t so streng den Ueberfluß weg, wägt so empfindlich ...m Vers und dem Inhalt, Tonlaut, Zeitmaaß und ...ortlaut zu; schöpft so anhänglich aus der Gegenwart

Eindruck, daß es so gemächlich nicht angeht, alle Nü
ancen seiner Darstellung zu haschen. Oft schreibt e
nur das lezte Glied einer langen Gedankenreihe hin
und man muß mit seines Geistes Sitte vertraut seyn
wenn man ihm sicher zurückfolgen will. Wer mit ihn
gelebt hat, versteht ihn leichter, weil er mehr als eine
Faden hält, der ihn durch seine Schöpfungen führ
und darum ist es nüzlich und gut, daß man schon je
seine Oden kommentirt.

Von Klopstocks poetischer Ordnung, von seiner
Goufre, der Schriften verschlingt und wieder auswirft—
disjecta membra poetæ, liesse sich noch manches erzä
len; aber Ehre dem Ehre gebührt: ich habe Klopstock
Papiere einst in lauter goldenen Umschlägen gekann
zierlich auf seinem Schreibtisch geordnet, wie die Brie
eines Stutzers, und das nenne ich die goldne Zeit se
nes Archivs. Sie währte ganzer acht Tage lang, un
wer die Epocke zu erneuern Lust hat, darf ihm nur eine
Haufen Inscriptionen oder Gedichte in Goldpapier z
schicken.

Eins ist mir leid — daß Tellow der unreinliche
Classe von Rezensenten erwähnt. Ich finde nirgend
daß man den Virgil gegen nahmenlose Schwäzer ve
theidigt hat.*) Wenn irgend ein Bube Montesquieu

*) Richtig! gegen nahmenlose Schwäzer! aber wohl geg
Schwäzer mit Nahmen. Gegen solche hat Heyne de

Nahmen an den Pranger gekreidet hätte, würde darum
er Mann und sein Werk weniger ehrwürdig bleiben?
s ist freylich lächerlich, wenn die Nation einen Schrift=
eller gerichtet hat, daß sich ein Quidam hinsezt und
zählt, wie es der besagte Autor hätte machen müssen,
n ihm, dem Kostgänger eines Buchladens, zu gefallen,
er doch ist es ein bitteres Brod. Ich muß dergleichen
un, sagte Freron, denn ich muß leben; je n'en vois
s la nécessité, antwortete der Lieutenant de Police.
o oft man Zachariä ein Stammbuch überreichte, beugte
sich tief vor dem Besitzer: denn es kann sich treffen,
te er, daß ich vor meinem Richter stehe. Ich rede
ht von der Berliner Bibliothek; dieses Werk enthält
ännerarbeit, wenn gleich ein seichtes Blättchen, über

U 4

Virgil sehr treflich vertheidigt und ihr habts ihm gedankt.
Und wie? wenn z. E. Wieland dieser Schwätzer mit
Nahmen ist? Wenn er und seine Buben es sind, die
Klopstocks Nahmen, und unsre, an den Pranger ihres
Merkurius kreiden? Wenn so viele, leider! von Ansehn,
und unabstreitbarem Geiste, wenn ... doch ich will nicht
nennen, was ich nennen könnte. Streite ich, so streite
ich nicht gegen die Kostgänger eines Buchladens, sondern
gegen grosse weltberühmte Männer, tiefe Critiker, Aesthe=
tiker von Rang, dies "einzig wissen, was es mit Men=
schen und Anomalien von grossen Menschen zu sagen
hat . . . ." ich armer Eustathius!

Klopstock und andre mit einschlich. Rezension ist dort oft nur der Faden, worauf ächte Perlen gereiht sind. Künftig etwas über Klopstocks Lieblingsideen, Brutus, Freyheit, Vaterlandsstolz, unsre Sprache. Ich denke darüber nicht mit ihm einig. Gleichheit der Grundsäze verbindet Freunde, aber Gleichheit der Meynungen nicht. Mannigfaltigkeit ist das Gesez der Natur. Ich wiederhole, was ich irgendwo gesagt habe: es läßt sich streiten, ob wir in einer Welt ohne Zweifel und Irthum glücklicher wären.

Da wo die rundgepflanzten Linden so lieblich schatten, der romantischen Eremitengrotte gegen über, und dem kleinen rieselnden silbernen Wasserfalle — kenntest du doch diese Gegend, und diese heimliche wehrte Stelle! — gingen wir aus früh, den Messias mit uns, und sezten uns. Die Kinder spielten um uns her im Grase. Wie es zugegangen war, was uns eigentlich verhindert hatte, vorigen Winter als ich dir schrieb, daß wir ihn hier zusammen läsen, ihn ganz zu vollenden, erinnre ich mich nicht genau; mich dünkt, es war die Abreise der Fabricius, die ich zur Stadt begleitete. Genug, der zwanzigste Gesang war uns übrig; und den nahmen wir uns vor, jezt mit einander zu lesen. Ich hatte mich etwas vorbereitet dazu; denn er ist schwer, sehr schwer. Klopstock hält ihn selbst dafür, und verzeihts jedermann

der ihn aufs erste mal nicht faßt. — Izt erfülle ich
mein Wort, dir darüber zu schreiben. Ich wills thun,
wie ich mich erinnern kann, gesprochen zu haben —
ganz, wie sich mein Herz in Freude darüber ergießt —
ohne Furcht, daß meine Wärme verkannt, oder, Theil-
nehmende, misverstanden werde von dir. *)

U 5

---

*) Der Commentar sowohl als diese Anmerkungen über den
zwanzigsten Gesang der Messiade, die hier in einigen
Fragmenten folgen, sind freylich eustathisch genug, wie
Herr Wieland sagt. Ich beklags. Vielleicht daß sie auch
crebillonsch, fieldingsch, cervantisch, und wie nicht?
geschrieben seyn könnten. Das müßt ich von ihm lernen.
Denn ich pflüge zur Stunde noch lieber mit griechischen als französischen Kälbern. Uebrigens: — um
die Sache wieder ins Gleis zu bringen, die dieser
Ausrufer herausbringen möchte; kommts nicht drauf
an, ob solche Anmerkungen eustathisch sind, sondern ob
Anmerkungen überhaupt anders als eustathisch seyn können, ob sie nöthig waren, ob sie richtig sind, und endlich,
ob er, der besagte Ausrufer, sie hätte geben können?

Ist es Deraisonnement, oder Muthwill, daß Wieland so die Gesichtspunkte der Dinge verrückt? Soll ich
das erste von seinem blöden Verstande, oder das lezte
von seinem guten Herzen vermuthen?

Und wie gern man doch sich in Andern wieder entdeckt! — Auch die Kunst, sich selbst in Clairobscur zu

Laſſen Sie mich Ihnen alſo, fing ich an, erſt eh
wir leſen, eine allgemeine Aufſicht über den ganzen Geſang, eröfnen, die meines Wiſſens noch niemand geſehen, wenigſtens nicht öffentlich gezeigt hat. Es iſt ohn-
ſtreitig der ſchwerſte, durchgearbeiteſte, und gedachteſte
Theil des ganzen Meſſias, dieſer Geſang. Er iſt, ja ich
will es zu ſagen wagen, ſo wohl in Abſicht ſeines ganzen
Planes, als in der Art, wie der Detail davon behan-

mahlen, müßt ich ja wohl von ihm, dem großen Pinſe-
lek, gelernt haben. Ehre! worauf ich Verzicht thue. —
Wieland von Eitelkeit, und die Grachen von Aufruhr!
Guter Freund, das war ſehr unpolitiſch! Oder haſt du
die Briefe über Alceſte vergeſſen? Oder iſt dein Rücken
nicht mehr von Göthens blutiger Geiſſelung wund? Oder
kennſt du das Sprichwort nicht: Qu'on ne parle pas de
cordes dans la maiſon des pendus ? . . . . und daß es am
luſtigſten iſt, wenn gar die Gehängenen ſelbſt von den
Stricken ſchwatzen.

Ich bin ungern bitter; es iſt, hoffe ich, mein Character nicht. Aber wer kann, ohne entweder Klopſtock
ſelbſt, oder ein Tropf zu ſeyn, die inſolenten Airs
von Superiorität dulden, die ſich der Mann über ihn,
und ſo der Reihe nach, über Göthe, Claudius, Voß,
mich, und ſo manche andre giebt . . . weil wir nun das
Unglück haben, Klopſtocks Freunde zu ſeyn.

elt ist, beynah ein eignes Heldengedicht, für sich selbst. Das Klopstock von der Offenbarung überhaupt sagt, ende ich auf diesen Gesang an. Der Freygeist, und r Christ der seine Religion nur halb versteht, sehn da ur einen Schauplaz von Trümmern, wo der tiefsinnige Christ einen majestätischen Tempel sieht. So ist s mir lange mit diesem Gesange gegangen, so wird es ohl seinen meisten Lesern gehen. Ich liebte längst rzüglich diesen Gesang; mit einer Art von Prädilection s ich ihn immer. Ich ahndete den Schaz von Weiseit und von Dichterökonomie, der darinn liegt. Ich rf auch sagen, daß ich ihn im Detail verstand. Einlne Oden wußte ich auswendig! Ach, wie viele Thräen hatte ich bey mancher geweint! Welche Gefühle der ligsten Wehmut und Andacht hatten sich über mich erssen, welche Schauer der Erhabenheit mich ergriffen, enn Windeme manchmal an seiner Seite einzelne tellen daraus sang. Und doch? Konnt ich sagen, daß h den Gesang begriff? Das konnt ich nicht. Ich and davor wie ein Kurzsichtiger vor einem gigantischen ebäude. Majestät leuchtete aus jeder Trümmer mir ervor, aber Trümmern schienens mir doch zu seyn. ie so ein Kurzsichtiger nicht sagen kann, ich habe das ebäude gesehen, wenn er eine Elle weit davon tritt, nzelne Zierathen beschaut, einzelne Säulen, Pfosten, esimse betrachtet, so auch ich. Um dieses zu thun atte ich einen entfernten Standpunkt erwählen, und

nachdem ich die einzelnen Theile unterſucht, einen Blik
auf das Ganze werfen, die Verhältniſſe, die nur in ge
höriger Entfernung ſichtbar werden, beurtheilen, die
große Einheit auf mich wirken laſſen; auf einen Ber
ſteigen müſſen, das weite unſterbliche Gefild zu über
ſehen. Denn "es giebt eine gewiſſe Ordnung des Plane
wo die Kunſt in ihrem geheimſten Hinterhalte verdek
iſt, und deſto mächtiger wirkt, je verborgener ſie iſt
Ich meine die Verbindung und die abgemeßne Abwech
lung derjenigen Scenen, wo in dieſer, Einbildungskraft
in jener, die weniger eingekleidete Wahrheit, und i
einer andern die Leidenſchaft vorzüglich herſchen: w
ſie, dieſe Scenen, einander vorbereiten, unterſtüße
und erhöhn; wie ſie dem Ganzen eine größre, unange
merkte, aber gewiß gefühlte Harmonie geben. Wi
wollen annehmen, daß ſich ein Poet vorgeſezt habe, i
einer gewiſſen wichtigen Stelle unſer Herz in ſehr hohen
Grade zu bewegen." Vielleicht würde er unvermerkt au
folgende Art verfahren. Vielleicht würde er ſich auch
den Entwurf gemacht haben es zu thun (denn Urthei
blickt ſeine Muſe und kennt den Flug): Hier das Her
mit dieſer Stärke zu bewegen, ſaget er zu ſich ſelbſt,
muß ich immer und ſo ſteigen, daß jeder meiner vorher
gehenden Schritte Vorbereitung ſey? Dieſen ſtummen,
erſtaunungsvollen Schmerz will ich hervorbringen! Ich
muß meine Hörer nach und nach mit wehmütigen Bil
dern umgeben. Ich muß ſie vorher an gewiſſe Wahr

eiten erinnern, die ihre Seelen für diesen lezten großen
Eindruck aufschließen! Wenn sie eine Weile bey Grä=
bern, die noch mit Blumen bedeckt waren, vorbeyge=
gangen sind, dann sollen sie, noch schnell genug an die
diese todtenvolle Gruft kommen. Führte ich sie auf ein=
mal dahin, so würden sie mehr betäubt werden, als
gerührt.„ — Sehen Sie da einige Geheimnisse des
Dichters, einige Grundsätze seiner tiefsinnigen Kunst
enthüllt! Aber wehe dem Dichter, wenn er Zuhörer
hat — oder vielmehr wehe den Zuhörern, wenn ihre
Seelen so eng, so kalt, so klein, so unaufmerksam sind,
daß sie davon nichts vernehmen können noch wollen!
Sie mögen weglaufen, oder wenn sie bleiben, gähnen —
immerhin! nur daß sie sich nicht an dem Dichter rächen,
sich nicht an ihm vergreifen, und es ihm zur Sünde
machen, daß sie weder so tief empfinden, noch so viel
übersehen als er.

Sie, meine Lieben, sind weit von dieser Sucht
entfernt. — So lange ich diesen Gesang nur in der Nähe
betrachtete, schwieg ich, schlug auf meine Brust, und
resignirte mich. Die Zeit wird kommen, dachte ich, wo
du ihn ganz fassen wirst. Du wirst einmal auf einen
Berg steigen, das Gebäude zu übersehen. Izt steh ich
darauf; und was ich wünschte, ist, Sie in denselben
Gesichtspunkt zu stellen.

So ohngefähr also übersehe ich von hieraus das
Gebäude. Klopstocks Arbeit war fertig. Das größte

Subject, das je ein Dichter zu ſingen gewählt, geſu̇
gen; und wir haben geſehen: wie? Nichts davon; j
ꝛes Lob wäre zu klein. Aber er wollte dieſem Werꝛ
nun eine Krone aufſezen. Dieſe Krone iſt unſer S
ſang.

Zu dem Ende erfand er eine ganz neue Gattuꝛ
von Gedicht; eine Vermiſchung epiſcher und lyriſc
Poeſie. Um uns noch tiefer hinzureiſſen, noch mächꝛ
ger in die Scenen ſelbſt hinein zu verſetzen; ſo ließ e
anſtatt, daß er ſie vorher nach dem Beyſpiel ſeiner Vo
gänger erzählt hatte, ſelbſt vor unſern Augen geſc
hen. Dieß iſt der wahre Entzweck und die Abſicht d
Geſänge.

Was vorher beſungen war, war auf der Erde g
ſchehen. Der Himmel ſelbſt war zur Erde herabgeſ
gen. Sein Gedicht ſchließt mit der Himmelfahrt; w
drüber hinaus iſt alſo, geht vor in einer andern We
auf einem höheren Schauplatze. Er mußte alſo au
darum etwas Neues noch Ungehörtes erfinden, um d
zu erreichen, was er ſich vorſezte.

Dieſes neue, Ungehörte beſteht ſo wohl in der M
terie als in der Form. . . . .

Die Materie! Er nahm einen Hauptgedanken, b
er zu einem Ganzen bildete. Dieſer Gedanke iſt d
Reſultat ſeines ganzen Gedichts; Lob ſeines Helde
Jeſu Chriſti. . . . . .

Wie bildete er diesen Gedanken aus? . . .

Laſſen Sie uns, ſo viel möglich, dem Gange ſeiner Seele nachzuforſchen ſuchen. . . . .

Er ſtand da, der denkende tiefſinnige Chriſt, über-..h, überlief mit einem Blicke, das ganze Gebäude, ..n majeſtätiſchen Tempel der Offenbarung. Er dachte ..h ihren ganzen Zuſammenhang. Er ſtellte ſich vor, ..oße, wichtige Gegenſtände: den ganzen Entzweck der ..chöpfung des menſchlichen Geſchlechts ... das Weſen ..rer Glückſeligkeit ... die Hinderniſſe ihrer Beſtim-..ung dazu ... durch Sünde, das iſt, Irthum, Ueber-..wicht dunkler Vorſtellungen über hélle — alle Veran-..ltungen, die Gott gemacht hat, dieſe Hinderniſſe weg-..äumen, durch Religion und Offenbarung, — den ..rſtand der Menſchen über die wichtigſten Punkte ..es Wiſſens, vor allen, über die große Lehre der Un-..ſcblichkeit der Seele, und allmählichen Reifwerdung ..s Ganzen mit ſeinen Theilen, zu einer endlichen und ..gemeinen Vollkommenheit und Glückſeeligkeit Licht ..zzubreiten; dieſer ganze große Inbegriff von Wahr-..hten, die mit philoſophiſchem Geiſte betrachtet, ſo ..en mänlichen feſten Körper ausmachen, obgleich ..nd das ſind auch ſeine Worte) unſre Lehrbücher ein ..rippe daraus gemacht haben, — weiter: den gan-..le Plan dieſer Religion und Offenbarung; wie Gott ..s Menſchengeſchlecht ausſondert, über die Einrichtung ..nes Staates wacht; es als ſein Kind erzieht; wie die

besondre Providenz augenscheinlich über diesem Vol
waltet; alle Begebenheiten desselben so einrichtet, d
der große Entzweck erreicht werde; von einem Jahrhu
derte zum Andern, eine Folge großer Männer, erleuc
teter Weisen, erhabner Dichter, Geschichtschreiber, i
spirirter Männer erweckt; die sorgsam diesen Sch
von Menschenalter zu Menschenalter fortpflanzen; der
Seelen immer mit dem Wachsthum der Zeiten wachse
in die Zukunft blicken, selber so viel von dem Plane d
großen Veranstaltungen Gottes wahrnehmen! — B
endlich Christus auftritt, der Erzieher, der Versöhn
des menschlichen Geschlechts! bis er, mit seinen Ap
steln; durch ihren Wahrheitseifer; durch den chrift
chen Enthusiasmus, durch ihre heldenmütige Ausbr
tung, deß was er sie gelehrt, die große Revoluti
des Erdkreises bewirkt; die Christenthum heißt; u
der Eckstein des Gebäudes wird, auf dem das ganze s
cessive Wohl der Bewohner einer Welt ruht! — (
denkt sich endlich die Folgen dieses großen Werke
Alles was die Vernunft, durch diese Veranstaltung
gestärkt, erweitert und gelehrt, als wahr, von dem Z
stande der Menschen nach dem Tode, von der fortda
ernden Existenz des einfachen Theiles ihres Wesen
und den Folgen ihrer guten und schlimmen Handlu
gen, so lange sie lebten, jenseits des Grabes, wiewo
mit Schüchternheit, festzusezen wagen darf — Himm
und Hölle! — Dieß alles denkt er sich; und — nun

auptsache! — er denkt sichs biblisch! das ist: als
ichter! nicht blos mit der kalten räsonirenden Abstraction des Verstandes und der obern Seelenkräfte;
sondern mit Verstand und Imagination zugleich — er
tt sich in die Lage der biblischen Schriftsteller hinein;
sieht (wie sehr auch seine persönlichen Begriffe über man-
e dieser Gegenstände geläutert seyn mögen) alles mit
ren Augen, aus ihrem Gesichtspunkte, nach ihrer jedes-
maligen individuellen Vorstellungsart an; spricht ihre
Sprache; wählt ihr ganz eigenthümliches Colorit; denkt
ganz mit ihnen, so wie sie durch ihr Zeitalter, ihre Umstände,
ihren mehr oder weniger lebhaften Character, ihre Leidenschaften und Vorurtheile sogar, zu denken bestimmt
und modificirt wurden — und das thut er sehr weislich
und absichtlich; erst, weil der Mensch nicht klüger zu
seyn braucht, als Gott ist, der es für gut gefunden,
auf diese Art Wahrheit an den Tag zu bringen; dann,
weil es schlechterdings unmöglich gewesen wäre, ohne
sich an diese biblische und so würdige Denkungsart anzu-
schmiegen, ein Gedicht aus diesem würdigen Subjecte zu
bilden. Die ungeschminkte Wahrheit, sagt er, die allein
den Verstand beschäftiget, nimt gleichwohl, unter der
Hand des Dichters, einige helle Minen der Bilder an, oder
sie zeigt sich mit einer solchen Würde und Hoheit, daß sie
die edelsten Begierden des Herzens reizt, sie in Tugend
zu verwandeln. Und ist es das Herz, was der Poet an-

X

greift, wie schnell entflamt uns dieß! die ganze See
wird weiter, die Bilder der Einbildungskraft erwache
alle Gedanken denken größer. ,Denn obgleich einige Le
denschaften eine gewisse ruhige Art zu denken, ganz unte
brechen, so feuert uns doch überhaupt das bewegte He
an, schnell, groß, und wahr zu denken. Welche ne
Harmonie der Seele entdecken wir dann in uns! M
welchem ungewohnten Schwunge erheben sich die Geda
ken und Empfindungen in uns! Welche Entwürfe! welc
Entschlüsse! — — So, daß also der Einwurf von selb
sich widerlegt, den ihm einige Nichtuntersucher mache
Sein System, seine Vorstellungsart sey zu orthodox! E
sey Schulsystem, angenommenes seines Zeitalters, nic
das der Schrift, nicht das eigne des Dichters! — so da
es eine Thorheit aller Thorheit ist, gar prophezeihen
wollen: Klopstock würde sich nicht erhalten; denn jeme
sich die Religionsbegriffe unserer Zeit läuterten, des
mehr würde er an Interresse verlieren! Wie! Was sa
ihr da? Und wenn ich euren Grund euch zugäbe, wür
es das? Interessirt Homer euch nicht, weil ihr seine M
thologie nicht glaubt? — Ihr glaubt keinen Teufel nic
mehr; haltet das all für orientalische Vorstellungsar
Bildersprache. Interessiren euch darum Klopstocks bö
Geister nicht? Zittert ihr nicht bey seinem Abramelech
Weint ihr nicht um seinen Abbadona? — Aber d
geben euch ja so viele nicht einmal zu. — Amen! Ame
ich sage euch: So lange die Bibel steht, so lange ste

lopstock auch. Dieser Jünger stirbet nicht — und kein Jota seiner Reden wird auf die Erde fallen.

Von diesen Gedanken voll besingt er Christum; und schöpft nun aus allen den einzelnen Stücken, wenn ich so sagen darf, chronologisch sein Lob. Der Grund, das Gewebe, der Einschlag dieses Gesangs, ist wieder Fiktion; und zwar eben diese keusche, weise, mit solcher Würde und Behutsamkeit behandelte Fiction, (eine Eigenschaft, worinn er sich so merklich vor andern heiligen Dichtern, vor Milton, vor Tasso auszeichnet) als in den übrigen Theilen seines Gedichts; er hat sich über die Befugniß dazu, und über die Art wie man dichten darf, theoretisch vor dem Messias in einer Abhandlung erklärt. — Engel und Auferstandne, ungefallene Menschen und noch nicht gebohrne Menschen, Bewohner eines Gestirns; also, Alles was Vernunft und Einbildungskraft von beseelten Wesen kennen, vereinigen sich zu diesem Preise. Welch Feld voll Mannigfaltigkeit, hat er da für sich eröfnet. Wie viel Gesichtspunkte, aus denen man (ich rede menschlich von göttlichen Dingen) die Verdienste Christi ums menschliche Geschlecht, und, (denn seine Seele strebt noch weiter und greift in die ganze Kette der Erschafenen ein,) ums Ganze der Welt betrachten kann! Beseeligung Aller! Welch eine Menge von besondern Bestimmungen, die dieses Lob bald aus der eigenthümlichen Stellung erhält, in der einzelne Perso-

nen, einzelne Geschlechter, einzelne Gattungen v
Wesen, die in diesem Chor sind, sich befinden, bald a
demjenigen, was den Gegenstand der einzelnen Hymn
ausmacht... Wie hat er das auf so unendliche Weise
verändern gewußt! Wie hat er bald Geschichte, ba
nur Empfindungen, bald sogar nur abstractes philo
phisches Räsonement, alles aber Stücke, die mit ver
nigter Kraft zu dem großen Zwecke arbeiten, in lyri
Sprache zu kleiden gewußt! Welch Leben, welche Be
gung hat er dadurch hineingebracht: daß er, bald e
zelne Sänger, bald Chöre aus eigner Bewegung sing
bald sie wie in den drämatischen Chören der Griech
mit einander wettstreiten, sich einander auffodern u
antworten läßt! Welche Leidenschaft darinnen, daß
die wichtigsten Personen seines Gedichts mit hineinfü
daß, indem Sänger vor so verschiedner Art und Seel
kräften hier auftreten, auch Verschiedenheit des C
racters sehr sichtbar in den einzelnen Gesängen wir
daß er die Vorstellungsart und Sprache der ganzen
bel hineinbringt, und in diesen kurzen wenigen W
tern das Wichtigste, mit einer Kürze, die ihres Gleich
nicht hat, aus der Offenbarung so vieler Jahrhunde
hinein drängt. Aber freylich, wer seine Bibel so we
gelesen hat, wie die meisten Christen, wem alle d
Bilder neu, unbekannt, fremd sind, wer nicht die heil
Geschichte mit mehr als gewöhnlichem Fleiße stu
hat; der stößt hier bey jeder Strophe an, ermüdet, u

ann dem Dichter nicht folgen, dem jeder Zug, jeder
usdruck dieser Schriftsteller gegenwärtig war. Der
ndet eben da nur Trümmer, wo der Kenner einen ma-
stätischen Tempel sieht.

Das war der Stoff selbst, den er behandelt. Aber
orinn sich nun die Kunst der Ueberlegung zeigt, ist vor-
ehmlich die Ordnung und Wahl, mit der die Ein-
lnen Theile dieses Ganzen zusammengefügt sind. Die
tellung aller dieser Theile ist nicht blos willkührlich.
en Sie den Gesang ganz, und öfter, Sie werden
lan entdecken.— Plan! Plan! Plan! ich kanns Ih-
n nicht genug wiederholen: Plan — von niemand
emerkten, aber sehr fest entworfenen Plan. Mit allge-
einem Lobe fängt er an — von da geht er zu der
eciellen Geschichte fort; läßt uns in einer kurzen Ueber-
ht auf die ganze Entwickelung der Religions-Begeben-
iten denken; spinnt die ganze Geschichte des alten
estamentes wie an einem Faden ab; kömmt dann erst
r Geschichte des neuen Testamentes, hebt aus dieser
eder die wichtigsten Gegenstände heraus, läßt das
les nach der Folge der Zeit auf einander folgen. Zwar
hmal unterbricht er den Faden durch einen episodi-
en Gesang, ich weis mich nicht anders auszudrü-
en; — um Einförmigkeit zu vermeiden, um seinen
lan zu verstecken; aber sicher kann diese Episode
rgends anders stehen, als wo er sie hinstellt. Ih-

X 3

nen dieß alles zu entwickeln, wie mans umfasse
kann, müßt ich ein Buch schreiben, und das würde sel
dürr seyn. Ich will mich mehr dabey aufhalten, wen
ich den Gesang Ihnen nachher vorlese, und sein Sch
liast bin! Sein magrer dürrer Scholiast! das müsse
Sie mir nicht übelnehmen. Izt nur noch eine kur
Bemerkung! — — — die betrift die Form! Die Sa
bung der Sprache die über den ganzen Gesang ausg
gossen ist! der erhabengeöfnete Dichtermund, der in n
gehörten Tönen spricht. Nein! ich behaupte es; i
nichts ist Klopstock so ganz Klopstock, als in diesem G
sange. Man siehts, höhere Gegenstände als mensc
liche hat er offenbar in mehr als menschlicher Sprach
singen wollen. Das sagt mir die nervigte Kürze in d
ich nichts kenne das diesem gleicht; die Liebe zum runde
gediegenen Sinn, daß er so karglaut ist, und hier no
mehr als in den übrigen Theilen seiner Schriften, d
Wörtlein nur etliche setzt, wo andre würden Zeilen he
tönen lassen. Die ganz neuen Wörter, die er in solche
Menge hier erschafft, die zahlreichen Inversionen, die
erfindet, und aus andern Sprachen zum Theil herüb
nimt, die neuen Zusammensetzungen der Wörter; d
Tonausdruck, den er mit solcher Sorgfalt behandel
und vor allen Dingen, das äußerste Raffinement üb
den Zeitausdruck durch die mannigfaltigen neuerfund
nen Sylbenmaaße. Von diesem letztern ein mehrer
diesen Abend! izt wollen wir uns nicht weiter aufha

en, ſondern leſen. — Und ſo nam ich das heilige
Buch, küßte es mit Ehrfurcht und fuhr fort, wie folget:

Chriſtus, damit ſchloß der vorige Geſang, war ver-
ſchwunden, ſeine Jünger ſahen ihm ſehnend nach, kehrten zurück und blieben auf der Erde. Wir verlaſſen ſie
jetzt mit dem Dichter, leben jenſeits des Grabes, und
hören Geſänge, Gedanken, und Empfindungen der un-
ſichtbaren Welt. — *) Weit ſchon über den Wolken
hub ſich der Gottverſöhner, mit den Schaaren um
ihn, auf dem lichten Pfade zum Throne.

Die Lobgeſänge beginnen, und es iſt billig daß Gabriel, Chriſtus erwählter Engel, der, der ihn auf Erden
verkündet hat, die unſterbliche Scene öfne:

Gabriel ſtrahlte ſchwebend voran; die fliegenden
Locken ſäuſelten ihm, und er ſang in die Liſpel der
goldenen Harfe:

1) **) Eingang gewiſſermaaßen; verkündet den
Inhalt dieſes Geſangs. Es iſt — Chriſtus Lob!

X 4

---

*) Ich kann nicht wohl anders als den ganzen zwanzigſten
Geſang, den ich der Kürze halber als Proſa drucken
laſſe, hier mit einrücken, weil ſonſt die Erläuterungen
davon unverſtändlich ſeyn würden. Und wer hat immer
gleich den Dichter ſelbſt bey der Hand, oder wenn er
ihn hat, wer liebt das Collationiren? A. d. H. a.

**) Die einzelnen Lieder dieſes Geſanges (und Lied nenne

Fanget bebend an, *) athmet kaum leisen Laut
denn es ist Christus Lob, was zu singen ihr wagt! —
die Ewigkeit durchströmts! tönt von Aeon fort z[u]
Aeon!

Ein Chor Erstandner singt zuerst. Der Inha[lt]
des Liedes ist allgemein: Lob, daß Christus sich vo[n]
Ewigkeit, dem Versöhnungstode bestimmt habe. Die
Bestimmung von ewig her zum Versöhnungstode, ei[n]
sehr biblischer Begriff, ist das Saamenkorn, von de[m]
das ganze Werk der Versöhnung gleichsam aufkeimt.

Itzt erhub ein Chor Erstandner der zitternde[n]
Wonne Stimme. Die Harfen rauschten mit sanfte[m]
Getön, und der Donnerhall der Posaune wie von fer[n]

---

ich hier, was jedesmal durch Hexameter von einander g[e]
trennt wird, es sey Eine Strophe oder mehrere) bezeich[ne]
ich durch diese Zahlen.

*) Fanget 2c. 2c.) Der Declamator merke wohl — w[ie]
schicklich der Anfang dieses Liedes, durch die ruhig[en]
Trochäen, ist: (Fanget — ᴜ bebend — ᴜ an —)t[ies]
athmend! aus tiefer Brust! — und welchen Schwung d[er]
Ausruf zulezt durch den Anapäst bekömmt: (ᴜ ᴜ — b[is]
Aeon! — ᴜ ᴜ — fort zu Aeon!) — eben so eine Vo[ll]
kömmenheit des Zeitmaaßes findet sich in den bald f[ol]
genden Hexametern: Waldstrom langsam kömmt —
fünf langsame Sylben!

her. — So rauscht, *) am Gebirge weit herunter
von Lüften der Hain und von Silberbächen, wenn,
im Geklüft einher, der wafferärmere Waldstrom lang=
sam kömmt. — Das Chor der Erstandnen schaute
um Mittler weinend hinauf. So sang es dem Ueber=
winder des Todes:

2) Ewig her, vom Beginn an, als die Welt
nicht war, Sohn! Tag, Nacht und Gestirn ward,
ab herstrahlten in Sternglanz Cherubim, Gott Mitt=
ler, Sohn Gottes, wardst du erwürgt!

Dulder! Sohn! des Altares Golgatha geopfertes,
erwürgtes Lamm! der Gefallnen Versöhnung, o Er=
barmer! wardst du da! Heißblutend, todt fahst du
Heiliger, dich, ewig her von Beginn an (schon da=
mals) als noch Strom und Meer nicht, nicht Thal
und Gebirge war, als Gott noch nicht Staub zu der

X 5

---

*) So rauscht ꝛc. ꝛc.) Das Tertium Comparationis — :
die Harfen rauschen .. der Donnerruf der Posaune tönt
fernher .. So: rauscht der Hain mit den Silberbächen
und Lüften, .. und fernher kommt der Waldstrom. —
Aber warum der wafferärmere! Schwächt das Beywort
nicht die Vergleichung wieder? — Nein! denn es ist um
der Vergleichung willen nicht gesetzt, sondern die Urfache
seines langsamern Kommens anzugeben. — Geklüft: ein
Wort von Klopstock.

Herrlichkeit des Lichtreichs schuf! (vor der Schöpfung
als der Erdkreis kein Grab noch nicht war! (vor dem
Sündenfalle.)

3) Der Inhalt: Lob, daß Christus diese sein
ewige Bestimmung zum Versöhnungstode, schon den
Vätern kund gemacht habe. Er übergeht weislich hie
die Verheissung die dem Adam, Abraham, Isaak ge
schah, und die Weissagungen des Jacob; nimt nu
das was Geschichte enthält, und schon vorbildend ist
Das Passahlamm; — Die Geschichte davon lyrisch er
zählt: In Prosa aufgelöst, der nackte Saz: "Christu
ist durch das Passahlamm abgebildet worden.„

Einer der Engel des Weltgerichts, *) ließ izt di
Posaune sinken, da säumend ein anderes Chor sang:

Blutend lags! **) (das Passah = Lamm) Der, vo
dem das Lamm an dem Passah hinsank, brach ih

---

*) Einer der Engel des Weltgerichts ꝛc. ꝛc.) Mit Absich
wegen des Würgengels, der die Erstgeburt geschlage
hatte. — säumend. denn der Innhalt des Gesangs
eine sehr ernste Geschichte.

**) Blutend lags ꝛc. ꝛc.) das heißt eben lyrisch denker
und in hohem Grade lyrisch denken — ein Subject ne
men, mit der ganzen Lebhaftigkeit der Seele auffasse
und es denn so gleich beschreiben, unbekümmert ob d
Leser überall einmal das Subject kennt. — Er mag
kennen lernen! — Ferner, die Kunst, bloße Säz

as Gebein nicht. Juda zeichnet schnell mit Ysop, der
om Blut träuft, den Eingang der Hütten umher.

Weh euch! Weh! die des Lamms Blut dann
icht schützt wenn Nacht nun den Erdkreis in ihr Graun
üllt: — Die Nacht kam! Der Verderber schweb'
erab, stillschweigend, ernst schweb' er nieder zum
strom. Dumpfer Laut der Gesunkenen klagt' umher,
nd Ausruf der Wehmut in Aegyptus! Denn todt
g bey dem Thron die Erstgeburt! Todt, todt sah sie
utter und Mann bis hinab ins Gefängniß, selbst
m Thier entstürzt' schnell der Säugling. Nur in
amses erschallt Preis und des Weinens sanfter
ank! — — Ihr hattet, blutvolle Hütten, geschützt.
Ramses, da wohnten die Israeliten; vor deren blut-
zeichneten Hütten der Würgengel vorübergegangen
ar.)

4) Lob, daß durch Jesum die Welt geschaffen
orden. (Wieder biblische Vorstellungsart.) Daß er

---

oder Geschichte in Leidenschaft einzukleiden: Zum Exempel, der ganze folgende Vers weh euch ꝛc. ꝛc. heißt doch
nichts anders, als: Diese mit Blut bestrichenen Pfosten
sicherten die Israeliten, aber wie viel lyrischer verschweigt der Dichter diesen Satz, und verwandelt ihn in
Klage, über die, die durch das Blut nicht gesichert wurden. — — Dieser hohe Grad lyrischer Abstraction,
macht Klopstock für so viele Leser zu hoch. — Uebrigens
sind alle Umstände der Geschichte aus 2 B. M. 12.

verſöhnt habe und daß der Entzweck der Schöpfun
und der Verſöhnung, Glückſeeligkeit des Ganzen ſey.

Tönender ſchon, mit hellerer Saite, lauterer
Donner ihrer Poſaunen, — unſtreitig, weil es Din
von noch größeren Ausſichten waren, die den Inha
dieſes Liedes ausmachen. Der Inhalt der vorigen O
war das vorbildende Schickſal eines kleinen Staat
geweſen; dieſer bezieht ſich aufs ganze menſchliche S
ſchlecht — ſtrömt Ein Chor in dieſen Geſang aus. (Ch
rubim warens, die flammten und freudig ihr Antl
verhüllten.)

Der Entwurf des ewigen Reichs der Schöpfun
ward. *) Der Urſtoff ward zu Geſtalt. Heer' oh
Zahl, Bewohner und Welten **) entflohn vor Erſta

---

*) Ward) Eins von den fruchtbaren Wörtern, die ga
Begriffe ausdrücken. Man muß ja nicht etwa — ward
Geſtalt Urſtoff conſtruiren, ſondern: der Entwurf wa
(ihm wurde Exiſtenz gegeben,) ferner: es ward der Urſt
zu Geſtalt; die Elemente wurden ausgebildet. Sol
Wörter ſinds, auf die der Declamator mit der gan
Wucht ſeiner Stimme weilen muß; und in der Proſod
die längſten aller Längen.

**) Bewohner und Welten) Eine bedeutende Stei
rung. Die Bewohner ſind mehr als die Welten, die
bewohnen. Darum umſchwebt auch der Bewohner
Strahl mit Entzückung. — Vor Erſtaunen daß
waren!) Solche Erhabenheiten hat nur Klopſtock — ſch

n daß sie **waren** dem Erschaffungsrufe des Sohns. utdonnernd scholl er, gebot ¡Kreislauf. — Lang= n und schnell *) umschwebte den Strahl sein Gefährt; t Entzückung der Bewohner.

Noch einmal dieselbe Hauptidee wiederholt! — Des lösers ewiges Reich **war**! Tiefsinn, Herrlichkeit ahlt' aus der Schöpfung Entwurf! Glückseligkeit ler! Es führt da hinauf, auch von dem Elend ein bränter Pfad! O besingt Graberben! Erben des

---

Kreislauf,) d. i.; den Befehl, daß die Welten sich im Kreislauf bewegen sollen, erschallen lassen — er) nämlich der Erschaffungsruf. Es könnte auch der Grammatik nach sich auf Sohn beziehn; und denn wäre die Bedeu= tung von scholl neu; ohngefähr wie Virgil vom Jopas sagt: *Personat* cithara, docuit quæ maximus Atlas. Aen. I. 741.

) Langsam und schnell ꝛc. ꝛc.) der Strahl — So nennt Klopstock öfter die Firsterne und Sonnen. (S. die Ode die Gestirne. S. 59.) Sein Gefährt: die Planeten also. Die umschweben ihren Strahl, den Firstern, langsam und schnell. Die Bewegungen der Planeten sind von ver= schiedner Schnelligkeit. — Und die Bewohner der Pla= neten schweben mit ihm um den Strahl, voll Entzü= ckung. — Aber welcher Drang von Ideen in dieser kleinen Strophe.

244

Lichts ! ! Brüder, deſſen der ſtarb !.!.! *) den Pfad
von den Leiden herauf zum Gerichtſtuhl! denn ihr
richtet! —

   Labyrinth war, Erben! der Weg am dunkeln Felſen empor! Grabnacht hüllt' ihn euch ein! — Das Blut
der Entſündigung rann; und Gericht hält wer erlöſt
ward. **)

   5) Zacharias ſingts. Der Inhalt, derſelbe wie
in dem Liede das vor dem vorigen vorherging; nur in einem andern Beyſpiele ausgemahlt! — "daß Chriſtus
ſich den Vätern geoffenbaret — den Iſraeliten in Goſen
ſchon — dann noch deutlicher den Iſraeliten durch die
Einrichtung ihres Gottesdienſtes, die jährliche, aber
unvollkommne Verſöhnung durch den Hohenprieſter, die
hier auf ein einzelnes Beyſpiel zurückgeführt wird. „ —

---

*) ! !! !!!) Wenn irgendwo dieſe neue Art der In-
   terpunction, die Ausrufungszeichen zu verdoppeln, die
   Lavater und Andre eingeführt haben, entſchuldigt werden
   kann, ſo iſt es bey ſolchen Stellen, wie dieſe, wo man
   leicht drey Subjecte für identiſch halten könnte, da doch
   eins immer abſichtlich ſtärker als das andre geſezt iſt
   einen Climax hervorzubringen. —

**) Ihr richtet — — Gericht hält wer erlöſt ward ꝛc. ꝛc.
   Poetiſch für das allgemeinere, ihr werdet ſeelig. Bibli-
   ſche Vorſtellungsart. Der Sinn der ganzen Strophe
   Euer irdiſches Leben war Mühſeeligkeit, aber durch die
   Verſöhnung werdet ihr einſt glücklich.

Jeddos Sprößling *) vordem, da er war von
Erblichen sterblich; (der, der als ein Mensch, Jeddos
Sprößling ehemals genannt ward) Aber jetzo ein Sohn
der Auferstehung, entschwebte seinem Chor', und nahte
mit innigfreudiger Demut sich dem Verkündeten, **)

---

*) Jeddos Sprößling) — S. Zacharias I, 1. — III, 1.
Und mir ward gezeigt der Hohepriester Josua, ste-
hend vor dem Engel des Herrn: und der Satan stund
zu seiner Rechten, daß er ihm wiederstünde. 2) Und
der Herr sprach zu dem Satan: Der Herr schelte dich
du Satan; ja der Herr schelte dich, der Jeruslem
erwählet hat; ist dieser nicht ein Brand der aus dem
Feuer errettet ist! 3) Und Josua hatte unreine Kleider an und stand vor dem Engel. 4) Welcher antwortete, und sprach zu denen die vor ihm stunden:
Thut die unreinen Kleider von ihm. Und er sprach
zu ihm: Siehe ich habe deine Sünde von dir genommen, und habe dich mit Feyerkleidern angezogen.
. . . . 8) Höre zu Josua, du und deine Freunde, die
vor dir wohnen, denn sie sind eitel Wunder. Denn
siehe, ich will meinen Knecht Zemah kommen lassen.
. . . . 10) Zu derselbigen Zeit, spricht der Herr
Zebaoth, wird einer den andern laden unter den
Weinstock und unter den Feigenbaum.

**) dem Verkündeten 2c. 2c.) mit bestimmter Rücksicht auf
den Inhalt des folgenden Lieds, das die Erfüllung seiner
eigenen Verkündung besingt. —

hieß die Harf' ihm tönen, und feyrte jenen festliche
Tag da er Zema von fern erblickte:

Trat nicht hinein Josua dort, wo der Vorhan
niedergesenkt, das Geheimniß uns verhüllte? De
noch war er nicht rein, und Satan rief vor dem E
gel es aus. — Reines Gewand gab ihm der Her
und entlud ihn, Sünde, von dir! denn es sollt ein
sein Erkohrner kommen! Zema! so tönts, es hörte
Zema! die Engel umher. — — Siehe du kam
Mittler du kamst! und der Vorhang senkt sich nie
mehr! und enthüllt ist das Geheimniß! denn ins H
lige ging er Einmal, rein durch sich selber der Sohn!
Ladet euch ein, seeliges Volk, in der Rebe Schatte
euch ein, o Versöhnte, zu dem kühlen Feigenbaum
das Opferbundes Psalter beseele das Fest! — — Zen
du kamst! töne das Lied zu dem Psalter, Zema,
kamst! so ergieße durch des Festes Lauben, sich
Gesang des Bundes; Zema du starbst und erstandst!*

Zacharias ist, der Sprößling Jeddos. Jeddo w
sein Großvater; und dieß Lied ist aus dem dritten Ce

---

*) Es ist in diesem ganzen Liede etwas so Sanftes,
storelles, wenn ich mich so ausdrücken darf; das so
sichtsvoll mit dem starken Inhalte des Liedes von Go
contrastirt. —

einer Weiſſagung genommen, eines der dunkelſten Stücken der Propheten; ich kann mich hier nicht drüber ausbreiten. Sie ſehen, Klopſtock nimt es, nach der gewöhnlichen Auslegung, als eine Weiſſagung auf Chriſtum, auf deſſen Tod das jährliche Hineingehen des Hohenprieſters ins Allerheiligſte ein Vorbild war. Zema, der Sprößling; iſt ein Nahme des Meſſias, insofern er vom David abſtamt.

6) Dieſes ſechſte Lied muß mit dem ſiebenden und achten genau verbunden werden, es macht mit dieſen beyden zuſammen ein Ganzes aus. — Die Engel ſingen erſt: "daß durch Chriſti Verſöhnung ſelbſt die Seeligkeit der Ungefallnen erhöht werde,, — dann antworten ihnen Auferſtandene: "daß er die Errettung der Schwachen vom Verderben ſey,, — endlich wird vom dritten Chor dieß noch genauer beſtimt "daß ſeine Erhöhung uns das Leiden dieſer Zeit vergelte.,, — Drey Ideen, wovon jede, wie Sie ſehen, ſehr beſtimten Innhalt hat. Die Engel ſingen:

O wie rauſchten die Harfen, wie wehten die Palmen, wie ſtrahlte jener Seraphim Antliz, die izo den Höchſten prieſen!

'Da Vollendung Jeſus rief, weinten wir laut, (wir) die des Heils Strom tranken, (wir, die wir ſchon ſelig waren) da nahm Gott auch den Staub zu dem

Y

Licht und dem Heil auf! *) Jesus rief ihm vom Kr[eu]
himlisches Heil, ewiges herab!

Da der Gottmensch: Werde Welt! rufte, da wa[r],
wie der Thau träuft, zahllos ihr Heer, welch' er (dar[in])
schuf, **) daß ihr Heil stets sich erhübe! Allen rief
vom Kreuz höheres Heil, ewiges herab! „

"O du Heerschaar! weit erscholl, seegnend [das]
Wort der Vollendung! Harfengesang tönt' es nach [ihm]
dem Ausruf der Entzückung! Zahllos wart Ihr [da,]
Ihm beugten ihr Knie, seeliger durch ihn!

7) Die Erstandenen: "Daß Christus Versöhn[ung]
ihre Errettung sey. „

Also hatten sie kaum den Psalm der Wonne [vol]=
lendet, als ein schimmerndes Chor Erstandner, [in]
sanfter Begeistrung überströmt, des Triumphes [Stim]=
men schwang, und mit Wehmut, jener himmlisch[en]
welche beseeligt, dem Sohne des Herrn sang:

---

*) Da nahm Gott den Staub zu dem Licht auch unt[er]
dem Heil auf) die Versetzung des: auch ... hinter Lich[t]
sehr kühn lyrisch. Denn es würde einen falschen S[inn]
geben, wenn man es mit Licht, und nicht mit St[aub]
construirte, wie in der Paraphrase geschehen ist:

**) ihr Heer welch' er schuf) welches er schuf — hätte [ein]
anderer Dichter gesagt. Das: welche auf: ihr zu be[zie]=
hen, ist neu. — Prosaisch: Das Heer dererjenige[n die]
er schuf.

"Gott sey, und dem Lamm sey, das erwürgt ..., Anbetung! Hoch hinauf zu dem Sion eilts, zu ... Himmels Glanz! O wie troff Golgatha's Altar ... dem Blut! Preis sey des Herrn Sohn, der erwürgt ...!

Preis sey dem Erretter der gefallnen Toderben! ... und Preis dem erhabenen Sohn! Du entriefst ... Nacht der Gestirn' Heer! ihr entfloß Licht, wie ein ... ..., und schnell gewandt trats in den Kreislauf! (Wozu diese Wiederholung? sagte hierbey einmal ... Voreiliger. Ist dieser Gedanke nicht schon der In... ...eines ganzen Liedes gewesen? Sie sind mir zuwi... ... Man hört dasselbe zu oft. — Nicht zu oft! ant... ...ete ich. Mir sind sie nicht zuwider. Meistre nicht ...nabe! den Meister. Denn hier zum Exempel, wo ...misfält, steht sie nicht umsonst, nicht isolirt. Höre ...lgende Strophe:)

Preis sey dem Erretter der gefallnen Toderben! ... und Preis dem erhabenen Sohn! Du entriefst der ... der Verwerfung (diejenigen) die der Tod traf, ... Menschen) O sie sind entflohn, dem Abgrund des ...rbens.

Und siehst du hier die Gedankenfolge nicht: Chri=
...schuf — Christus errettete durch die zweyte Schö=
... die Erschafnen? Glaube mir sicherlich, kein seich=
...Tadel ist jemals über Klopstock erschollen, als der

Y 2

daß er sich wiederhole, und deßwegen ermüde. J
wenn das sich wiederholen heißt, große Gedanke
Hauptgedanken, mit denen die ganze Seele schwange
geht, oft, von mannigfaltigen Seiten, in unendlich ve
ändertem Licht, mit tausendfältig sich brechenden Scha
ten, und verschiednen Nüancen, darzustellen — so wi
derholt er sich! So wiederholt sich auch "der Tieffin
der immerändernden Schöpfung, unergründlich, w
Er, im Großen und unergründlich im Kleinen!—

8) "Daß die Erlösung der Trost der Erlösten i
Leiden sey „

Aber ein anderes Chor Erstandner sah mit d
Mitleids frommen innigem Blick zu der liegenden Er
herunter. Ach dort waren sie auch in Hütten un
Gräbern gewesen! Dort erstanden! Sie sangen de
Retter der sterblichen Menschen:

"Gott sey und dem Sohn sey, der zu Gott get
Anbetung! Werft die Krone, werft Engel, auch i
in Triumphgange die Palme, daß der Herr sie eu
gab, nieder am Thron. *)

---

*) Werft Engel im Triumphgange die Palme, daß d
Herr sie euch gab, nieder am Thron) "Werft, Eng
die Palme nieder am Thron, die ihr auf dem Gange t
Triumphes habt, den ihr darüber triumphirt, d
der Herr sie euch gab. So ist dieser äußerst kurze ly
sche Gedanke vollständig. —

Pilgrim! die erniedert in das Elend herwallen, gro=
ßer Trübfal voll, weinet ihr noch? Und ihr werft doch
wie die Engel euch am Throne dereinft hin im Tri=
umph!

Also! und mit dem Dank, und dem Preis lohnt
Jesus Führung, Dulder, euch!*) diesen Triumpf trium=
pirt der, der das Elend, bis ans Ende getreu, folgfa=
mer trug.

Schweig denn du o Thräne die in Wehmut Trost
weinet. Mach ihr Herz nicht weich, tröste nicht mehr!
Ist am Ziel denn nicht Vollendung? Nicht im Thale
des Todes Wonnegefang? **)

Laffen Sie mich hier abbrechen, fagt ich! dieser
falte Gedanke erschüttert mich, ergreift mich zu mäch=

Y 3

---

*) Also und mit dem Dank und dem Preis lohnt Jesus
Führung, Dulder, euch.) Abstracter Gedanke. Dar=
inn daß wir Gott würdiger anbeten können, also in dem
Preis, in dem Dank besteht ja die zukünftige Glückfee=
ligkeit. Man könnte hier dem Sprachgebrauche nach auch
auf die irrige Erklärung fallen: So lohnt, fo dankt,
fo preift Jefus euch durch feine Führung. —

**) Ist am Ziel 2c.) Das find die Zeilen, die Gerstenberg
fo vortreflich in der lezten Scene feines Ugolinos fingen
läßt. Würdiger, und zu größerer Wirkung hat wohl
noch kein Dichter den andern angeführt.

tig! — Nicht einmal weinen sollen wir! nicht einn
weinen! — Und wahrhaftig, habe ich ihn einmal n
nen gesehen, so sah ich ihn öfter nach, wie er sei
Thräne Stillschweigen gebot! So durchschaute der D
ker, der die Theodicee schuf, das Weltall auch — u
weinte nicht!

Wir standen drauf auf und gingen in das Zimme

———————

Den andern Tag gingen wir wieder früh in dem hel
Schimmer der Morgensonne, und sezten uns unter
Linden. Ich fuhr fort. Wo wir gestern schlossen, f
ich, war wirklich eine Art von Halte; denn was n
kömmt, das neunte, zehnte, und elfte Lied macht e
Episode im Plane des Ganzen aus. Seelen vor t
zem verstorbener Menschen mischen sich, von Eng
geführt, unter das Triumphheer. Ihre Lobgesä
werden fast dramatisch. Denn Erstandne empfan
sie mit einem Liede; sie antworten auf dieses Lied, t
Engel stimmen in ihre gegenseitige Entzückung t
Der Inhalt fließt von selbst aus ihrer Situation. I
nächste Gegenstand ihres Lobes konnte kein and
seyn, als der, ihre Empfindungen über das Glück, t
dem der Tod sie erhoben hat, über die Vollendu
der er sie entgegenbringt, hinzuströmen.

"Als sie es sangen (jenes lezte 8te Lied) erblickten
fern bey der glänzenden Aehre Seelen, und Cheru=
m, welche die Seelen herauf zum Versöhner führten.
ie Cherubim flogen den Flug der Wonne; die See=
schwebten mit zitternder Freude daher. (Und warum
se Freude? Wegen ihrer Vollendung — denn: es ist
llendet! hatte gerufen am Kreuz ihr Versöhner.)
mmere Todte, die in Gräbern und Flammen vor
zem die Sterblichkeit ließen, (also, fromme Heiden
d Juden — weil die Juden ihre Todten begruben,
d die Römer und Griechen sie verbranten) Seelen
s allen Völkern, aus allen Winden der Erde wa=
s. Sie wurden seit seiner Vollendung, (also gebot
bis zu der Zeit des Thriumphs in den Hainen der
re versammlet. — Und die bebende Schaar schwebt'
ner höher. Sie riefen — weinten — riefen den
f der Erstaunung über die Gottheit, ach den ersten
uf)! — Ein Chor Erstandner empfing mit Jubel
begnadigten Brüder. So sang es ihnen ent=
en:

9) O sie kommen herauf! mühsam wandelten
in des Tods bangem Nachtpfad. (Glückliche, *)

D 4

_____

Glückliche) statt glücklich. Felices, liberati sunt. Der
lateinische Gebrauch des Nominativs, nicht etwa der
Vocativ hier.

befreyt, entflohn sind sie weit weg vom Elend! u
Entzückung ist ihr Weinen da herauf, Wehmut hi
lischer Ruh!

O des Wonnegeschreys! Erbe deß, *) der Gefä
in des Tods bangem Pfad war! dessen der Gefä
auch hier ist, wo Gott lohnt, wo er am Ziele n
Vollendung lohnt; (Erbtheil Jesu Christi, der wie n
gelitten hat, der nach dem Tode mit Herlichkeit gekr
ist, an der auch wir Theil nehmen sollen; der also un
Gefährt auf Erden und im Himmel ist.) Du o se
ges Gefühl (über die Theilnehmung an diesem Erb
wer spricht völlig dich aus?

Wo ertönte so sanft? **) ach, wo lispelte sie,
es je ganz aussprach die Harfe? wo erklang sie him
lisch? Krystallstrom, wo hörtest du es herweh
(das Lied nämlich das dieses Gefühl würdig genug a
gedrückt hätte.) Und o Palme bey dem Strom, Sio
Hörerinn, wo? (Selbst im Himmel wird es nicht e
mal würdig genug gesungen.)

---

*) Erbe des 2c.) Erbe kann heißen Erbtheil und Erb
der. Daß es hier die erste Bedeutung habe, sieht n
aus dem folgenden: du o seliges Gefühl.

**) Wo ertönte sie 2c.) die Strophe hat Melodie für i
Declamator! — Palme ist Hörerinn Sions person
cirt. Sion hier: die Lobgesänge Sions.

Nun antworten die Seelen, denen dieß entgegengesungen ward: Und die Seelen ergriff des neuen Lebens Entzückung, und sie strömten ins Heer des Siegers herein und sangen:

10) Ach zu dem Triumph schweben wir empor! Engel! und ihr Erben des Lichts, (Engel und Seelge) wir kommen zu des Sohns Himmelgang, mit der Feyer dieser Himmelfahrt! Du o Tod, du Flug zu dem Genuß! Gräber und ihr Graun, *) ihr seyd Wonne, der Himmel, und sein Heil.

Göttlicher! o dich nennet des Gesangs, dich des Gefühls Wonne nicht aus! **) Göttlicher! der Welt König! König der Welt! nur schwach und in der Fern, rufet der Triumph, hallet dir nach Jubel sein Getön.

Siehe, von der Schaar derer, die dein Tod, Mit=, versöhnt, derer, die du, Herlicher, erhöhst, sind auch

Y 5

---

*) Gräber und ihr Graun) da es Apostrophe an die Gräber ist, sollte es eigentlich heißen: Gräber und euer Graun. Aber lyrischer ist es, dieß schon in dem Augenblick vergessen zu haben und von ihnen in der dritten Person (ihr) zu reden.

**) nennet — — aus) neu, nach der Analogie von: etwas aussprechen. — — Der Welt König! König der Welt! Welch eine nachdrückliche Inversion ist der Wiederholung!

wir! und gesät ins wartende Gefild, wo in dem Gericht, Herrlicher, du erndtest, und verklärst.

Und nun das Engelchor das in beyder Preis ein-
stimmt: Himmlische Jünglinge, Seraphim die am Fuß
der Cedern Gabriels und Eloa's, wie Blumen blühten
vermochten ihrer Freude Gefühl bey diesem festlichen
Anblick nun nicht mehr zu halten. Mit Eile rauschten die Saiten:

11) Wie die Freude, wie die Wonne, wie des
Triumphs inniges jauchzendes, heiliges Lied nachhallen? *) wie den Preis der Vollendeten am Thron

---

*) Nachhallen 2c.) Ein einzigesmal nur noch braucht Klop-
stock so den Infinitiv; in einer ähnlichen Stelle des
Affects, in der Rede des sterbenden Schächers. Ges. 11
S. 34. „ Länger nicht weilen versöhnte, gerechte, begna-
digte Seele. — Eben fällt mir ein, daß die Franzose
genau den Infinitiv auch im gemeinen Leben so brauchen
(Que faire?) Es ist demohngeachtet kein Gallicismus be
Kl. er hat nur aus derselben Quelle geschöpft, aus der
diese Sprache diesen Idiotismus nahm. Sonderbar genug! mit wie vielen neuen Wörtern, Wendungen, Constructionen, und mit unter auch vortreflichen, haben Lessing, Göthe, Herder und Andre unsre Sprache aus dem
Englischen und Französischen bereichert! Klopstock der
mehr Goldstücke hineingebracht hat, als alle diese, nim
blos aus den alten Sprachen. Latinismen, Gräcismen
hat er; ich wüßte auch nicht einen einzigen Gallicismu

Merken Sie wohl, die abgebrochne elliptische Redens=
art? anstatt: Wie sollen wir das nachhallen? Es ist
eine alte Bemerkung, daß die erste Armuth der Sprache
nur eine Zeitwendung hat, daß der höchste Affect bis=
weilen und die Kinder immer im Infinitiv sich ausdrü=
cken? Wenn Conrad Sie um was bittet, sagt er da
nicht: Mama mir das geben! Es sind himmlische
Jünglinge die dieß singen.   Weiter! "wie sollen wirs
alsdenn aussprechen, wenn ihr alle nun, ihr Schaaren
zu dem Genuß, alle zur Herrlichkeit euch von des
Grabs Nachtpfade zu dem Schaun des Allseeligen
erhebt!

Die Episode schließt hier, wir hielten also ein we=
nig ein, und fuhren nach kurzem Stillschweigen wieder
fort. Ich bat die Gesellschaft genau aufzumerken; wir
hätten nun eine Reihe schwerer Oden vor uns; und
die alle so an einem Faden zusammen hingen, daß wir
sie nicht wohl zerreissen könnten, wenn wir nicht die
Uebersicht des Ganzen verlieren wollten. — Es sind
lauter abgerißne Stücke, aus der Geschichte des alten
Testaments, lyrisch eingekleidet, die man sich in einer
Art von Zusammenhange denken muß — Schicksale,

---

oder Anglicismus bey ihm. Dieß ist ein völlig eigenthüm=
licher Zug seines Characters; ein merkwürdiger Eigen=
sinn, Eifersucht — nennts wie ihr wollt!

theils einzelner Menschen, theils ganzer Staaten, di
mit dem jüdischen in Verbindung gewesen waren; wel
che nach dem Geiste der Propheten und der Offenbarun
in Verbindung mit dem großen Werke der Versöhnun
gedacht werden müssen; deren dichterische Ausbildun
also, in so fern gewissermaßen historischer Preis Christ
ist. Diesen Inhalt giebt Klopstock genau und bestim
genug mit den Worten an: "Die Wunder des Göttli
chen unter dem Volke des Gerichts und der Gnad
und des Gerichts besangen die Chöre.„ Aber er ha
sehr recht! Es ist eine schnelle Wahl der Entzückung
Die Subjecte der Oden werden nicht allemal ganz, bi
weilen nur durch ein Wink angedeutet, und ohne de
allgemeinen Blick auf die ganze Geschichte des jüdische
Volcks versteht man sie nicht. Was die Oden selb
betrift: Sie sind zum Theil dialogirt; die Persone
ändern sich, ohne daß der Dichter sie einmal angiebt
der Leser muß das aus dem Zusammenhange seher
Die Sprache darinn ist meist biblisch; häufig die Liede
der Propheten nur selbst in neuere lyrische Sprache ge
bracht, und mit Klopstocks eigener Salbung gesungen
Die Subjecte sind, daß ichs kurz vorhersage: 12) De
Durchgang der Israeliten durchs rothe Meer. 13
Dasselbe Subject von Mirjam gesungen und zugleiche
Zeit, die Geschichte der Errettung durch Debora. 14
Abirams, Korahs und Dathans Verwerfung. 15
Der Einsturz von Jerichos Mauern. 16) Davids

Sieg über Goliath, seine Erhebung auf den Thron, seine Dichtkunst, seine Prophezeihungen. 17) Das Feuer das auf Elias Gebet auf sein Opfer vom Himmel fiel. 18) Auffoderung an den Jesaias, von den Wundern, die den Inhalt seiner Weissagungen ausmachen, zu singen; und seinerseits bey dieser Gelegenheit Berührung des erhabenen Gesichts im 6ten Capitel. — 19) und 20) das Gericht Gottes über den Sancherib, aus dem Jesaias. 21) Die Gerichte Gottes über Assyrien aus dem Ezechiel. 22) Die Gerichte Gottes über Egypten aus demselben Propheten. Und endlich mit Vorbeyspringung des ganzen Zeitraumes vom Hesekiel an bis nach Christi Tode: 23) die Zerstörung von Jerusalem durch die Römer. So sehen Sie also daß er die wichtigsten Theile der jüdischen Geschichte erschöpft, und sie gewissermaßen chronologisch durchgeht. Ists nicht zu kühn an Klopstock etwas zu kribbeln; so wünschte ich sehr zu wissen, warum er hier nicht noch vollständiger ist? und warum er von den Schicksalen der Juden, nach der babylonischen Gefangenschaft, ganz die Thriumphsänger schweigen läßt? — Doch ich erkläre mich daß es eine Wahl der Entzückung ist; er kann seine Ursachen gehabt haben, warum er dieß auslaßt, wenn wir sie gleich nicht sehen; und überhaupt, wenn einer so viel giebt, ist die Frage zu geizig: warum giebt er nicht noch mehr? — Lassen Sie uns nun zu den einzelnen Oden fortgehen; von seinem Geiste getränkt,

werden wir nach dieser allgemeinen Ueberſicht nichts
Schwieriges mehr drinnen finden.

Jeſus Chriſtus beherrſchte ſein Volk von Abra=
hams Ruf an, bis zu dem Tage, da er in der Hütte
Bethlehems weinte. Und die Wunder des Göttlichen
unter dem Volke der Gnade und des Gerichts *) beſan=
gen die Chöre des frohen Triumphheers. Feuriger
ſchwung ſich ihr Pſalm. Mit der ſchnellen Wahl der
Entzückung eilten von Wunder zu Wunder ſie fort.
Wie ein ſchimmerndes Chor flog, unter dem Silber=
getöne der Saiten, ſo ſangs zu dem andern hellen
Chore, das kaum der Begeiſterung Jubel zurück hielt.

12) Durchgang der Iſraeliten durchs rothe Meer,
Todesengel ſingens.

Todesengel erhuben die ernſte Stimme, ſie ſangen:
Meer! du ſtandſt, **) Gott gebots! Tagwolke,
Nachtwolke ſchwebt hinten nach dem Heer des Geſez=

---

*) Volke der Gnade und des Gerichts) Dieſe beyden
Worte beſtimmen zu gleicher Zeit genau den Inhalt der
folgenden Oden. Der Gnade bezieht ſich auf die 12 bis
22 Ode. Des Gerichts auf den Inhalt der 23ſten.

**) Meer du ſtandſt ꝛc.) S. 2 B. M. 14, 29. "Aber die
Kinder Iſrael gingen trocken mitten durchs Meer, und
das Waſſer war ihnen für Mauern zur Rechten und
Linken. — „ — vſ. 24. Als nun die Morgenwache

volks. (Es wird hier so genannt, weil kurz drauf das mosaische Gesetz beym Sinai gegeben ward.) Gott erschreckt' und traf Pharaos Roß und Mann von der Wolke. Fühlen Sie wohl die absichtliche Kürze, die Auslassung der Artikel bey: Nachtwolke, Tagwolke, die Spondäen in dieser Strophe? Die Worte sind aus dem Lobgesange Mosis und der Mirjam genommen.

13) Dasselbe Subject durch Mirjam gesungen und zu gleicher Zeit die Geschichte der Errettung durch Debora.

Sie schwiegen, *) allein noch erscholl die Posaune. Mirjam vernahm sie, und sang:

Vor dem Reihntanz **) trat ich einher, Amramas Tochter, und prieß: (ich sang so:) Meer ward, Wü=

---

kam, schauete der Herr auf der Egypter Heer, aus der Feuersäulen und Wolke, und machete ein Schre=cken in ihrem Heer. —

*) Schwiegen) Die ganze Strophe vorher muß nur als schnelle Anführung gedacht werden. Schwiegen connectirt mit sangen. — Uebrigens läßt Klopstock doch im schnel=len lyrischen Affecte bisweilen das Hülfswort sie, beym Zeitworte aus: Z. E. Oden. Braga. S. 208. Sangs — schwebte.

**) Vor dem Reihntanz 2c.) S. 2 B. M. 15, 10. Da ließest du deinen Wind blasen, und das Meer be=deckte sie: und sunken unter wie Bley, im mächtigen Wasser. S. auch Psalm 106.

ter, euch Grab! In mächtiger Woge versank, in dem Schilfmeer, wie das Bley sinkt, der geharnschte Reuter, *) das Roß, Kriegeswagen, Pharao selbst! Gott sah zornig herab aus Wolken in Flammen, da flohn in des Meers Strom die Geschreckten!

Plözlich, ohne daß der Dichter es sagt, läßt er Debora singen. Eine sehr schnelle Veränderung des Subjects sowohl als der Person! die Association indessen dieser beyden sich so ähnlichen Personen, ist sehr natürlich, um so mehr da sie im 10ten Gesange die Elegie mit einander gesungen hatten. An solche plözliche Sprünge muß man sich bey Klopstock gewöhnen. - Die sind ganz orientalisch, im Geiste der Bibel, wo er sie gelernet hat. Freylich Horaz weis von so was nichts, aber Jesaias, Ezechiel, u. s. w. wissen davon. Also —

Mich, sagt Debora, ergreift ihr Wonnegesang, mich Mirjams Harfengetön! Doch o Harfen verstummt! Erscholle (vielmehr) Posaune des Chors! wie der Kison und Kedumim, wie der Kison rauschte,

---

*) Der geharnschte Reuter) statt geharnischte Reuter. Mit Recht erlaubt sich Klopstock hier das i wegzuwerfen; das harte Wort noch härter zu machen. Sonst hat er so ein zärtliches Gewissen darinn! Bey dem einzigen Worte feyerlich pflegt ers nur noch zu thun. (feyrlich)

a ich Debora, (dich) Sissera! *) todt, todt Abino=
ms Sohn dich sahn (da ich und Barak, der war Abi=
noams Sohn, dich todt sahn) und das dumpfe Ge=
sf' um die Kriegsachs' und den Harnisch nun entflohn
war! Sela! Triumph! Debora sangs und das Heer
Judah's (das sagt sie von sich in der dritten Person)
Sela, Triumph ertönte der blutige Bach, der Kedu=
mim und der Kison!

Wer in diesem, die Entzückung, die Begeisterung
nicht fühlt . . . . . ich merke nur an, daß Deboras Lied
gewissermaßen einen doppelten Gegenstand hat; sie
stimt mit ein in Mirjams Geschichte, und flicht auch
ihre eigne mit hinein. Ihre eigne Geschichte ist hier an=
ticipirt; denn gleich drauf kommt Korah ꝛc. vor; eine
spätere Geschichte als die von Sissera. —

14) Abirams, Korahs und Dathans Verwerfung.
Engel eilten mit weggewendeten Blicken Abirams,
ten Korahs Verwerfung und Dathans vorüber; sie
sangen: „

---

*) Sissera todt ꝛc.) S. Richter. 4, 6. — 5, 21. Der
Bach Kison wälzte sie, der Bach Kedumim, der Bach
Kison. Trit meine Seele auf die Starken! — Da
rasselten der Pferde Füsse vor dem Zagen ihrer mäch=
tigen Reuter.

O der Angst Stimme *) die herrufend vom Abgrunde dumpf tönet', aus Staubwolken zum Licht auf umsonst klagte! Und nunmehr sterbend noch graunvoller schwieg, furchtbarer, verstummt, schrecket', als hinsinkend sie Wehklag' ausrief! — — Was sagen Sie? die moralische Strafbarkeit auch abgerechnet, dächt ich doch wir gäben wohl Voltairens Gedicht auf Lissabons Untergang um diese Strophe weg? — Graußts Ihnen nicht etwas hierbey? Mich dünkt immer, ich höre ihr dumpfes ersterbendes Angstgeheul leibhaftig in der langsamen gedehnten Bewegung davon. "Was Voltaire! Schämen Sie sich! mit Klopstock nur den Namen zugleich zu nennen! —„

15) Der Einsturz von Jerichos Mauern.

Einen Blick nur senkten die Preisenden auf die Trümmern Jericho, einmal rauscht es nur die Harfen herunter: (einmal! denn dieß waren kleinere Begebenheiten unter größern; darum ist auch für jede nur ein Strophe.)

Posaunrufen **) der Heerlager die ernstanbetenden fortzogen, umscholl wehdrohend der Palmstadt Thür

---

*) O der Angst Stimme 2c.) S. die Geschichte 4 B. M. 10, 31. 32.

**) Posaunrufen 2c.) S. Josua 6, 17. — 5 B. M. 34, "Und gegen Mittag und die Gegend der Breite Jericho, der Palmenstadt, bis gen Zoar. — Heerlager.) Luther braucht dieß Wort für Heer. Jos. 10, 5. —

ie! der Todstag kam dunkel! und des Herrn Heer zog!
nd es sank fürchterlich aufdonnernd Jericho.

16) Davids Sieg über Goliath, seine Erhebung
uf den Thron, seine Dichtkunst, seine Weissagungen:

) Harfen erklangen jezt; zu den Harfen Stimmen
er Engel:

O wie fiel dir, *) Judah, dein Loos! Bethle=
iens bräunlicher Sohn spielt hin, leicht wie ein Reh!

Z 2

---

*) O wie fiel dir ꝛc.) Dieß ist eine der schwersten Oden;
so wohl wegen des Inhalts als der Wortfügung. Ich
will sie auseinander setzen. Das Subject davon habe ich
schon angegeben. Sie wird an Juda gerichtet: Freue
dich Juda über diese großen Schicksale (denn Juda ward
erst durch David errettet, und hernach groß unter ihm.)
O wie fiel dir Juda dein Loos! Und worinn besteht
dieß Loos? Bethlehems bräunlicher Sohn (nämlich
David) spielt' hin, leicht wie ein Reh (— 1 Sam.
17, 42. "Da nun der Philister sahe und schauete David
an, verachtete er ihn. Denn er war ein Knabe, bräun=
licht und schön.„ — — "er spielte hin,„ sagt K., weil
er den ganzen Streit mit Goliath nur als ein Spiel zu
betrachten schien; oder ein leichter schwebender Gang,
wird überhaupt nur so genannt,) da sank ihm der Stab,
(d. i. Goliath sah seinen Stab verächtlich an, und sagte
zu ihm: [vs. 43.] bin ich denn ein Hund daß du mit
keinem Stecken zu mir kömst?) und er traf den Ga=

Da sank ihm der Stab, und er traf, dem Gathäer
der ihm Hohn sprach! — — — So erhöht', o Ju

---

thäer, der ihn Hohn sprach. — — — Die Wortfü
gung der folgenden Strophe ist äußerst kühn. Was Klop
stock wagt das = = = sonst! = = *) Sie muß so er
klärt werden: So erhöht', o Judah, dein Gott, (der
Verwerfer des Benjaminits daß sein Blut floß zu
Gilboa, (d. i. Gott der den Saul, aus dem Stamm
Benjamin, verwarf, und so verwarf, daß sein Blut au
Gilboa floß; der ihn auf Gilboa sterben ließ) den Jüng
ling, (nämlich durch den Sieg über den Goliath, de
er ihn davon tragen ließ, — ferner dadurch, daß er ih
die Krone gab, — Gold für die Krone, so wie Virg

[*) denn ich muß aufrichtig gestehen, dieß ist eine von de
höchstseltenen Stellen, wo meiner Empfindung nach Klo
stock zu kühn in der Sprachversetzung gewesen ist. J
bin weit entfernt die Wendung zu misbilligen: Verwerf
des Benjaminit, daß sein Blut floß 2c. Dadurch daß d
Saz aus einer paraphrastischen Art sich auszudrücken m
dem Verbo in ein Nomen verwandelt wird, erhält er so vi
Kürze! und ist nicht undeutlich. Aber 1) scheint: Verwe
fer 2c. mir zuweit von: Gott, entfernt, als daß es na
der Grammatik noch damit construirt werden könn
2) Kann hier, dünkt mich, der Artikel: der, vor B
werfer, schlechterdings nicht fehlen. Die Regel ist:
bald das Subject der Rede bestimt ist, (und das ist

h, dein Gott den Jüngling, gab ihm ums Haupt
old, und goldnen Gesang, Verwerfer des Benjami=
t, daß sein Blut troff am Gilboa. — — — Und
sahe David den Sohn, den Mitler ferne, da flog
salmflug! Jubel erscholl im höheren Chore, das Lob
s Erschaffers und Erbarmers!

17) Das Feuer das auf Elias Gebot auf sein
pfer fiel.

Z 3

---

es für einen goldenen Becher braucht: *pleno se proluit
auro.* Aen. I. 739. u. s. w.) und gab ihm ums Haupt
Gold, und goldnen Gesang. — — — Und was ent=
hielt was feyerte dieser Gesang? dieß: Es sahe Da=
vid rc. — im höheren Chore, d. i. im hohen Chore —
Latinismus.

---

hier) so muß der Artikel dabey stehen. Ich würde es
niemand verdenken können, der hier: Verwerfer, für
den Vocativ nähme.

Indeß gesteh ich; ich wüßte auch eben nicht was ich
antworten wollte, wenn Klopstock zu mir sagte: Ich ver=
lange gar nicht daß: Verwerfer, mit: Gott, construirt
werde — es ist der gewöhnliche Latinismus wie: Begei=
sterer wehn noch am Himmel sie rc. (Oden. S. 181.)
Und daß ers mit Fleis gesezt hat, seh ich aus der Ver=
gleichung mehrerer Stellen in den Triumphliedern. Z. E.
S. 169. "Tagwolke, Nachtwolke„ rc. — S. 177. "Meer=
drach sprang er im Strom.]

Andre Harfen erklangen und andre Stimmen der
Engel.

Er betet, *) da stürzt hoch herab, ein Gebet vom
Thron her Flammen herab! Das Opfer versank schnell
in der Glut! Und die Wasser am Altar brannten in
die Höh!

18) Auffoderung an den Jesaias, von den Wundern, die den Inhalt seiner Weissagungen ausmachen
zu singen, und seinerseits bey dieser Gelegenheit Berührung des erhabenen Gesichts im sechsten Capitel. Sie
ist eben die schnelle unangezeigte Abwechslung der Personen wie im 13ten Liede. — Daß Jesaias nur einfälti
und ernst das wiederholt, woran ihn die Engel erinner
— das giebt der ganzen Stelle so viel feyerliches!

---

*) Er betet ꝛc.) Hier die gegenwärtige Zeit (betet)
wie vorher die vergangne (spielt' — erhöht' — gab)
wohl der Abwechslung halber: — S. die Geschicht
1 Kön. 18. — vs. 34. 35. — Und Elias sprach: Hol
vier Cad Wassers voll und gießet es auf das Bran
opfer und auf das Holz. Und sprach: Thuts no
einmal. Und sie thatens noch einmal. Und er sprac
Thuts zum drittenmal. Und sie thäten zum dritt
mal. Und das Wasser lief um den Altar her, u
die Grube ward auch voll Wassers. — vs. 38.
fiel das Feuer des Herrn herab: und fraß Bran
opfer, Holz, Steine, und Erde; und leckte das W
ser in der Gruben. —

Sieben Cherubim schwebten aus ihrem Chore zum
Seher, dem Erhabenheit, dem viel fernes Künftiges
Gott gab. *) — Und du schweigst? singen sie, du,
der Cherubim sah vor Gott stehn, ernst, unenthüllt,
(Flügel hüllten uns ein!) der Tempel erbebte vom Psalm
der Erhabnen zu des Herrn Thron.

Jesaias antwortet ihnen: O ich gedenke wohl des
Gesichts, und wie es mich erschütterte: "Ich ver-
stummte da ich euch sah vor Gott stehn! ernst, unent-
hüllt, Flügel hüllten euch ein! der Tempel erbebte vom
Psalm, der Erhobnen zu des Herrn Thron! — +
Und ihr riefet: Heilig ist Er! ach, heilig, heilig ist Er!
Zahllos sind die den Herrn anbeten! Es schallet sein
Ruhm an des Throns Höh und im Staube.

B. 4.

*) dem viel fernes Künftiges Gott gab ꝛc.) So sagt er
auch vom Daniel. Mess. 11. S. 27. dem Gott mit sehr
viel Zukunft strahlte. — unenthüllt, Flügel hüllten
uns ein) ist das nicht dasselbe? Nein! denn, Flügel
hüllten uns ein, ist die nähere Bestimmung von unenthüllt. — S. übrigens Jes. 6, 3. Seraphim stunden
gegen ihm über, ein jeglicher hatte sechs Flügel: mit
zween deckten sie ihr Antlitz, mit zween deckten sie
ihre Füße, und mit zween flogen sie. 3. Und einer
rief zum andern und sprach: Heilig, heilig, heilig
ist der Herr Zebaoth, alle Lande sind seiner Ehre
voll.

Jeſaias ſchweigt ein wenig; und drauf giebt er der Auf=
foderung der Engel Raum. — Izo ſchwieg er, ver=
tieft in Gedanken vom Welten Beherrſcher (in die die
Erinnrung an das Heilig! Heilig! ihn verſenkt hatte,)
aber nicht lange ſo winkt' er Poſaunen. (ſo erhaben
war Jeſaias!) Die tönten zum Liede: — Und die
Lied war das, das er ſelbſt gegen den Sanherib ge
dichtet hatte. Es iſt von Kl. beynahe wörtlich überſetzt
ſo wie im Meſſias ſelbſt viele Reden Jeſu Chriſti. Sie
wiſſen die Geſchichte: Sanherib war gegen Jeruſalem
heraufgezogen, hatte den Hiskia bedroht; Tribut erſt von
ihm gefordert; dann eine gänzliche Unterwürfigkeit von
ihm verlangt. Leſen Sie die ganze Stelle nach; ſie iſt
in der edelſten Simplicität der damaligen Zeiten; in der
ritterlichen Tone, voll heldenmäßiger Rodomontaden
geſchrieben. So ganz die Farbe, der Anſtrich eine
nur-halb cultivirten Volks! Wir glauben mitten unt
den Helden Homers, unter den Rittern der Tu
nierſpiele, und Rieſen der Edda zu leben. Da fan
Klopſtock Stoff! — Hiskias erſchrack; Jeſaias kom
dazu; beantwortet die Herausfoderung des Sanher
genau in einem ähnlichen Liede. Nur daß der kalte p
loſophiſch räſonnirende Exeget dieß aus ganz anderm G
ſichtspuncte betrachtet, als der Dichter es betracht
muß, und in Sanheribs Prahlereyen das Unmora
ſchen nicht findet, was wir durch ſcholaſtiſche Comm
tarien verwöhnt, hinein zu legen pflegen! —

Und nun Jesaias Lied; daß er im Nahmen Gottes singt: 19) Die hohe Jungfrau Sion *) verachtet

Z 5

---

*) Die hohe Jungfrau ꝛc.) S. 2 Kön. 19, 21. Die Jungfrau, die Tochter Zion verachtet dich, und spottet dein, die Tochter Jerusalem schüttelt ihr Haupt dir nach. 22. Wen hast du gehöhnet und gelästert? Ueber wen hast du deine Stimme erhoben? Du hast deine Augen erhoben wider den Heiligen in Israel! 23. Du hast den Herren durch deine Boten gehöhnet, und gesagt: Ich bin durch die Menge meiner Wagen auf die Höhe der Berge gestiegen, auf den Seiten des Libanon, ich habe seine hohe Cedern und auserlesene Tannen abgehauen, und bin kommen an die äußerste Herberge des Waldes seines Carmels. 24. Ich habe gegraben, und ausgetrunken die fremden Wasser, und habe vertrocknet mit meinen Fußsolen die Seeen. 25. Hast du aber nicht gehöret, daß ich solches lange zuvor gethan habe, und von Anfange an habe ichs bereitet? Nun izt aber habe ichs kommen lassen, daß feste Städte würden fallen in einen wüsten Steinhaufen. 26. Und die drinnen wohnen, matt werden, und sich fürchten und schämen müßten, und werden wie das Gras auf dem Felde, und wie das grüne Kraut zum Heu auf den Dächern, das verdorret ehe denn es reif wird. 27. Ich weis dein Wohnen, dein Aus= und Einziehen und daß du tobest wi=

dich, und spottet dein! Die Tochter Jerusalem schüt=
telt ihr Haupt dir nach! Wen, wen höhneteſt und
läſterteſt du? O wider wen kam, Stolzer, dein Laut
empor? Dein Haupt erhubſt du wider den Heiligen If=
raels! haſt du nicht Gott Jehovah geläſtert und geſagt:
Ich bin geſtiegen über die Berg herauf mit meiner
Wagen Menge! des Libanon Seiten, des Liba=
non Cedern haut' ich und Tannen herab. Gekom=
men bin ich, bis zu der äußerſten Herberge Carmels,
bis in den hohen Wald! Grub ich, und trank ich nicht
eure Waſſer? und trocknet' ich nicht mit meinem Fuß=
tritt Iſraels Seeen aus? Vernahmſt du niemals daß
ich, was izt geſchieht, oftmals vordem auch that?
Weit von ferne bereit' ich es zu, dann heiß ichs kom=
men! (ich mache einen weitauſſehenden Plan und den
vollführe ich.) Städte von Mauern hoch, und Hü=
geln, fallen öde zur Trümmer hin! Schaam und des
Todes Furcht ſenkt zur Erde des Streitenden Arm.
Wie Gras des Feldes werden ſie! Dörren hin wie
Kraut auf Dächern! Heu vor der Reif', und welk!

---

der mich. 28. Weil du denn wider mich tobeſt, und
dein Uebermuth vor meine Ohren herauf kommen iſt,
ſo will ich dir einen Ring an deine Naſe legen, und
ein Gebiß in dem Maul, und will dich den Weg
wieder umführen da du herkommen biſt.

(So weit die Rede des Sanherib, die Jesaias wiederholt. Was nun kömmt, antwortet Jesaias, im Nahmen Gottes auf diese Rede.)

Weis ich es, Stolzer, nicht, wo du ziehest? und ziehest? und wohnst? — Und kenn ich wider mich dieß dein Toben nicht? Weil wider mich du also denn tobst, dein Stolz, weil er zu mir heraufstieg, und ich es im Him= mel vernahm: So leg ich einen Ring an die Nase, dir, leg' ich Gebiß dir, Tobender, ins Maul, daß du densel= ben Weg wiederkehrest, auf welchem du kamst! — So weit Jesaias! die Erfüllung dieser Weissagung zu besingen, überläßt der Dichter Engeln... Sie wissen, der Erfolg der Geschichte war der: Es entstand eine Pest in dem Lager des Sanherib; Er floh zurück, und ward in seinem eignen Lande, als er seinem Gott Nis= roch opfern wollte, von seinen beyden Söhnen, Abra= melach und Sarezer erschlagen. — Feurig sang ers, (Jesaias) von neuem begannen die sieben Begleiter: o) O entfleuch denn, Sanherib, eil zu Nisrochs Opfer! eil deinem Tode entgegen!) . . . Und wie bald, singen sie, ist Jesaias Drohung erfüllt worden! — Noch scholl Sions Hügel herab, das Drohn des Pro= phetengesangs, da erhub schon die Vollendung zum Gericht den donnernden Fuß! (Sie verstehn doch diese personificirten Abstracta?) der Tag stieg röthlich her= auf, (und) stumm lag, leichnamevoll, das Feld der Assyrer! Entflohn war ihr König mit Entsetzen! — —

Nun folgen im 21) und 22) Liede die Gerichte Gottes über Aſſyrier, und über Egypter. Man muß wieder hier die Geſchichte gegenwärtig haben, um ſie ganz verſtehen zu können. Dieſe beyden Lieder ſind aus dem Ezechiel genommen, den er nebſt Engeln ſie ſingen läßt. — Und der Seher der Herlichkeit Gottes am Chebar *) (ein Fluß in Chaldäa, an dem Ezechiel ſeine Geſichte hatte.) entſchwung **) ſich, nebſt zwölf Jünglingen, Engeln und Menſchen, (die theils Engel, theils Menſchen waren) des feyernden Himmels lichten Chören. Ihr Flug ſchon erklang, da die Harfen noch ſchwiegen. Und ſie ſchwebten den göttlichen Sohn anbetend vorüber. Furchtbar ſchön war ihr ſtrahlender Schwung, und der Himmliſchen Anſchaun, und in der Blicke die Flamme. Sie ſangen dem Herrſcher in Judah:

21) Rächer! wie oft haſt du gerächt dein erkohrnes, leidendes Volk! wie haſt du zerſchmettert die Zerſtörer, wie haſt du ſie bluten gemacht! die welche Blutgier lechzten (etwas lechzen, ſagt man gewöhnlich nicht: . . . aber man ſagt: Blut dürſten) ent

---

*) Chebar) Ezech. I. 1. . . . . da ich war unter den Gefangenen am Waſſer Chebar, thät ſich der Himmel auf und Gott zeigte mir Geſichte.

**) entſchwung) Kl. ſagt alſo: ſchwung, nicht: ſchwang. — Eben ſo in der Ode: Unſere Fürſten: Allein ſchwungt durch die Hindrung ꝛc. —

kannen dir nie! ("Diese Strophe, die einleitet, gehört dem Dichter selbst zu; was folgt, ist aus dem 31 Kap. des Ezechiel wörtlich genommen. Es ist dort die vortrefliche Vergleichung des assyrischen Königs mit einer Ceder des Libanon; in einer Weissagung, die an Pharao, den König von Egypten, gerichtet ist. Eze- hiel warnt ihm nämlich: er solle sich fürchten: Assyrien sey eben so mächtig gewesen, als Egypten, und habe doch ein Ende genommen.) Glich nicht des Nils *) schreckendes Thier dem Assyrer? Libanons

---

*) Glich nicht des Nils ꝛc.) der Crocodill nämlich; ein in Egypten einheimisches Thier: das bey den Propheten symbolisch das Volk selbst vorstellt. — — Hier sind die Worte des Ezechiels selbst; und nun vergleiche ein jeder einmal Klopstocks Ode mit der prosaischen Uebersetzung Luthers! diese Vergleichung wird sehr interressant seyn. Zu sehen, was er davon ausgelassen, was er hinzugesetzt, wie er gewisse Wörter veredelt, Wendungen verstärkt hat, u. s. w. — Ezech. 31. 2). Du Menschenkind, sage zu Pharao dem Könige in Egypten, und zu alle seinem Volk, wem meinest du denn, daß du gleich seyst in deiner Herrlichkeit? 3) Siehe Assur war wie ein Cedernbaum auf dem Libanon, von schönen Aesten: und dicke von Laub und sehr hoch, daß sein Wipfel hoch stund unter großen dicken Zweigen. 4) Die Wasser machten daß er groß ward, und die Tiefe daß er hoch wuchs. Seine Ströme gingen rings

Pracht wie sie aufsteigt zu beschatten (d. i. die Pracht
des Waldes, der Bäume, deren Gipfel sich schattenvoll

---

um seinen Stamm her, und seine Bäche zu allen
Bäumen im Felde. 5) Darum ist er höher worden
denn alle Bäume im Felde; und kriegte viel Aeste u. d.
lange Zweige: denn er hatte Wassers genug sich aus-
zubreiten. 6) Alle Vögel des Himmels nisteten auf
seinen Aesten, und alle Thiere im Felde (dieß bey Kl.
das Staubthier) hatten Junge unter seinen Zweigen;
und unter seinem Schatten wohnten alle großen Völker. 7) Er hatte schöne große und lange Aeste; denn
seine Wurzeln hatten viel Wassers. 8) Und war ihm
kein Cedernbaum gleich (wie lyrischer ist dieß von Kl.
in eine Frage verwandelt!) in Gottes Garten: und
die Tannenbäume waren seinen Aesten nicht zu gleichen, und die Castanienbäume (Kl. Ahorn. Castani-
enbaum ist schon einem feinem Gefühl nicht edel genug
die höhere Ode.) waren nichts gegen seine Zweige.
Ja er war so schön, als kein Baum im Garten Gottes. 9) Ich hab ihn so schön gemacht (Gott selbst
spricht dieß beym Propheten. Da es aber hier dem Propheten in den Mund gelegt wird, so muß die Person
verändert werden) daß er so viel Aeste kriegte, daß ihn
alle lustige Bäume im Garten Gottes neideten. 10)
Darum spricht der Herr Herr also: Weil er so hoch
worden ist, daß sein Wipfel stund unter großen hohen dicken Zweigen; und sein Herz sich erhub, daß er
so hoch war; 11) Darum gab ich ihm dem mächtig-

jebt, auffteigt) hatte diefer! Er ftand von Laube
E und fein Wipfel empor! Waffer um ihn her mach=

---

ften unter den Heiden in die Hände, der mit ihm um=
ginge und ihn vertriebe, wie er verdient hatte mit fei=
nem gottlofen Wefen; 12) daß Fremde ihn ausrotten
follten, nemlich die Tyrannen der Heiden, und ihn
zerftreuen; und feine Aefte auf den Bergen, und in
allen Thalen liegen mußten, und feine Zweige gebro=
chen, an allen Bächen im Lande; daß alle Völker auf
Erden von feinem Schatten wegziehen mußten, und
ihn verlaffen. 13) Und alle Vögel des Himmels auf
feinem umgefallnen Stamm faßen, und alle Thiere im
Felde legten fich auf feine Aefte. 14) Auf daß fich fort=
hin kein Baum am Waffer feiner Höhe erhebe, daß
fein Wipfel unter großen dicken Zweigen ftehe; und
kein Baum am Waffer fich erhebe über die andern;
denn fie müffen alle unter die Erde, und dem Tode
übergeben werden, wie andre Menfchen, die in die
Grube fahren. 15) So fpricht der Herr Herr: Zu der
Zeit da er hinunter in die Hölle fuhr, da machte ich ein
Trauern, daß ihn die Tiefe bedeckte und feine Ströme
ftill ftehen mußten, und die großen Waffer nicht lau=
fen konnten, und machte, daß der Libanon um ihn
trauerte, und alle Feldbäume verdorreten über ihn.
16) Ich erfchreckte die Heiden, da fie ihn hörten, fal=
len: da ich ihn hinunterftieß zur Höllen mit denen fo
in die Grube fahren. Und alle luftige Bäume unter
der Erden, die edelften und beften auf dem Libanon:

ten ihn groß! und an Strudeln hub er den Wuchs
um den Stamm des Erhabnen (Baums) rauschten
Ströme! den anderen Bäumen sendet' er Bäch' in
Gefild! darum erhub höher er sich, wie die andern
Bäum' im Gefild! und es ward ihm zu der Aeste vol
lem Sproß und der Zweige, Wassers, sie zu verbrei
ten genug! Nisteten nicht Vögel auf ihm, und das
Staubthier lags nicht um ihn wie unzählbar? In de
hohen quellentrunkenen Baums Schatten wohnten
Völker umher! Ceder des Herrn, warst du wie er
Und o Tanne du wie sein Ast? und du Ahorn wi
sein langer schöner Zweig? Vor der Bäume Schaare
prangt' er im Haine des Herrn! — Hatte ihn nicht
Gott also geschmückt, und mit dichten Aesten erhöh
daß die Bäum' ihn im Garten Gottes neideten? (Hie
wendet sich nun die Ode) Nun also: Weil sein Wipf
also gen Himmel erwuchs, hob sich sein Herz schwe
lend empor, daß so hoch er stünde! (Und darum:
Du gabst ihn dem Stärksten der Tyrannen, Räche
nun in die Hand, daß ers ihm, wie ers verdiente, ve
galt! Fremder Gewalt rottet ihn aus, und zerstreu

und alle die am Wasser gestanden waren gönneten
ihm wohl. 17) Denn sie mußten auch mit ihm hi
unter zur Hölle, zu den Erschlagenen mit dem Schwerd
weil sie unter dem Schatten seines Arms gewoh
hatten unter den Heiden.

m! Auf dem Gebirg', in den Thalen an den Bächen
gen niedergestürzt, zerschmettert, Aest' ihm, und
weig' ihm umher! — Schatten war er Völkern nicht
ehr, und zu Schaaren zogen sie fort! Auf dem Stam=
e des Gesunknen wohnten jezo der Luft, auf seinen
esten die Heere der Flur. (Solche Constructionen sind
eylich sehr neu... allein nicht kühner, als wir sie in
der Ode des Horaz finden ... das heißt eben: "den
edanken, die Empfindung, treffend und mit Kraft,
it Wendungen der Kühnheit zu sagen ec.) — Nieder=
schreckt hebet kein Baum an den Wasser sich (mehr)
mit Stolz, und es ragt so bey den Strömen keines
ipfel nicht mehr aus dichten Zweigen der Kühlung
por! Denn in das Grab müssen auch sie (die Bäu=
... oder nach enthüllter Allegorie: die kleinern Völ=
, die unter den kleinern Bäumen abgebildet wer=
) zu der Todten Grüften, (diese Völker,) vor die sich
Erdkreis in den Staub wirft! Als der Assur die
f' hinab kam, klagte sie weit um ihn her, (denken
e sich ja noch immer das weiter ausgemahlte Bild
es Baumes, der abgehauen von einer Alpe in den
grund herunter stürzt!) (da) hüllte sich ein Strudel
Strom (Strudel und Strom werden also perso=
irt) und die Wasser flossen nicht fort! und ver=
kelt, wie in Trauer, stand ihr Libanon! (der Liba=
nämlich an dessen Füßen diese Ströme rauschten)

A a

auch des Thales Bäume verdorten um ihn! — A[...]
mit Getös' nieder. er stürzt', in die Hölle (hier im [...]
bräischen Verstande genommen, da es Abgrund heiß[...]
nieder (stürzte) mit Sturm, da entsezten sich die Vö[...]
ker! Du edenischer Hain im Abgrund, du o sein Lib[...]
nonwald dort in der Nacht, tröstet ihn; (tröste[...]
wie das? Hier hat Klopstock den Gedanken des E[...]
chiels etwas verändert. .Bey diesem gönnens die übr[...]
gen Bäume der Ceder, weil sie auch mit zerschmette[...]
wurden. Hier tröstet der Umsturz der kleinern Bä[...]
me; ihr gleiches Schicksal, den Assyrer. — Oder so
es auch vielleicht ironisch genommen werden?„) [...]
die Herscher alle, sein Arm, (die Herscher sind sein Ar[...]
seine Hülfe,) die mit Schatten er bedeckte, waren nied[...]
mit ihm gesunken zu der Getödteten Schaar! — —

   Das 22) Lied enthält die Weissagung Ezechiels a[...]
den Untergang des egyptischen Reichs. Diese Weis[...]
gungen, oder Nationalpoesien, wie bey den Arabe[...]
noch ein Stamm sie gegen den andern macht, wie s[...]
die Helden beym Homer einander auffodern, habe[...]
viele poetische Schönheit! — — sind so ossianisch!
Wie die auf Klopstocks Seele wirken mußten!

"Und sie schwiegen: (einen Augenblick nur, um gle[...]
wieder gegen Aegyptus anzufangen:) So säumt n[...]
kurzem Weilen der Erde furchtbares Beben, nun b[...]
gen Himmel wieder zu senden Staub aus Tr[...]

nern und Sterbender Jammergeſchrey! Sie ſan=
gen:„

(Hier iſt die Ode mit den nöthigen Umſchreibungen:)

(Eben ſo) wie den Aſſur (Aſſyrien) ſtürzteſt du
Aegyptus König, o Sohn, *) (da es ein Lob für,

---

*) Wie den Aſſur ſtürzteſt du Aegyptus ꝛc.) Dieſe Ode
halt ich für die ſchwerſte im zwanzigſten Geſange, nicht
allein deswegen, weil man ſie genau mit dem Ezechiel
vergleichen muß, um ſie zu verſtehn, ſondern auch weil
die Weiſſagung, die Luther dießmal zu ſclaviſch wörtlich
überſezt hat, ſelbſt einer Erläuterung bedarf. Ich muß
bey dieſer Gelegenheit wohl Bibelerklärer ſeyn. Es ſind
hier bey Klopſtock zwey verſchiedne Weiſſagungen, oder
Poeſien des Ezechielz in eine gezogen, um ſeinem Bilde
allen lyriſchen Drang zu geben. Cap. 29, 3. 4. 5. und 32,
2. 3. 4. 5. — 21. 22. 23. 24. — 26. 27. — — 29. 30. 31. —
Man mache ſich dieſe Vorſtellung von dem Gedichte des
Ezechiel! Er verkündigt den Egyptern und ihrem Könige
Pharao, einem Volke, das ohne Unterlaß im Kriege mit
dem jüdiſchen Staate verwickelt war, den Untergang.
Egypten war wegen der Crocodille bekant. Dem hebräi=
ſchen Dichter iſt das Crocodill das Sinnbild des egypti=
ſchen Volks. (denn: Meerdrach, Leviathan, iſt, wie be=
kannt, das Crocodill.) Der Luxus, die Macht des
feindlichen Volks iſt alſo poetiſch das Umherſpringen des
Crocodills im Nile! und das Bild wird ausgemahlt: er
trübt den Schlamm ſeines Fluſſes! die kleineren Fiſche

Christum seyn soll, so schreibt Kl. es Christo zu, nach
der biblischen Vorstellungsart, nach der alles Christi
beygelegt wird, was Gott thut.) (Ein) Meerdrach (ein

hangen an seinen Schuppen fest! — diesen Crocodill will
der mächtigere Gott Israels erlegen, ihm ein Gebiß ins
Maul legen, ein Nez darüber auswerfen, und es ans
Land ziehen (die Crocodille wurden auf verschiedne Arten
theils mit Angeln, das ist, was Luther Gebiß übersezt
theils mit eisernen Nezen gefangen.), das große Unge=
heuer soll liegen und an der Sonne verfaulen! — die
kurze Bild mahlt Ezechiel aus, und Klopstock concentir=
es aus den beyden Capiteln. Drauf redt er wieder ei=
gentlich, ohne Bild, sagt: Du Egypten wirst unter=
gehen wie alle andern noch so mächtigen Völker ihr Ende
gefunden haben! wie die Assyrer! wie die Meder! (Elam,
wie Thubal! und Mesech! wie die Edomiter! wie die
Sidonier! — Nun die wörtliche Uebersetzung dieser Stelle,
in der ich so viel von Luther beybehalten habe, als mir
möglich gewesen ist: 29, 3.) So spricht der Herr Herr!
Siehe ich komme über dich, Pharao, König in Egyp=
ten! du ungeheures Crocodill, das mitten in seinem
Strome liegt! das sagt: Mein ist der Strom und ich
hab ihn mir gemacht! 4.) Aber ich will einen Angel in
deinen Rachen werfen! Die Fische deines Stroms wer=
den an deinen Schuppen hangen; und so will ich dich her=
ausziehen aus deinem Strom, mit allen Fischen deiner Ge=
wässer hangend an deinen Schuppen. 5.) In die Wüste
will ich dich schleudern mit allen Fischen deines Stroms!
auf dem Lande sollst du liegen! und nicht wieder auf=

ocodill) sprang er im Strom; (im Nil;) es trübte
Wasser sein Fuß, und der Schlamm wölkt in der
Aa 3

---

gelesen noch gesammelt werden, sondern den Thieren
auf dem Lande und den Vögeln unter den Himmel
zum Aaß werden. — 32, 2: Du bist gleich wie ein Löwe
unter den Heiden, und wie ein Crocodill im Ströme!
du springest in deinem Fluß und trübest das Wasser
mit deinen Füßen, und machest seine Ströme glum!
(Ein altdeutsches Wort, das wir nicht hätten veralten
lassen sollen. Das englische gloomy.) 3.) So spricht
der Herr Herr! Ich will mein Netz über dir auswer=
fen durch einen großen Haufen Volks, die dich sollen in
mein Garn jagen. 4.) Aufs Land will ich dich ziehen!
alle Raubvögel des Himmels sollen auf dir sizen, und
alle Thiere des Feldes will ich mit dir sättigen. 5.) Ich
will dein Aaß auf die Berge werfen; die Thale sollst du,
Ungeheuer, ausfüllen! 6.) Das Land, worin du
schwimmest, will ich bis an die Berge mit deinem
Blute tränken! die Bäche sollen davon überfließen. —
21.) Davon werden sagen die starken Helden, in der
Unterwelt, mit ihren Genossen, die hinunter gefahren
sind und daliegen unter den Unbeschnittenen und Er=
schlagenen vom Schwert! 22.) Daselbst liegt Assur mit
alle seinem Volk umher begraben, sie alle erschlagen
und durchs Schwert gefallen! Ihre Gräber sind tief
in der Gruben und sein Volk liegt allenthalben begra=
ben! sie alle erschlagen und durchs Schwert gefallen!

Flut ſich! — da er ausrief! mein iſt der Strom, ich
habe mir ihn gemacht! warf Gott über ihn aus ſein
Nez, und es jagte ſein Heer in ſein Carn auf den Em-

---

vor denen ſich einſt die Welt fürchtete! 23.) Da lieg
auch Elam mit allem ſeinen Haufen umher begra
ben! ſie alle erſchlagen und durchs Schwert gefallen
und hinunter gefahren als die Unbeſchnittenen unte
die Erde, davor ſich auch alle Welt fürchtete; un
müſſen ihre Schande tragen mit denen die in die Gru
fahren! — 26.) Da liegt Meſech und Tubal und a
ihr Haufe begraben, die Unbeſchnittenen! ſie mit de
Schwert erſchlagen! vor denen ſich einſt die W
fürchtete! 27.) Da alle andern Helden, die unter d
Unbeſchnittenen gefallen ſind! ſie hinabgeſtiegen i
Grab mit ihren Waffen! ihre Schwerter unter ihr
Häuptern! ihre Strafe hat ſie erreicht! — (So üb
ſezt Luther. Klopſtock ſagt gerade das Gegentheil, u
ich habe bey dieſer Verſchiedenheit wieder bemerkt,
welcher langſamen Unterſuchung er gearbeitet hat. D
allerdings ſind hier zwey Erklärungen möglich. Die ei
nach dem gedruckten hebräiſchen Texte, wo ich ſo überſe
muß: Sie werden nicht bey den Helden ruhen, die u
den Unbeſchnittenen gefallen ſind! nicht bey denen r
die mit ihren Waffen begraben werden ꝛc. . . . .
Luthers: dieſer folgte nach ſeiner gewöhnlichen W
heit und Kühnheit einer Leſeart der 70 Dollmetſcher,
denen die Verneinungspartikel fehlt. Ich trete Luth
nicht Klopſtocks Erklärung bey, weil ſie mit b

örer! — Indem ihm die Fische schwer und in Drang,
(schwer und gedrängt) die Schuppen herab (an den

---

zum folgenden Verse zu passen scheint. — Doch versteht
sichs, daß das kein Einwurf wider ihn ist. Was geht den
Dichter der Exeget an? — — Lowth erklärt auch, wie
ich finde, als Luther. Die ganze Stelle, die er zur Erläu-
trung dieses Liedes hat, verdient, daß ich sie hersetze.
"Fast alle Dichter pflegen bey Gelegenheit oder auch aus
Wahl oft an Materien zu kommen, bey denen sie den Zustand der abgeschiednen Seelen mit großen Bildern darzustellen und dasjenige sinnlich zu machen haben, was
kein menschlicher Verstand begreifen oder errathen kann.
Die Griechen mit ihrem lebhaften und fruchtbaren Genie,
und ihrem Hange Fabeln auszubilden, nützten diesen An-
laß, und dichteten eine Unterwelt ganz der Phantasie,
ganz ihr Eigenthum! mit so einem Pomp von Ungeheu-
ern, daß man sich kaum des Lachens dabey enthalten
konnte. Was thut aber der hebräische Dichter? Er, der
nicht dieselbe Erlaubniß zu fabeln hatte, wie sie von
der Fortdauer der Seele und Auferstehung der Körper
überzeugt war, und demohngeachtet den Zustand nach
dem Tode nicht genauer kannte, scheint hier das gethan zu
haben, was er bey allem übrigen that. Er schuf sich aus
demjenigen, was von den Todten, den Leichen, in die Sinne
fällt, ein allgemeines Bild, welches er immer bey der
Beschreibung dieses Zustandes braucht, und welches wir,
wenn ich so sagen darf, die hebräische Unterwelt nennen

Schuppen herab) hingen, (so) zog ihn Gott aus dem Strom, und warf ins Gefild ihn, und rief was in Höhn fleugt, (und) was in Staube kriecht und raubt

---

müssen, den Orcus, den ᾅδης der Hebräer. Dieß ganze Bild hatte seinen Ursprung bey ihnen aus der Art wie sie begruben, die so war, daß sie vielen poetischen Schmuck hergab. Die Gräber der Hebräer, wenigstens der Vornehmen, die gemeiniglich Erbgräber, Familiengräber waren, bestanden aus weiten unterirdischen Klüften, oft in Felsen gehauen, durch Natur und Kunst ausgehölt, mit gewölbter Decke, einige so weit, daß man sie mit Pfeilern stützen mußte. An den Seiten waren Behältnisse für die Särge ausgehauen. Diese mit Bildhauerarbeit geziert, jeder in seiner eigenen Celle. Die ganze Höle ließ kein Licht zu; es war nur ein enger Zugang, der mit einem Stein verschlossen war. Solcher Begräbnisse sieht man noch jezt in Palästina; zwey besonders sehr prächtige, die für königliche Gräber gehalten werden. — Nun untersuche man alle die Stellen, in welchen die heiligen Dichter die Unterwelt mit poetischem Schmuck beschreiben, und sehe ob sie nicht beständig an solche Gräber gedacht haben. Was in ihre Sinne fiel, was vor ihren Augen schwebte, das mahlten sie treulich. Man wird da keine Beschreibung von den Seelen der Todter finden, keine Entwicklung dieser Materie; und das nicht deswegen, weil sie, wie einige Gelehrten meinen, die Unsterblichkeit nicht glaubten, sondern weil sie keinen deutlichen Begriff davon hatten, weil ihnen die Feinhei

also die Raubthiere unter den Vögeln und vierfüßigen Thieren) zu dem Aase. — Das Aas lag an dem Ge=

Aa 5

der Speculation, der Ueberfluß der Sprache fehlte, über so abstracte Sachen schwazen, und ihre Unwissenheit ver= brämen zu können. Welch ein Leben also die Todten lebten, wo, unter welcher Gestalt, in welchen Umstän= den sie wären, davon wußten die Hebräer nebst den übri= gen Menschen, nichts. Und dazu wollte ihnen auch die göttliche Eingebung nicht behülflich seyn; nicht weil Gott ihnen diese Einsichten nicht gegönnet hätte, sondern weil überhaupt die ganze Beschaffenheit der menschlichen Seele sie nicht leidet, welche, wenn sie so unkörperliche und immaterielle Dinge betrachtet, aus Mangel eigentlicher Begriffe genöthigt wird, zu uneigentlichen ihre Zuflucht zu nehmen, und Immaterielles durch Materielles, eini= germaßen abzubilden. Da sie nun also sahen, daß die Leichname zur Erde fielen, so entstand allmählich bey den Hebräern, so wie bey den übrigen Völkern, anstatt zu sagen: begraben zu werden, ein dumpfes Gerücht, die Todten brächten ihr Leben unter der Erde zu; und an dieß Gerücht brauchten sich die heiligen Dichter nur an= zuschmiegen, wenn sie überhaupt von dieser Sache reden und verstanden seyn wollten. — Daher heißts nun so oft von den Todten: sie fahren zur Grube — in das Unterste der Erde — sehen die Pforten des Todes, — das Grab hat sie gefressen — hat seinen Mund hinter sie verschlos= sen. — Schatten des Todes hat sie umgeben, u. s. w. —

birge weit hinunter ins Thal! und es stieg des Ver=
worfenen Blut auf zum Gestade, wo er, (an dem er)
sonst schwamm! ja, die Berge hinan drangs, und des

Und genau dieses Bild haben unter so vielen ihrer Er=
dichterungen auch die andern Poeten beybehalten. Ein
alter tragischer Dichter sagt in diesem Geiste, wenn er
vom Wege zum Acheron spricht, er sey: Per spelunea
saxis structas, asperis, pendentibus, maximis, ubi rigida con
stat crassa caligo inferum! Wie groß aber, und mit wel
chem Aufwande von herlichen Bildern geschmückt ist di
Scene bey den biblischen Poeten, wo die verstorbenen
Tyrannen und Helden erscheinen! Stellt euch vor ein
Begräbnißhöle, groß, weitläuftig, dunkel, da ruhn di
Könige der Völker, jeder auf seinem Steinhaufen, mi
ihren Waffen neben ihnen, jedem sein Schwert unte
seinem Haupte, mitten unter den Särgen der Ihrigen
Der babylonische König kömmt da hinab! sie steigen vo
ihren Thronen! gehn ihm entgegen, begrüssen ihn
Kommst du auch zu uns? Bist du auch worden wie un
ser einer, o Beherrscher der Völker? 2c. —— Man seh
die Scene Jes. 14, die Ezechiel in diesem 32 Capite
sichtlich vor Augen gehabt und nachgeahmt hat. — „
29) Da liegt Edom mit allen seinen Königen und sei
nen Fürsten, unter den Erschlagenen mit dem Schwert
und unter den Unbeschnittenen: samt andern so in di
Grube fahren, und die doch auch mächtig gewese
sind. 30) Ja es müssen alle Fürsten von Mitternach
dahin und alle Sidonier: die mit den Erschlagene

Stroms Bäche wurden umher von Blute getrübt!
Hier hört nun das Bildliche auf, und es wird wieder
igentlich geredt.) Denn hinab in die Gruft ward er

---

hinabgefahren sind, und ihre schreckliche Gewalt ist
zu schanden worden; und müssen liegen unter den
Unbeschnittenen, unter denen, die mit dem Schwert
erschlagen sind, und ihre Schande tragen samt denen
die in die Grube fahren. 31) Diese wird Pharao
sehen, und sich trösten mit alle seinem Volk: die un=
ter ihm mit dem Schwert erschlagen sind, und mit
seinem ganzen Heer spricht der Herr Herr!

Ich kann am Ende dieser Anführungen der Wahrheit
hier eine Anmerkung nicht versagen. Die Theologen und
Bibelerklärer sagen uns so viel von der alles überwiegend
vollkommnen Poesie der biblischen Dichter. Lowth hat
darinnen ein vortrefliches Buch geschrieben. Und es ist
Klopstocks Lieblingsidee. Das erste was einem bey ihm
auffält, ist: wie sehr er aus dieser Quelle geschöpft, wie er
sie genutzt hat, wie viele seiner erhabensten Bilder, seiner
größten, einfältigsten Schönheiten er gerade zu, oft wört=
lich, aus den Propheten, aus der Offenbarung, aus den
Reden Christi geschöpft hat. Er verdient unsern wärmsten
Dank, unsre höchste Liebe, daß er durch seinen Genius
auch von dieser Seite die Würde dieses besten der Bücher
recht fühlbar gemacht hat. Und wie sehr verdienen Vol=
taire und die nichtswürdige Schaar der neuern französi=
schen Spötter, auch ihres einseitigen kindischen Gefühls
wegen, das solche Erhabenheit nicht faßt, unsre Ver=

(Egyptens König) gestoßen! In der Tief' empfingen
ihn die, die einst auch Helden wie er (waren, und)
würgten! Alle sie sind hinuntergestürzt vor dem

---

achtung! — Voll von diesem Gedanken hat er die Ode:
unsre Fürsten, Siona, und andre gedichtet! — Aber
laßt uns nun auch nicht zuweit gehen. Bleibt genau bey
der Wahrheit! Zu sagen, wie man auch in sonst sehr ge-
scheuten Büchern ließt: auch von der poetischen Seite
ließe sich nichts höhers denken, nichts vollkomners von
Menschen schreiben, als die biblischen Gedichte, ist falsch.
Ich frage jeden Leser von nur mittelmäßigen Geschmacke,
ob es ihm nicht auffallend ist, daß diese Ode von Klopstock aus dem Ezechiel verändert, bey dem neuern Dichter vielmehr Vollkommenheit der Sprache, der Bilder,
mehr Stärke des Ausdrucks, weniger unnöthigen Ueberfluß, mehr Ordnung und Plan hat, als das Original des
Ezechiel? und daß also Klopstock, als Dichter betrachtet,
ते verbindet, so weit
über dem Ezechiel steht, als unsre gebildeten Zeiten über
Ezechiels Zeiten? — Eine Anmerkung, die zwar nicht
neu seyn kann, an der sich vielleicht gar Unverständige
aus frommen Scrupeln ärgern könnten, die aber nichts-
destoweniger wahr ist. Und die ich machen muß, weil
so viel unbestimmtes von einer unbändigen Classe Genies
in den itzigen Zeitläuften, über erste Würfe, über ossia-
nische und homerische rohe Schönheiten, über den Vorzug der Volkslieder vor aller andern Poesie in den Tag
hinein geschwazt, und das Genie zum Nachtheil der Kunst

Schwert! und sie ruhn jezt bey Erschlagnen! (Und was
sind das alles für Völker?) Wo sie ruhn, liegt Assur,
umher begraben alle sein Volk! Schwert, du warfst sie
hinab! Tief ist in den Klüften ihr Grab, die den Erd=
kreis einst erschreckten! — Wo sie ruhn liegt Elam, bey
ihm begraben alle sein Heer! Schwert, du warfst sie
hinab, hinab, in die Gräber voll Schmach, die den Erd=
kreis einst erschreckten. — Im Gefild liegt Mesech! es
legt dort Thubal, er und sein Heer! schmachvoll, waf=
fenberaubt, (Moscher und Tibarener. Die Hebräer
geben ganzen Völkern Namen einzelner Personen bey,
oder sehen sie als einzelne Personen an, das ist bekannt.)
nicht unter dem Haupte das Schwert! (Hier verändert
Klopstock wieder den Sinn des Propheten, wie er bey
Luther ist. Der Prophet sagt dort, sie wären samt
ihren Waffen begraben worden; nach der Sitte der
ehmaligen Eroberer, die alle feindlichen Kriegswagen,
Waffen, u. s. w. mit verbrannten oder vergruben —
Klopstock scheint auf die Sitte der Neuern anzuspielen,
nach der, mit den Waffen begraben zu werden, ein

---

gepriesen wird — ja! die ich selbst um der Religion willen
mache. Denn ich für mein Theil bin fest überzeugt, daß
nichts der Religion mehr Schaden thut, als übertriebene
Dinge von dem Buche zu sagen, welches sie lehrt. Es
ist einmal Wahrheit, und es entgeht dem göttlichen An=
sehen der Schrift dadurch nichts, daß wir eingestehen: Je=

ehrenvolles Begräbniß ist.) — Das Gefild ist vom Ge
bein weis der Verworfnen, welche die Erd' einst schreck
ten!— So weit ist es aus dem Propheten übersezt; di
drauf folgenden drey Zeilen gehören Klopstock zu. E
schaltet sie als Parenthese vermuthlich um der Verbin
dung willen ein; die ganze Ode besingt eine scho
geschehene Begebenheit, aber diese Strophen von der
an versetzen uns wieder in die gegenwärtige Zeit, in di
Ezechiel sie sang; — Und eben so wie den Völkern i
es Pharao gegangen: (Pharao auf dir stand des Sieger
den Fuß! Nun schlummerst du mitten im Heer d
Erschlagenen, die das Schwert traf.) — Die Beherrsch
Edoms, der Krieger Führer, liegen umher tief
Nächten der Gruft! Sie taumelten hin vor d
Schwert zu der Heerschaar der Erschlagnen!— U
hinunter sanken die Völker Sidons. Röthere Scha
deckt der Fürsten Gesicht, (darüber) daß kühn die e
lende Schlacht sie hinabwarf in die Tiefe! — N
eben so ists dem Pharao gegangen. Schicksal mit di
hat ihn getroffen. Die Erschlagenen all um sich

---

saias, Ezechiel, sind Dichter aus der Kindheit — D
welche Erhabenheit in der Kindheit der Zeit! Wisse
ob selbst unsre Klopstöcke, unsre Miltone damals J
asse, Ezechiele gewesen wären? — Eben so denke
auch zum Exempel über Homer und Virgil, wenn ic
zusammen vergleiche. Doch darüber ein andermal.

versammelt, sah in des Abgrundes Nacht Pharao!—
sein Volk war auch erschlagen! und der König mit
dem Volke ... und daß der König mit erschlagen war,
war für das Volk eine Art von Trost! So erkläre ich
diese dämmernde Stelle. Denn Klopstock ist hier vom
Sinne des Ezechiels abgewichen.) ihn erblickte sein
Volk, und es war ihm (dem Volke) Erquickung dieß
Entsezen (nemlich den Pharao auch erschlagen zu sehn.)
— Der lezte Vers gehört wieder Klopstock. Denn
hinab hast du, Gott Verderber, Pharao, ihn und sein
Heer zur Hölle (in das Grab) gestürzt! und geschrecket,
geschrecket hast auch du o der Welt Richter (nämlich
Jesus Christus!) den Erdkreis!

Und nun erweckt die Größe des gesungenen Liedes die
Todesengel; und die Association der Ideen bringt es
mit sich, daß die Gerichte über Assyrien und Egypten
sie an das große Gericht über Jerusalem erinnern, das
Christus vorher verkündigte. — Sonst könnten wir frey=
lich fragen, wenn nicht diese Ursache in die Augen fiele,
warum die folgende Ode die sonst so genau beobachtete
Chronologie unterbricht?*) "Sichtbar nur der Unsterb=

*) Noch eins über die so sorgfältig beobachtete Chrono=
logie, durch welche eigentlich diese einzelnen Oden zu
einem großen Ganzen werden. — Z. E. in aller der
Folge von Oden, die die Geschichte des israelitischen Staa=
tes bis zum babylonischen Untergange enthalten, ist die

lichen Aug' (denn zu so einer Entfernung
deß der Thriumphzug emporgeschwebt) in

chronologische Ordnung genau beobachtet. Als:

lendung des Versöhnungswerkes
storischen Oden sind; und dieser Versöh

Sanheribs, Assyriens und Egyptens.
sänge auf die Märtyrer; auf die sieben
senbarung; von dem Unt
alles chronologisch. Dann die Gesänge, deren J

189 stehen müssen. „ — Allerdings! allein das

steht; die Kunst des Dichters enthüllt sich auch hier
dem   el
man   m

bgrund lag auf der wandelnden Erde Jerusalem. To-
esengel schauten hinunter, und wandten von ihr zum
hale Gehenna ihre Blicke. So (wie nun folgt) san-
en mit ernstem Trauern des Todes Engel, indem,
ie ferne Donner, ihrer Posaunen Ausruf scholl,
umpf scholl, wie Meer' am Felsengestade. 23) Geh
ter! geh unter, Stadt Gottes! In Kriegsschreyn!
Rauchdampf! und Glutstrom! Versink' ach die des
errn Arm von sich wegstieß! Sey Trümmer, Stadt
ottes! — Todsworte sprach Jesus! Rom thut sie!
Christus verkündigte den Untergang Jerusalem und
om machte seine Weissagung wahr.) Zum Aas' eilt
it Gierblick der Adler! Den Feldherrn (den Vespa-
nus und Titus) die ihr Gott ruft zu verderben,

---

diese Begebenheit anticipiren, geschieht, weil die Idee
ihnen gar zu lebhaft durch den Gesang wird, in dem Ezechiel kurz vorher das Gericht über Aegyptus besingt. Eine
ähnliche Feinheit des Uebergangs, der Verbindung eines
Liedes mit einer Begebenheit, bemerke ich im 13 Gesange des Messias. S. 118. Die Heiligen singen eine Hymne
auf Christum, am Ende gerathen sie auf den Gedanken,
daß "ehe er in seiner Erhöhung bis zur Rechte des Vaters
fortstiege, ein Schritt des Elenden auf die Hölle treten
würde 2c. „ — und mit den Worten verläßt der Todesengel Obaddon Jesus Grab und der Heiligen Kreis 2c. und
das Gericht über Satan und Adramelech geht an.

flamts ernst vom Rachauge! Pflugtreiber streu
schreckend Salzsaaten! dir zog Gott die Meßschnur,
Schauthal! Er, er bot zum Thriumph auf! Die Trom
met' hallt Siegswut, wo Gott ausmaß! — Blut
fodernd riefst, Judah, den Fluch du vom Thron her
Dein Mund schrie: Des Sohns Blut! Die That schrie
noch mit mehr Grimm. Dich erhört Roms Heerfüh
rer. Geh unter! *)

Ach! das fürchterliche abgebrochne, zerstückt
spondeenvolle dieser beyden Strophen, ergriff mic
ganz. Sind sie doch so recht zum Ausrufen gemacht

---

*) Geh unter — Geh unter.) Diese Ode ist voll Anspie
lungen auf die Weissagung Christi von der Zerstörung J
rusalems durch die Römer. Math. 24, 28. — "Wo ei
Aas ist, da sammlen sich die Adler." — Man will im
mer in diesen Worten eine Anspielung auf die Adler d
Römer, ihre Fahnen, finden; da es doch offenbar n
ein poetisches Bild ist; dessen sich schon die Propheten b
dienten. (Hiob 39, 30. Habac. 1, 8.) — Der Bod
gänzlich geschleifter Städte pflegte mit Salz bestreut
werden, zum Zeichen einer gänzlichen Zerstöhrung. (5 Bu
M. 29, 23. — Schauthal . . .) eine Benennung J
rusalems aus Jes. 22, 5. "Es ist ein Tag des Getüm
mels und der Zertretung und Verwirrung vom Herr
Herrn Zebaoth im Schauthal re. . . . . Es wi
so genannt, von den Propheten, den Sehern, d
Schauern.

lnd der Ort war so bequem darzu. Auf einer Erhö-
ung wir; vor uns das weite schöne Wiesenthal! Und
egenüber der Berg des Wiederhalls! Ich stand auf,
nd rief: Geh unter! geh unter! mit donnernder Stim-
e ins Thal gegen Eckhof zu. — Geh unter! antwor-
te das Echo! — Ich wills mir verbitten gegen Eck-
of, sagte Holk. Mein armes Eckhof ist nicht Jerusa-
m. Wir mußten alle laut lachen. Wie nahe doch
r Scherz an den Ernst gränzt! Indeß waren wir aus
serer guten Stimmung heraus; und ich schloß das
uch, um morgendes Tags fortzuführen.

⸻

ie böser Unterbrecher, sagt ich, als wir uns wieder
ter den Linden versammelten, ich mache heute einen
und mit Ihnen, damit nichts wieder unsre Andacht
re. — Das Erhabenste dieses Gesanges ist noch zu-
ck. Wir sollten warlich ihn nur mit gefalteten Hän-
n lesen; er verdients! — die beyden ersten Oden die
r nun bekommen, sind wieder eines ganz andern,
es allgemeinern Inhalts, nicht historische Oden, wie
e vorigen, und nicht drohende, wie die leztere. Sie
terbrechen gleichwohl nicht die Chronologie dieses Ge-
ngs, auf die ich Sie gestern aufmerksam machte; sie
hen die Vollendung des Versöhnungswerkes, den Tod
su Christi selbst näher an, und werden also billig

von den Seraphim, den Auferstandenen, und einzelnen
Menschen, zwischen denen, die sich aufs alte Testament
beziehen, und zwischen denen gesungen, deren Inhalt
Begebenheiten betrift, die erst nach der Himmelfahrt sich
zugetragen haben. Daß er der Beseeliger Aller sey
singt die 24ste Ode —— und die 25ste: daß die Liebe zu
ihm, der gestorben sey und alle Welten beherrsche, un-
aussprechlich glücklich mache! — Diese beyden Oden,
besonders aber die zweyte, haben einen fast auszeichnenden Character vor allen übrigen des 20 Gesangs. —
Das immer steigende und wieder sinkende Silbenmaaß
Es ist die höchste Entzückung! Jubel! Ausguß des Herzens! Strom und Hinsturz der Freude! zum Theil in
biblischer Sprache! Das ist eine Salbung! Wie matt
wie prosaisch kommen einem doch Miltons beste Stellen
dieser Art vor, wenn man sie hiermit vergleicht! Doch
wozu Lobreden? Nur um Sie auf das, was Klopstock
von Klopstock selbst unterscheidet, merken zu machen. Er
sagte mir einmal selbst bey Gelegenheit dieser Gesänge
und der zehn lezten Gesänge des Messias überhaupt
er hielte dafür, es wäre ein kleines Verdienst von ihm
daß er sich bemüht hätte, vorzüglich dem Ausdruck der
Freude alle Stärke, die ihm möglich gewesen wäre, zu
geben. Denn Traurigkeit und Schrecken zu wirken
und zu beschreiben, wäre bey weiten so schwer nicht
und so selten nicht, als Freude! — Ja wohl
und auch nicht so nüzlich! — Doch lassen Sie uns

lefen! — Wie der freudige Fromme, *) der izt die
Gräber nicht denket, oder, denket er sie, mit dem
Troste der Auferstehung ihre Nächte durchstrahlt, wie
der, wenn der Morgen im Frühling ihm erwacht, mit
Wonn' in dem Aug' hin die schönen Gefilde weit um=
her blickt, laut sein Gebet dem Schöpfer des Frühlings
hinströmt . . also schauten umher, ertönten vom Ju=
bel Chöre Seraphim, da in der Strasse des Lichts des
Triumphes Heerschaar schwebt', und mit stralenden
Heeren der hellere Himmel sie umgab, und die Stern'
in Gedräng zu Tausenden wallten. · Dieser Jubel der
Seraphim scholl umher in den Sternen: . . . 24) Er=
önet sein Lob, Erden, tönts, Sonnen, Gestirn! Ihr
Gestirn' hier in der Strasse des Lichts, (das Chor singt
das Lied indem es durch die Milchstrasse zieht.) hallts
jyernd des Erlösenden Lob! siehe des Herrlichen, Un=
erreichten von dem Danklied der Natur! — — —
obsing o Natur dennoch (ob er gleich unerreicht ist!
nd bleibt!) dem, welcher dich schuf! Dein Gesang
öne in den Himmeln einher! hochpreisend von erde=
nder Höh, rufe des Strahls Gefährt (der Donner)
Kidrona, und dem Palmthal ihn herab! . . . Ihr
Waffer der Mond', Erdemeer, rauschet darinn! Wie

Bb 3

*) Wie der freudige Fromme 2c.) Ein Gleichniß ähnlicher
Wendung ist im 11 Gesange. S. 14.

Lüfte der Palme (himmlische Lüfte, heilige Lüfte also)
das sanftlispelnde Harfengetön zum Chorpsalm der
Posaunen empor wehn, so erhebt euch zu der Stern=
heere Gesang. Wie wandelt ihr her, welche Gott
zahllos erschuf! O du Heerzug der Gestirne! wie
strahlt, wie laut ruft des Erlösenden Preis ihr zu der
Höh hinauf! zu der Glanzschaar um den Thron Got=
tes empor? . . . Du bist es, o Sohn, dem der Welt
Jubel ertönt! Du ein Quell aller Beseeligung! Herr
Heilgeber! Unerschöpflicher Quell dessen, was glücklich
macht! ist ein Weg wo? ist ein Flug auch zu dem
Licht, zum Heile, den er uns nicht führt? *) All
nicht führt? Labyrinth! alle des großen, des unnen=
baren, des belohnenden Heils! Selige führt durch dich
von Aeoon her (Er) zu Aeoon fort, Labyrinth!„ —
Die große Scene erfodert auch zu ihrer Verherrlichung
daß große Naturbegebenheiten sie begleiten. Darum
wird ein Stern verwandelt, indem der Zug durch die
Milchstraße geht. Kurz und gedrängt beschrieben! —

---

*) Zum Heile, den er uns nicht führt!) — Labyrinth alle .
statt alles des großen Heils — man kann alle und all
sagen; und er wählt hier das erstere um den Uebelklang
alles mit des zu vermeiden. Indeß da Alle im ersten
Verse die mehrere in diesem die einzelne Zahl ist, erinn
ich mich selbst dabey angestoßen zu seyn. — her ist e
Druckfehler, muß heißen: Er — nämlich Christus.

Da stets weiter empor in der Straße des Lichts der Triumph stieg, ward nicht ferne von ihnen ein Stern, der Sonnenbegleiter einer verwandelt. Erschütterung ging von Wende zu Wende durch die Mitte des Sterns. Er zerspaltet' in Lande. Gebirge krachten, flammten; und brausender dampften Meere gen Himmel. Fürchterlich wars selbst Engeln zu sehn, wie in Irr' Urkräfte wankten, es *) bildeten, (wie) Saat aufschwoll der neuen Erschaffung. — Aber aus eines Sirius höheren Strahlen erhuben auferstandne Gerechte die Stimme der Wonne zum Mitler: 25) Liebe des Sohns, himmlisches Heil! dem Verstande göttliches Licht! vom Altar Glut dem Gefühle! Tag der erwacht in das Meer nicht unter zu gehn, der Erlösten ewiger Tag, Liebe des Sohns! — — — Flügel hinauf, Flügel am Thron, o Triumph, nahmst du! und auch uns, den Gewählten des Erhabnen wehest du vor mit der Palme, Christus Triumph, zu dem Thron des Vaters empor, Christus Triumph! — Engel (fragen die Auferstandnen,) der dort strahlend einher, durch die Himmel schwebet, wer ists? dem das Sternheer in er Laufbahn (still) steht, dem es laut auf den We-

) es. Dasjenige, was jezt durch die neue Erschaffung entstand.

gen Gottes ertönt, dem die Tiefe sinket, wer ists, Engel des Throns? Er (ists . . antwortet sich ihre Begeistrung selbst) der am Kreuz dürstet' und starb! de uns liebte, bis in den Tod, o der Schmach Tod, de Altares Golgatha Tod! (und) der, verlassen ruf von Gott in der Nacht! der ist es, ja der! Engel de Throns! — — (Indem erblicken die Sänger diese Ode andre Engel oder Seelen, die auch heran komme den Triumphzug zu vermehren . . . dieß bringt Han lung hinein) Strömet sie her Ströme des Lichts, un o Lüfte säuselt ihr sanft dem Triumphheer sie herübe welche sich dort noch unhörbar tief in der Fern un enthüllen, kommen, des Sohns Antliz zu sehn. . . Engel! der Tag seines Triumphs (erscholl) die Erh bung Christus zum Thron, sie erscholl weit in die W ten alle! Wer wohnt in des' Lebens Hütten, we Gott es vergönnt, der eilet des Sohns Antliz sehn! . . . Herscher ist Er! Herscher der Sohn! A es fleht ihm Aller Gebet! In den Weltkreis, in Tiefe, fern in die Höh, bis zur lezten, sendet hin die Erhörung Er, der allein Seeligkeit hat! . . (N sind die Bewohner des Gestirns, an die der Gesa der fünften Strophe gerichtet ward, zu dem Trium heere gekommen, und sie werden von ihnen begrü Freuden euch! (willkommen!) Licht strömet' euch h und Gelüfte säuselte sanft dem Triumphheer euch h über, weit aus der Fern, ihr Bewohner jenes G

tirns, das auf Erden über des Blicks Gränze sich
hob. (das so tief im Himmel hineinliegt, daß mans auf
Erden nicht einmal sehen kann. — Wie das Fortrü=
ken des Triumphzugs durch solche Erwähnungen dar=
gestellt wird! ohne daß der Dichter es nur einmal sagen
zu wollen scheint!)... Herscher ist Er! Herscher der
der Sohn! Ach es fleht ihm euer Gebet! in die Tiefen,
in die Höhen sendet der Sohn; bis zur lezten sandte
der Sohn die Erhörung; Er, der allein Seeligkeit
hat!... Der Entzückungen! ach! seht, dort strah=
let der Sohn in dem Chor hoher Thronen! herlich in
dem Chor des Grabvolks, die Blut ihm versöhnt hat,
die erwachten, vor dem Tage des Gerichts umgeschaf=
fen durch ihn (mit den Heiligen, deren Auferstehung
im 11 Gesänge gesungen worden ist.)... O du Er=
ter des Seyns! welchen himmlischen Weg hat ge=
führt deinen Sohn des Todes Labyrinth! Vom Gräb=
uf erhebt er den Siegsgang! aus der Nacht her, die
den Sterbenden umgab, kommt des Ewigen Sohn!...
In der Schöpfungen Meer, wo der Woge Gebirg
zum Gestad hinwallt wohnet herlicher dein Volk, dem
Heil auch von dir wird Messias! ob es gleich, unenthei=
ligt von der Schuld, Blut nicht zur Söhnung bedarf.
Derselbe Gedanke, der durch die 6te und 7te Ode
erscht. Für die Bewohner aller Welten ist die Erlö=
ung des menschlichen Geschlechts Wohlthat.) Aber

es ist unsre Schuld (obgleich sie uns am nächsten an=
geht,) vor der Zeugen Auge vertilgt, und verstummt
ist nun der Sünde Stimm' an dem Thron, in der En=
gel Hallen dem Ohr des Gerichts der Klägerinn Ruf
ewig verstummt! . . . Fürchterlich laut rief sie her=
auf, (die Sünde) und es war doch leise das Ohr des
Gerichts; (Sie mußte, wegen ihrer Größe, so laut
rufen; ob dieß gleich in Beziehung auf den Allwissen=
den nicht nöttg war) aber: Vollendet ist es, scholl
von der Höh. (Golgathas). die Psalmmelodie.
Und die Sünde hörte des Sohns Donner
(nämlich diese Stimme,) und schwieg. . . (Und
die Folgen dieser Erlösung!) An des Ewigen Thron,
Christen, preisen auch wir! — Wo es euch, Erben,
schattet, schattet es auch uns! (unter den Bäumen des
Lebens) Wo euch quillt des Heils Quell, das Labsal
der Gerechten, da versamlen wir auch uns, quillt uns
Leben auch zu! . . Bebtet ihr je (fragen sie wieder die
Herzugekommen) Söhne der Fern, der Verwerfung
Schrecken? O traf in der Wehmut, im Entsetzen vor
dem Gericht, im Entfliehn vom Horch euch je die ent=
flammte Thräne den Blick blutig herab? Habt ihr je=
mals empfunden, wie schrecklich der Gedanke bevorstehn=
der Verwerfung sey? — Und nunmehr antworten
jene auf diese Frage. Die Person wird offenbar in
dieser lezten Strophe verändert. Diese Beyden, Frage
und Antwort enthalten einen Gedanken, den er öfter

dem Messias einverwebt hat;, daß unser Loos selbst vor
dem Loose der Ungefalnen einen Vorzug darinnen haben,
daß sie nie das entzückende Gefühl der Errettung so wie
wir empfunden hätten.) An dem schwindelnden Hang den
Verderben begränzt, an des Abgrunds Nacht, staun=
ten, schauerten wir nicht! wo Waagschaal ertönt nicht!
wo Zornkelch sich ergießet, (wo gerichtet und bestraft
wird,) und Geretteter Gefühl ward uns, Glückliche!
(glückliche!, eben darum noch glücklichere Menschen!)
nie!

Nun folgt eine kleine Erzählung wieder. Christus
Triumph erreichte den Stern der unschuldigen und un=
sterblichen Menschen. Ueber den hohen Gefilden, des
Sternes schwebt' er einher. Die Unsterblichen sahen
den strahlenden Heerzug, sahn den Versöhner, und ach!
die Auferstandnen vom Tode! Haufen schauten; allein
bald wurden die Haufen zu Schaaren, bald die Schaa=
ren zu Heeren! (Das sind bestimmte Bedeutungen der
Wörter!) .. Die Häupter gen Himmel erhoben stan=
den sie, unter ihnen der Erstgeschafne. Vollender! rief
er und sank auf sein Knie, um ihn die Unsterblichen
alle. Haine riefen Hainen und Bergen Berge: Vollen=
der. Unter sie war Thoa getreten. (Sie erinnern sich
doch der Geschichte dieses Jünglings aus dem 16 Ge=
sange?) Ihn hatte der Richter wieder hinauf in das
Leben geführt: (Das dank ich dem Dichter, daß ers
uns erzählt! Denn die Strafe hatte uns dort allen doch

streng geschienen.) Der Frohste der Frohen war er, war
ganz Dank, war ganz mit Empfindungen seiner neuen
Unsterblichkeit überströmt. In dieser Entzückung rief er
laut mit den Heeren der heiligen Menschen: Vollender!

Und nun folgt ein mir so lieber, so wehrter Gedanke!
Meinen Sie wohl daß der Dichter des Messias hier sich
selbst ganz vergessen konnte? Sollt er nicht auch mit singen, da er die Engel hat singen lassen? Er thuts und
sticht, ohne sich zu nennen, auf eine feine Art, sich und
seine Meta hinein; eben so wie er Metas Geschichte im
funfzehnten Gesänge verewigt hat. – Die Charactere, die
er ihr und sich giebt, der Liebe! der Gute! lassen sich
nicht verkennen! "Er, der den Herrn und seines Lebens
Gefährtinn liebte!„ — Er stellt sich selbst in einen
Winkel seines Gemähldes hin; wie man, wenn ich nicht
irre, von Raphael erzählt, daß er sein eignes Engel-
gesicht in einem seiner größten historischen Stücke abgebildet! — Ich hab ihn gefragt, ob er sich nicht damit gemeint hätte; und er hats nicht geläugnet, — es braucht
es wenigstens niemand auf mich zu beziehen; ob es gleich
meine Empfindungen sind, sagte er, Es ist allgemein! —
Windeme hat auf diesen beyden Oden eine Weise, die
mir immer durch die Seele geht, wenn ich sie höre! —
Und das was er allein hernach singt! Ich nenns immer meine Theodicee! Wer das ohne Thränen lesen
kann, meine Freunde! Mich dünkt, ich wollte drauf
schwören, er hats in einer der trübsten Stunden seines

Lebens gemacht; sich selbst zu trösten! vielleicht nach Metas Tode! . . . . . Jezt da in seinem Triumphe der Sohn des Ewigen Psalme seiner Erhöhung vernahm, und mit Wonne der Preisenden Freude überschwenglich belohnt', entstieg der Gräber Gefilden zweener Sterblichen Lied. Sie hatten Erstandne gesehen; hatten gelernt. Es wurd' ihr Lied von dem Ausgesöhnten und dem Versöhner gehört. Indem der Schatten des Baumes, ihnen Hütte jezt (der ihnen jezt eine Hütte war) und Kühlung sanfterer Lüfte weht', und der Bach mit scholl, erhub sie die Stimme der Andacht, Sie die den Herrn und ihres Lebens Gefährten liebte:

26) Schwinge dich empor, Seele, die der Sohn zu des Lichts Erbe sich erschuf! selige die versöhnt Jesus hat! Sing ins Chor der Vollendeten am Thron! Stammelten sie nicht auch Laute, wie du, bebenden Gesang? — Als der Schatten des Baums und Kühlung sanfterer Lüfte weht', und der Bach mit scholl, erhub Er die Stimme der Andacht, er, der den Herrn, und seines Lebens Gefährtinn liebte. — 27) Selbstständiger! Hochheiliger! Allseeliger, tief wirft, Gott! von dem Thron fern, wo erhöht du der Gestirn' Heer schufst, sich ein Staub dankend hin, und erstaunt über sein Heil, daß ihn Gott hört in des Gemeinthals Nacht! . . . Durch feyernde lautpreisende Psalmchöre des Sternheers bebt mein Gebet auf zu dem Thron deß der im Lichtreich herrscht! Vom Be-

ginn seelig macht! Labyrinthweg' uns empor zu dem
Thron führt, wo unerforscht er herrscht! ... Hochheiliger! Allseeliger! Unendlicher! Herr! Herr! Gott! O er-
hör du mein entzückt Flehn von dem Grabthal her!
Von der Nacht stammelts auf zu des Chors Halleku-
jah; o erhörs Gott! und mein verstummt Flehn auch! ..
Gott, mache den Toderbenden glückseeliger! Gott, trock'n
ihm die Betrübniß von der Wang ab! doch ist Elends-
last in der Nacht hier sein Theil, so begnad' ihn mit
Geduld! und o leit ihn, daß er am Thron anschäu! —
Also sang er und schwieg; bald aber erhub sich von
neuem seine Seele, brannte von neuem vor inniger
Andacht. Siehe des künftigen Christen Gesang entschwebte der Erde kaum; allein ihn vernahm der Hörer der ewigen Chöre. Also rauschet ein Blatt, wenn
die Wiederhalle der Fe'skluft Donner rufen, (wenn)
Donner der Waldstrom nieder ins Thal stürzt: 28) Erwach Harfengetön; *) und erhebe dich dem Psalm

---

*) Erwach Harfengetön ... weint die Wonne.) Es ist
so etwas unbeschreiblich Tiefes von Empfindung und doch
auch von heller tröstender Vernunft in diesem Stücke,
daß ich nicht drüber wegkommen kann. Selbst eine gewisse Verwirrung die drinnen herrscht, ist so reiner Affect!
ist so aus der innersten Seele abgeschrieben, wie sie denkt
wenn sie bewegt ist. Um sichs recht klar vorzustellen, frage
man sich nur einmal, wie würde der Philosoph dieselbe
Gedankenreihe geordnet haben? Würde er wol zum E.

nach zum Throne! Dein Flug sey des Unendlichen Lob,
des Herrn Preis dein Festlied! — o ihm, dem mit

---

nach allen den Trostgründen, die in den ersten 19 Versen
enthalten sind, mit den übrigen wehmüthigen Gedanken geschlossen haben — die eben durch diese Gründe
hätten besiegt seyn sollen? Gewiß nicht. — Aber der
Mensch —! o meine Freunde! wir sind dennoch nur Menschen — und wenn wir uns auch alles gesagt haben — ge-
tröstet — aufgerichtet worden sind — so sinken wir doch
wohl zurück und fühlens daß trüb ist und Nacht der
Gedanke = = = ich mag darüber nichts mehr hinzuse-
zen. Doch trösten können wir uns! und sollens! und jedesmahl daß wirs thun, ist so viel für unsre Glückseeligkeit, für unsre Existenz gewonnen!

Um auch was von dem Mechanischen dieser Ode zu
sagen: Ausser dem Hexameter, den Klopstock zwar nicht
erfunden, sondern von den Griechen und Römern her-
übergenommen, aber so sehr vervollkommnet hat, hat er
auch noch einen andern epischen Vers erfunden: (die vielen lyrischen oder gleichen Versarten, die er erfunden,
sind wieder etwas anders;) Vom deutschen Hexameter
hat er weitläuftig in dem Stücke vor dem dritten Bande
des Messias gehandelt. Der Hexameter besteht aus sechs
Füßen, wozu der Dactylus, Spondeus, und Trochäus
die Ingredienzen sind. Der neue Vers, den er erfindet,
hat eben so viel Füße, die aber aus dem einen Päon, dem
Jonicus, und dem Anapäst und Bacheus bestehen. Er
nent diesen Vers den ionischen Vers. Die Theorie davon trägt er am Ende der Abhandlung von gleichen Verse

Entzückung, Harmonie des Gestirnheers emporsteigt,
und Erzengel- entflammendes Lob in dem Anschaun

beym 4 Bande des Messias vor. Ein großer Dichter,
meint er, könnte ein längeres Gedicht darinnen schreiben, und den Vers von sich benennen. — Die Einwendungen, die man gegen diesen Vers machen könnte; daß
er zu lang sey, (weil das Ohr schon so sehr an den
Hexameter gewöhnt ist) widerlegt Selmer sehr scharfsinnig und wahr. — Diese Versart gränzt, wie er wohl
bemerkt, durch ihren starken Rythmus an das Lyrische;
hält also gewissermaßen das Mittel zwischen den gleichen, und dem ähnlichen Sylbenmaaßen. — Wie also,
(das wäre mein Vorschlag) wenn man ein Gedicht schriebe, das mit dem Hexameter und Jonicus abwechselte?
in dem die Erzählung hexametrisch, und der Ausbruch
der Empfindungen, die Gesänge, ionisch wären? —
Obgleich Werthings Einwendung, daß sieben Sylben
dem Schlusse des Verses zu viel Länge zu geben scheinen,
mir gleich eingefallen ist, noch ehe ich die Abhandlung
las, so hab ich sie, da ich den Vers erst gewohnt ward,
doch gleich von selbst zurück nehmen müssen. Er hat sehr
viel Reiz für mein Ohr! so was nachdrucksvolles und
Pathetisches! aber man muß ihn zu declamiren verstehn. —
Uebrigens ist dieses Stück das einzige, was Klopstock in
diesem Sylbenmaaße gearbeitet hat. Und vielleicht ist
es nicht ohne Absicht geschehen; die Person, die dieses
Lied singt, versteckt dadurch zu charactrisiren. — Ich
halte den Vers aber für äußerst schwer zu machen.

ertönen, o lispl' auch mein Gesang sein Lob dem!
Von dem Grab auch vernehme sein Lob Gott!
Wie beginn ichs? wie vollend' ichs? O Vorschmack
des Himmels, des Herrn Preis, wer singt dich, und
erliegt nicht? Was ihn den Singenden sonst hob,
versinkt jezt; sein beseelteres Bild, wie der Schimmer von dem Aufgang Gemähld' ihm voll Goldglanz, wird ihm Dämmrung (Selbst sein beseelte-
stes Bild, seine lebendigste Vorstellung, das Bild das
ihm ein Gemählde voll Goldglanz gleichwie der Schimmer aus Osten ist, wird verdunkelt, verschwindet vor
diesem höheren Glanz, die Abbildung kann das Urbild nicht erreichen, aber demohngeachtet:) wie ich
kann, mit der Nacht Schein im Bilde (selbst mit
dieser schwachen Copey) mit Nachhall und Laut
nur, wenn der Chorpsalm zu dem Thron auf
sich donnernd erhebt, sing ich dem Herrn! Wer
gleicht dir? Wer o Gott ist wie du bist? Des
Seyns tiefen Entwurf entwarfst du, eh Gefühl
war, Gedanken und Zweck war in der Endlichen Heer! O der Aussaat, die, Gott, du gesät
hast! und Aeon auf Aeonen, daß sie reift', aufge-
häufet! O Rathschluß: die Aeonen wenn sie all
einst vorbey sind, wird Erndte ohn Aufhören
am Thron seyn! Die Erschaffung zu des Sohns
Heil hast dann du vollendet! . . O dann führt

das Glück uns und Elend ins Lichtreich! Was
einst uns, dem Beglückten und dem Dulder, Labyrinthweg und Nacht war, das führt uns zu
dem ewigen Heil hin! Indeß welkt auf Erden
der unsterbliche Mensch weg, und empfindet Herannahn des Todes, Herannahn der Verwesung;
und verweint in Wehklag ergossen den Beginn
des Daseyns; und weis doch, daß es Gott einst
mit Wonne vollbringt! Er, der ihn auch zu dem
Heil schuf! Ja, so, Gott, vollbringst du's! Ach,
trüb ist, und Nacht ist der Gedanke, daß ins Loblied der Himmel, der Angst Stimme sich mischt,
und mit Thränen sich die Wehmut von Gräbern
emporhebt ins Getön, wo Entzückung der Chorpsalm zum Thron ruft, und sanft Lispeln den
Harfen entlockt, wenn in Dank weint die Wonne.

Die Subjecte der nun folgenden elf Oden sind
aus der Offenbarung genommen; dem einzigen durchgehends poetischen Buche des neuen Testaments. —
Im Vorbeygehen fragten sie mich um meine Meynung
darum; wie ichs verstünde? wofür ich das Buch nähme — Wer kann das sagen? ich habe keine Commentarien je drüber gelesen, weil ich nicht gern Unsinn der
Gelehrten lesen mag, und die mystischen Erklärungen,
und die bengelschen Berechnungen scheue wie den bösen
Feind. Aber, unmaaßgeblich! was so gesundes Gefühl im Allgemeinen einen davon ahnden läßt, wenn

man mit einfältigem Sinn drinn ließt, ist wohl das, daß es ein für die damaligen Zeiten sehr vortrefliches und phanthasievolles Gedicht ist, in Johannis Nahmen von einem christlichen Poeten, dessen Einbildungskraft ganz mit prophetischen Bildern des alten Testamentes genährt war; die Gegenstände sind sind aus den ersten Zeiten der christlichen Kirche; Babylon und alle diese Allegorien weiter, die Juden; entweder Vorherverkündigungen des Falls dieses Staates, oder auch nachherige Besitzungen desselben, versteckte Winke an die Christen, Bestrafungen, (epische Satire wenn Sie wollen,) einzelner Gemeinen, wegen ihrer Laster, oder Lob ihrer Tugenden, Anspielungen auf gewisse Verbindungen der ersten Christen mit Rom; . . . . welches alles ich mich begnüge nur im Allgemeinen zu wissen, indem ich wohl einsehe, daß um das Buch je im Detail zu verstehen, die Geschichte der damaligen ersten christlichen Kirche mir Facta aufbewahrt, oder vielmehr ein dem Dichter gleichzeitiger Mann es mit Anmerkungen versehen haben müßte, die uns nun einmal nicht aufbewahrt sind, womit es nicht versehen ist. Dem allen sey wie ihm wolle; das seh' ich, daß der Mann, ders schrieb, ein großes Dichtergenie war; ich möchte fast sagen, von noch stärkerer Einbildungskraft als einer der Propheten; und daß Klopstock sehr wohl thut, hier die Offenbarung eben so zu benutzen,

Cc 2

wie oben den Ezechiel und Jesaias. Versezen Sie sich indeß nur in den Geist der Offenbarung hinein, um diese Oden ganz zu verstehn. Babylons Fall (meiner Meynung nach, Jerusalems Zerstörung . . ob Klopstock dasselbe gemeint, oder überhaupt nichts bestimmtes sich darunter gedacht, weis ich nicht,) die Belohnungen der Märtyrer . . (eine Hauptidee, womit die Seele der ersten Christen immer schwanger ging!) . . . die Gerichte Jesu Christi über die sieben Gemeinen — das ist der Inhalt davon.

Cherubim und Erstandne tönten vom Untergange Babylons. Sie sangen: 29) Ernst ist er des Gerichts dunkler Tag! Todesgang und des Sturms Flug eilt des Herrn Gerichtstag! (Entweder: Als Todesgäng ꝛc. oder: mit dem Gange des Todes ꝛc.) — Prophezeyhung gegen sie, bewölkt einst, Prophezeyhung, wie erfüllt Gott dich! (Prophezeyhung! gegen Babylon! bewölkt einst . . d. i. die du einst, wie jede Prophezeyhung, bewölkt warst . . oder: die du einst bewölkt seyn wirst, mit Anspielung auf die Dunkelheit, die dieß Buch immer für die Christen gehabt hat. Freylich entsteht hier eine Zweydeutigkeit durch das einst, welches man so gut auf eine hoch zukünftige als längstvergangne Zeit beziehn kann.) Ach sie (Babylon) stürzt! Es vernahm Erd' und Meer Babels Fall, diesen Donnerschlag der Erfüllung! Nun thuts Gott vom Throne ! (Nun erfüllt

Gott!) Izo droht am Meerstrand *) die Verkün=
digung des Posaunrufs nicht mehr. — Babel
stürzt! O begann Gottes Tag, jener schon der
großen Vergeltung Tag? . . Wie liegt, weh!
sie zerstört da! Weh! Weh! Welch Graun, jezt
die so stolz war, in dem Abgrund da! (wie, als
welches Grauen liegt sie 2c.)

Cherubim und Erstandne tönten vom Unter=
gange Babylons. Also sang der Cherubim Chor
dem Vollender. 30) Sie versinkt! sie versinkt,
Babel! Der Täuscherinn (. . . nämlich: Kelch! —
aber die lyrische abgebrochne Construction! kühn!) . . .
gefüllt ist mit Gifttrunk, **) schnelltödtend,
schäumt ihr Kelch auf! O es füllt dir, Babel, dafür,
des Gerichts Kelch vollmessend, (der) der wieder
vergilt! — (schneller Uebergang von dem was gesche=
en sollte, zu dem, was sogleich als schon geschehen ge=

Cc 3

---

*) Am Meerstrand 2c.) In Pathmos nämlich. "Die Weis=
sagung hat aufgehört gegeben zu werden, und geht nun
in Erfüllung. „

**) Gefüllt ist mit Gifttrunk.) Das ganze Bild aus der
Offenbarung entlehnt. 18, 3. Denn von dem Wein des
Zorns ihrer Hurerey haben alle Heiden getrunken 2c.
16, 19. Und Babylon der Großen ward gedacht vor
Gott, ihr zu geben den Kelch des Weins von seinem
grimmigen Zorn.

dacht wird!) Du Gestürzte! wie lang schäumte
dein Taumelkelch dem Erdkreis Verführung,
Wahn, Wut und Tod! Erwacht ist des Vergel=
ters Rache! dich hat von des Zorns Kelch Gott
trunken zum Tode gemacht!

Ach die seeligen Tage der ersten Auferste=
hung *) warens, die ihr, schon jetzt vollendete
Märtyrer, feyrtet! (Und das ist das Subject der
nun folgenden Ode.) 31) Glückseelige! Ihr die

---

*) der ersten Auferstehung.) Aus Offenb. 20, 5. — Eine
von den damaligen Vorstellungen, die recht national, und
den Zeiten eigenthümlich waren, war die, von der
ersten Auferstehung. Ueberhaupt, wie die ersten Chri=
sten, diese zwey verschiednen Begebenheiten: das
große Weltgericht, und die Zerstörung Jerusalems sich
immer als eins dachten, als gleich nahe beyde! die dun=
keln blos in ihrer Phantasie gegründeten Ideen davon in
Bildersprache hüllten! wie diese ganze Masse von Begriff=
fen sich in eins verschmelzte! und was sie alles für System
darauf bauten, das sieht ein helles Auge bald gnung wenn e
die dahingehörigen Stellen in den Evangelisten, den Brie
fen der Apostel, der Offenbarung, und dem Philo ve
gleicht. Und da kommen im 18 Jahrhunderte doch Schrif
erklärer, und sezen uns ein neues Dogma von der erste
Auferstehung ins Licht, und erklären alle diese Stell
so buchstäblich wie den Euclides! Wenn werden wir do
einmal vom Buchstaben weichen, um am Geiste zu hängen

Gott rächt!*) ihr in Gestirnglanz! ihr mit des
Heils Kleid! (alles Bilder aus der Offenbarung)
ausduldende Märtyrer! Zu dem Erb' im Licht:

Cc 4

---

*) Die Gott rächt ꝛc.) Lauter Vorstellungen die damals
gäng und gebe waren — Babylon ist Jerusalem — ihr
Untergang nichts als unmittelbare Strafe ihrer an Christen verübten Grausamkeiten — Märtyrer für die Wahrheit zu seyn, das Höchste, was sich der Mensch von Würde
denken kann! Gott selbst nimt sich ihrer unmittelbar
an! rächt sie! — das alles mit den Bildern der Imagination geschmückt — in Gestirnglanz! — mit Kleidern des
Heils! — sie haben die Abgötterey nicht unterstüzen, das
ist, personisirt, dem Satan kein Räuchwerk streuen wollen! — sie werden selbst einmal goldne Stühle haben!
und sizen und richten über die Beförderer des Irthums
und des Lasters! gleicher Belohnungen mit Christo selbst
theilhaftig werden, Gewalt mit ihm bekommen, her-
schen wie er; — ihre orientalische Einbildungskraft baut
sich darüber Systeme, kleidet dieses Transcendentale in
sinliche Begriffe — bestimt die Zeit, wenn das geschehen soll? wie lange es dauern soll? — tausend Jahre!
u. s. w. — Wie klar, wie deutlich ist doch das alles! und
welche komische Leute sind nun nicht: — — die Chiliasten! — Aber welche von unsern Auslegern sind etwa
nicht Chiliasten? mehr oder weniger! . . . Damit nicht
auch etwa in Zukunft über den Messias Chiliasten her-
fallen, ist es gut, daß er jezt erläutert werde.

reich kommt freudig, ihr die Gott rächt, von
dem Nachtthal her! — — O empfangt die Be=
lohnung, Heilerbende! Mitblutende! (und was
für eine?) die Herschaft des Vollenders, die Ge=
walt deß, den Kreuziger tödteten (werdet gleicher
Gewalt mit ihm theilhaft!) ... Erstaunt, bang,
und vor Angst stumm hörts der Erdkreis! — die
verkannt einst schnell (sogleich) bluteten, wenn
sie dem Satan Räuchwerke nicht zündeten, sie
beherrschen die Welt jezt! sind Könige! vom
Thron schmückt mit Gewalt Gott euch! —

Nun folgt wieder eine lange Stelle epische Erzäh=
lung, worinn Klopstock Ihnen selbst sagt, was ich Ih=
nen sagte, daß das alles aus der Offenbarung genom=
men sey. Hier hat er die ganze Beschreibung des Ge=
sichtes, welches ihr Dichter sah, eingewebt. — Die
ganze Stelle geht indeß die jezige Situation der Tri=
umphsänger nichts an. Es wird nur erzählt: "Jo=
hannes sah das und das Gesicht. In dem Gesichte er=
schien ihm Christus noch nicht als Richter, sondern als
Warner. (in dem Ernste des Richterspruches er=
tönte noch Gnade!) Er drohte nur mit Gerichten
über die sieben Gemeinen. Dieß geschah zwar später
auf Erden; aber im Himmel, nimmt er an, ist das
alles voraus bekannt; die Ersten der Engel, die das Ge=
richt ausüben sollten, und die Väter, hatten es schon
vernommen; sie anticipiren also hier in ihren Gesän=

gen das, was später dem Seher auf Erden offenbaret wird. —

Unbemerkter *) (überhaupt nur: unbemerkt,) nicht eine der Königinnen des Weltmeers (nur

Cc 5

---

*) Unbemerkter 2c. — erbarmte.) er sollte ihm erscheinen . . . Glüend Ertz war sein Fuß : Merkt wohl hier wieder auf. Eigenthümliche schnelle Verwechselung der Temporum. — Erst die Sache als zukünftig beschrieben — denn: gleich sie schon als geschehen gedacht! — Offenb. 1, 10. Ich war im Geist an des Herrn Tage (im Vorbeygehen gesagt: Klopstock hat die Situation für sich selbst auch gewählt: Messias 18 Ges. S. 84. vermuthlich mit Anspielung auf diese Stelle.) und hörete hinter mir eine große Stimme als einer Posaune, 11) die sprach: ich bin das A und das O, der Erste und der Lezte; und was du siehest das schreibe in ein Buch, und sende es zu den Gemeinen in Asia, gen Ephesum, und gen Smyrnen, und gen Pergamum, und gen Thyatiras, und gen Sardis, und gen Philadelphian und gen Laodicean. 12) Und ich wandte mich um zu sehen nach der Stimme, die mit mir redte. Und als ich mich wandte, sah ich sieben güldene Leuchter. 13) Und mitten unter den sieben Leuchtern einen, der war eines Menschen Sohn gleich; der war angethan mit einem Kittel und begürtet um die Brust mit einem güldenen Gürtel. 14) Sein Haupt aber und sein Haar war weis, wie weiße Wolle, als der Schnee: und seine Augen wie eine Feuerflamme: 15) Und seine Füße gleich

eine kleine Infel!) ruhte zwischen Wogengebirgen
die einsame Pathmos. — Aber es sollte dereinst
wie Posaunen an ihrem Gestade dem erschallen,
den sich der Offenbarer zum Seher auserkohr,
und (es sollte) in ihrer Haine Schatten der Gottmensch ihm erscheinen (Kl. hütet sich also wohl zu
bestimmen, daß es Johannes war,) umringt von sieben Leuchtern, gekleidet in ein lichtes Gewand,
mit Golde begürtet, das Haupthaar weis wie
Schnee, und Flamme sein Blick, wie die Sonne
sein Antliz! (Glühend Erz war sein Fuß, vom
Munde ging ihm ein scharfes schneidendes
Schwert, und er hielt in der Rechte sieben
Sterne. (Er war) eine Strahlengestalt, vor
welcher, wie todt, der Seher hinsank! Richter
der Welt war der, vor welchem er hinsank!—Aber
izo richtet' er noch sein großes Gericht nicht;
Sprach nur über sieben Gemeinen ihr erstes Urtheil; mit dem Ernste des Richterspruches ertönte
noch Gnade! Und es hatten, von diesem Gericht
die ersten der Engel, und die Väter sie hatten,

---

wie Messing, das im Ofen glühet: und seine Stimme
wie groß Wasserrauschen: 16) Und hatte sieben Sterne
in seiner rechten Hand, und aus seinem Munde ging
ein scharf zweyschneidig Schwert, und sein Angesicht
leuchtete wie die helle Sonne. 17) Und als ich ihn sahe,
fiel ich zu seinen Füßen als ein Todter — — —

von dieser Gnade wie fern her, himmlische Stimmen vernommen. Sie sangen dem schonenden Richter: daß ihm in den Gemeinen wie Thau aus der Morgenröthe seine Kinder würden zum ewigen Leben gebohren durch die neue Geburt! und daß er ihrer wie Mütter sich erbarmt', auch da, wo selber die Herzen der Mütter fühllos würden, auch da sich Jesus Christus erbarmte. Er will sagen: Christi Schonen bey diesen Gemeinen war größer als selbst die Erbarmung der Mütter ist. Es ist nur allgemeine Uebersetzung der Worte des Propheten: Kann auch ein Weib ihres Kindleins vergessen ꝛc.

Nun die Gesänge die sieben Gemeinen betreffend, selbst!

32) Ephesus, ach Ephesus! komm zu der ersten Liebe zurück! O wie tief sankst du, Gemeine! Kehre wieder! es stürzt dir dein Leuchter sonst dahin, und erlöscht! — — — Preis dir! du giebst ewigen Lohn, (dem) wer sich wieder, Mittler, erhebt! am Krystallstrom, der vom Throne fließet, schatten des Lebens Bäume! Tragen dem Siegenden Frucht! *)

---

*) Ephesus, ach — Siegenden Frucht.) Offenb. 2, 1. Und dem Engel der Gemeine zu Ephesus schreibe: —

Und ein höheres Chor begann, von Wonne begeistert, durch die goldenen Harfen herunter zu rauschen. Sie sangen:

33) O der Aussaat, welche du, ewiger Sohn! dir in Smyrna säetest! (wie viele rechtschafne Christen sind zu Smyrna!) o sie halten aus im Gefängniß, und geschmäht! Sie duldens gern, sind getreu bis an den Tod, Kronen zu empfahn! *)

Wehmutsstimmen erschollen. (denn von Pergamon und Thyatira konnte das nicht gerühmt werden.) So sangen Chöre der Menschen:

34) Pergamon, du hieltest an ihm in den Tagen jenes Triumphs, da Antipas in sein Blut

---

— — 4) Aber ich habe wider dich, daß du die erste Liebe verlässest. (die erste Liebe. Alte Prophetensprache, die immer den jüdischen Staat als eine Vermählte Gottes betrachteten.) Gedenke wovon du gefallen bist, und thue Buße, und thue die ersten Werke. Wo aber nicht, werde ich dir kommen balde: und deinen Leuchter wegstoßen von seiner Städte, wo du nicht Buße thuest.

*) O der Aussaat — — Kronen zu empfahn.) Offenb. 2, 9. Ich weis deine Trübsal, und deine Werke, und deine Armut (du bist aber reich): und die Lästrung von denen, die da sagen, sie sind Jüden, und sinds nicht, sondern sind des Satan Schule. 10) Fürchte dich vor der keinem — — Sey getreu bis an den Tod, so will ich dir die Krone des Lebens geben! — —

sank! Zeugend sank er! O ruft Antipas Namen,
Unsterbliche, laut! — — Aber du hast, Perga=
mon, auch, die wie Balak ärgern. Es labt wer
gesiegt hat, das verborgne Manna, diesen allein!
nur er hört zeugen die Himmel von sich! *)

Wehmutsstimmen erschollen. So sangen
Chöre der Engel:

35) Siehe du gläubst, duldest, und liebst,
Thyatira! Aber du hast Thyatira, die Prophe=
tin (die falsche) hast die Täuscherinn auch! Dein
Richter forschet hinab in das Herz! — Welchen
er rein sahe, der Sohn, den erhebt er, setzet ihn

---

*) Pergamon — — von sich.) Offenb. 12. 13. 14. (nach
Luthers Uebersetzung; die aber freylich so zusammenhän=
gend nicht ist, wie Klopstocks:) Ich weis was du thust
und wo du wohnest, da des Satans Stuhl ist: und
hältest an meinem Nahmen, und hast meinen Glau=
ben nicht verläugnet; auch in den Tagen, in welchen
Antipas, mein treuer Zeuge, bey euch getödtet ist, da
der Satan wohnet. — Aber ich habe ein kleines
wider dich: daß du daselbst hast, die an der Lehre
Balaam halten; welcher lehrte durch den Balak ein
Aergerniß aufrichten vor den Kindern Israel, zu essen
der Gözen Opfer, und Hurerey treiben. — — Thut
Buße! — — 17) Wer überwindet, dem will ich zu essen
geben von dem verborgenen Manna, und will ihm geben
ein gut Zeugniß. ꝛc.

hoch, daß den Weltkreis er beherrsche! giebt den
eisernen Stab der Macht, giebt Strahlen der
Stern' ihm ums Haupt!*)

Stille ward in der Schaar des Triumphes,
und keines der Chöre sang, und alle Harfen, und
alle Posaunen verstumten, bis zu dem Göttlichen wenige Stimmen sich endlich erhuben: (weil
Sardis noch tiefer gesunken war, als Ephesus, Pergamon und Thyatira.)

36) Ach Sardis! ach Sardis! Weltrichter,
erbarm dich! des Herrn Sohn, verschone! Sie

---

*) Siehe du glaubst — — ums Haupt.) Offenb. 2, 18.
Und dem Engel der Gemeine zu Thyatira schreibe:
Ich weis deine Werke, und deine Liebe, und deinen
Dienst und deinen Glauben und deine Geduld, und
daß du je länger je mehr thust. 20) Aber ich habe
ein kleines wider dich, daß du lässest das Weib Jesa-
bel, die da spricht, sie sey eine Prophetinn, lehren. —
— — Und sollen erkennen alle Gemeinen daß ich bin
der die Nieren und Herzen erforschet; und werde geben einem jeglichen unter euch nach euren Werken. — —
26) Und wer überwindet und hält meine Werke bis ans
Ende, dem will ich Macht geben über die Heiden.
27) Und er soll sie weiden mit einer Ruthe und wie
eines Töpfers Gefässe soll er sie zerschmeissen. 28) Wie
ich von meinem Vater empfangen habe; und will ihm
geben den Morgenstern.

liegt todt, und ihr Wahn wähnt daß sie lebe! Gott
Mitler, schon ihrer! — — Ach höre! wach auf
Sardis! wach, Todte, vom Schlaf auf! Es schreckt
schon von fern her, mit Eil droht, mit Vollendung
das Gericht dir! hör, hör sein Drohn, Todte! —
Weißes Gewand strahlet um den der gesiegt hat!
hell in dem Buch, das vom Heil einst im Gericht
tönt, steht sein Namen! ihn nennt vor Gott selbst,
und vor den Engeln der Herr! *)

Aber ein höheres Chor begann, von Wonne
begeistert, durch die goldnen Harfen herunter zu
rauschen; sie sangen: 37) Wie selig ist sie! Wenig
Kraft gab ihr der Herr! Und es blieb dennoch im
Bunde, bekannte dennoch Philadelphia stets! Satans Verführter soll sich ihr bang nahn! in den

---

*) Ach Sardis — — der Herr.) Offenb. 3, 1. Und dem
Engel der Gemeine zu Sarden schreibe: Das saget
der die Geister Gottes hat, und die sieben Sterne.
Ich weis deine Werke: denn du hast den Namen
daß du lebest, und bist todt. — — So du nicht
wirst wachen, werd ich über dich kommen, wie ein
Dieb: und wirst nicht wissen, welche Stunde ich kommen werde. 5.) Wer überwindet der soll mit weißen
Kleidern angelegt werden: und ich werde seinen Namen nicht austilgen aus dem Buch des Lebens, und
ich will seinen Namen bekennen, vor meinem Vater
und seinen Engeln.

Staub ſinken vor ihr! — — Wie ſelig iſt ſie! Wenig Kraft gäb' ihr der Herr; und es blieb dennoch
im Bunde, bekannte dennoch Philadelphia ſtets!
Stunde des Jammers trif du den Erdkreis, und vor
ihr eile vorbey! — Wie herrlich iſt ſie! Treue
Schaar, halt, was du haſt, und o laß keinen die
Krone des Heils dir nehmen! Der Vollendete ſteht
glänzend ein Pfeiler einſt in dem Tempel, wo der
Sohn ewig lohnt! *)

Wehmutsvoll, mit jener Empfindung, die unter
den Menſchen Thränen wird, kam mitten aus einem
Chore die Stimme:

---

*) Wie ſeelig — — ewig lohnt.) Offenb. 3, 7. Und dem
Engel der Gemeine zu Philadelphia ſchreibe: — Du
haſt eine kleine Kraft, und haſt mein Wort behalten
und haſt meinen Namen nicht verleugnet. 9) Siehe
ich werde geben aus Satanas Schule, die da ſagen
ſie ſind Jüden, und ſinds nicht, ſondern lügen. Siehe
ich will ſie machen, daß ſie kommen ſollen und anbeten zu deinen Füßen: und erkennen daß ich dich ge-
liebet habe. 10) Dieweil du haſt behalten das Wort
meiner Gedult: will ich auch dich behalten vor der
Stunde der Verſuchung, die kommen wird über den
ganzen Welt Crais, zu verſuchen die da wohnen auf
Erden. 11) Siehe ich komme bald. Halt, was du
haſt, daß niemand deine Crone nehme. 12) Wer
überwindet, den will ich machen zum Pfeiler in dem
Tempel meines Gottes ꝛc. —

38) O vernähme den Ruf Laodicäa noch! Er ruft ihr vom Tod auf! wehklaget sanft! wie blind, ach, und wie elend täuschet sie sich! — Du des Herrn sonst (die du sonst dem Herrn zugehörtest) auf! eile dem Rufenden zu! — (Wenn du noch von deinem Fall aufstehst, so ist noch Rettung für dich. Denn) der Gezüchtigte geht auch zu dem Abendmahl des Sohns ein! -Wer fest steht, aushält, und siegt, belohnt und gekrönt wird der! steiget empor zu des Throns Höh, Gottmensch, wo im Lichte du wohnst. *)

Nun betreffen die hierauf folgenden Oden die Auferstehung der Todten, das Weltgericht, die Seligkeit, und Verdammung, oder nach seinem Ausdrucke, "sie werden dem Auferwecker und Richter gesungen.„ Es

---

*) O vernähme — — du wohnst.) Offenb. 3, 14. Und dem Engel der Gemeine zu Laodicäa schreibe: 17) Du sprichst ich bin reich und habe gar satt, und darf nichts: und weißest nicht, daß du bist elend und jämmerlich, arm, blind, und blos. — 19) Welche ich lieb habe, die strafe und züchtige ich. 20) Siehe ich stehe vor der Thür und klopfe an. So jemand meine Stimme hören wird, und die Thür aufthun, zu dem werde ich eingehen, und das Abendmahl mit ihm halten, und er mit mir: 21) Wer überwindet dem will ich geben, mit mir auf meinem Stuhl zu sitzen.

Dd

ſind prophetiſche Geſänge. Das Weltgericht iſt noch nicht, indem die Chöre dieß ſingen, und doch ſingen ſie als von einer Sache, die während des Singens ſich zuträgt. Sie ſehens voraus; ſie beſchreiben ihnen ſelbſt noch zukünftige Dinge als izt geſchehend.

Da des Triumphs Heerſchaar *) ſtets weiter hinauf zu des Himmels Stralenkreiſe ſtieg, began⸗

---

*) Da des Triumphs Heerſchaar ꝛc.) In allen dieſen Oden, von der 39ſten bis zur 51ſten, die die Auferſtehung der Todten und das Gericht zum Gegenſtande haben, iſt ein ſehr feiner aber verſteckter Plan der Zuſammenfügung. —

I) 39. Allgemeine Einleitung zum Weltgerichte überhaupt, die gleich durch die folgende Ode 40. auf die Seligen beſtimt wird.

41. Die Auferweckung ſelbſt; aber der Seeligen. Dieſe Ode voll lieblicher Bilder.

42. Lobgeſang der erweckten Seeligen.

II) 43. Die Auferweckung — und zwar der Böſen. In dieſe Ode ſind nun alle ſchrecklichen Bilder des Weltge⸗ richts concentrirt.

Folgen dieſer Auferweckung. Die Verdammung 44. Die Empfindungen der Verdamten dabey 45. Das damit verbundne Gericht über den Satan. 46.

Nochmals: was die Verdammniß ſey! 47.

Zum Contraſte, wieder ein Blick zurückgeworfen auf die Se⸗ ligen 48, 49. und dann

Anwendung dieſer ganzen Scene auf Chriſtum als Richter 50. und Erlöſer. 51.

nen Chöre der Seher und Erzengel dem Auferwe=
cker und Richter zu singen. — Also sangen sie
Dd 2

_____

Doch! so weitläuftig ich mich auch bemühe den Plan
dieses Gesanges recht fühlbar zu machen , so sag ich
doch nimmer zu wenig für die, die nicht einen Blick zum
Uebersehen haben, so wie vielleicht für die Andern, zu
viel. In der Schmidischen Ausgabe des Pindars stehen
Zergliederungen seiner Oden, nach allen Abtheilungen der
scholastischen Rhetorik. So pedantisch das auch aussieht,
so haben sie doch zu dem Verständniß des Dichters großen
Nutzen; und ich widerstehe mit Mühe der Neigung, mich
einem ähnlichen Vorwurfe auszusetzen. — Plan! Plan!
ist in diesem Gesange im höchsten Grade. Verbindung
und nothwendige Folge der Theile unter einander! Den
Vorwurf möchte ich wenigstens so gerne durch diese und
andre Anmerkungen zernichten, den man oft aus Unver=
stand oder bösen Willen bey diesem zwanzigsten Gesange
noch mehr als beym elften geäußert hat: "er mache nicht
"eine einzige fortgehende zusammenhängende Handlung
"aus, worin immer eines auf das andre Beziehung habe;
"sondern sey eine Sammlung mehrerer willkührlich zu=
"sammengeordneter Scenen, deren jede ihren eignen Ge=
"genstand und ihre eigne Ausführung habe.,, (Berliner
Bibl. Th. 18, S. 324.) Denn man versuche nur ein=
mal, und sehe, welche Unschicklichkeit herauskommen
würde, wenn man nur einen einzigen dieser Gesänge ver=
setzte. Willkührlich sind sie sicher nicht zusammengesetzt;

gegen einander; Die Harfen der Seher tönten feyr=
lichen Ernst, und floſſen von großen Gedanken feu=
riger über? Izt ſtrömte der Pſalm in der Saite Be=
geiſtrung:

39) Wo erhöht er in dem Lichtreich, im G'anz
thront, dort ſtieg er herab, und den Gerichtsruf
donnerte ſein Heer! Und die Grabnacht gab, die
ſie wegnahm, her, da des Gerichts Ruf tönt' und
das Gebirg einſank!

Und die Heerſchaar, die vom Tod' er durch Blut
los ſprach, hub ſich empor, und ihr Gewand goß
Strahlen um ſie her! Ihr Triumphlied ſcholl, wie
das Weltmeer brauſt! Und ſein Getön ſtieg hoch
mit dem Gerichtsruf auf!

Und ſie erlagen (ſagt der Dichter) dem Wonne=
gedanken. Die Saiten nur tönten. Aber nicht
lange ſo ſcholl ihr Geſang von neuem zur Harfe:

40) Ausſaat, die geſäet ruhte, bis Gott ihr
rief, das Gefild mit Goldglanz (goldnen Aehren) zu
bedecken! Seelige, die (als) Staub zu Staub, ſäu=
mende Nacht in ſich (ſo lange) einſchloß, bis der
Aeon Sterblicher dahin floh, (ſo lange als Menſchen

ſie hängen an ſehr feinen Fäden an einander; aber ſie
hängen doch aneinander! und an Fäden! und was geht
Klopſtock an, wenn ihr ſie nicht ſehen könnt? ſoll er im=
mer für eure Blindheit büſſen?

terben; bis ans Weltgericht also. — Die folgende
Strophe ist eine Antithese von dieser.) ... Aussaat!
wie reif schimmerst du her! Laut ruft im Gefild
ie Heerschaar zu der Ernte! Selige, die Glanz
u Glanz der Vollender sammelt, wie nimt des
neuen Aeons Herlichkeit dich auf!

Izo (der Dichter:) sangen mit himlischen Lä-
heln die Ersten der Engel. Tönender strömte der
Strom der Harfen zum Wonnegesange:

41) Todt' erwacht! Todt' erwacht! Der Ge-
ichtstag hallts! Der Ausruf der Ernter des Ge-
ilds ertönt froh! Der Staub hörts da, wo er sanft
schlummert, hinschallen! Schußengel rufen ins
Gericht!

Eilet, schaut auf zum Thron, (ihr) die mit
uld Gott rief! Erwacht! eilt! steht auf! strahlt
on dem Grab empor, ihr! die Jesus frey des Ge-
chts macht! o Miterben kommt, nehmt die Palmen
n Triumph!

Schwebt herauf, sezet euch, mit dem Sohn,
ichter, im Goldstrahl auf Throne beym Herrn!
rhebt euch, die Blut deckt! (die Märtyrer.) weiß-
s Gewand deckt! (ihr) Weltrichter! kommt, nehmt
e Kronen im Triumph!

Ach! — sie gehn überstrahlt zu dem Thron
rchtbar herauf, ernst zur Wagschaal des Ge-

richts! *) Verſtrömt Blut des Altars Golgatha
deckt hell die Palmträger! Siegskronen glänzen um
ihr Haupt!

Und es erhuben (wird weiter erzählt) im Chore
der Seher:Debora und Mirjam ihre Stimme. Den
Harfen entſcholl bald himmliſche Wehmut, bald der
Ton des Triumphs. Sie ſangen gegen die Engel.
So, wenn im Walde der Donnerſturm ſtill ſchweigt,
und die Bäume nicht gebogen mehr ſtehn, bebt leiſe
von Lüften der Sprößling.

42) O du einſt uns Elend, wie entzückſt du den
Geiſt, Tod! Wer im Nachtthal des Entſetzens nicht
verweſete, ſtrebet umſonſt zu erreichen der Erwachten Gefühl!

Ihr (Engel — Unſterblichen) lieft nicht die Laufbahn des Erduldens, (der Menſchen) des Pilgers,
da hinab nicht, wo der Tod war! Ihr Unſterblichen! ſahet das Grab nicht eröfnet und gefüllt mit
Gebein!

Ihr ſaht nicht daß furchtbar die Entſchlafnen
es hinnahm, die Geliebtern zur Verweſung! Der
begrabenden Schaufel Getös, die mit Erde die Entflohnen bewarf, erſcholl auch nie dumpf auf von
den Grüften, und rief euch nie Erinnrung, daß ihr

---

*) Sie gehn ernſt zu der Wagſchaal des Gerichts ꝛc.) wie
ſie ſelbſt nämlich mit Jeſu richten ſollen.

einst auch mit entstürzender Erde bedeckt, bey der Trümmer der Verwesenden lägt!

Aber wie unter Wolken herab von Felsen sich Ströme stürzen, so sang, als riefs zum Gericht, das Chor der Propheten:

43) Todt' erwacht! die Posaun' hallt! Todt' erwacht! der Nacht Schoos, des Meers Grund, und der Erdkreis bebt dumpf auf! das Gebein hört Herrscherton herrufen! Erzengel rufen ihm laut!

Goldpallast und bemoost Dach stürzen ein! Im Erdgrab und Weltmeer wer entschlummert schon lang lag, erwacht! Wer lebet, hört graunvolles Erdbeben! stirbt und erwacht!

Nacht noch wars. Das Entsetzen trat einher im Dunkel. Gefild, Hain, des Gebürgs Haupt versank! warf sich ins Meer hin! Harfe, schweig! Bang ruft, es ruft nun Gebährerinnangst!

Donner ruft von des Throns Höhn! Harfe, schweig! Laut drohend tönt Gerichtsruf der Posaune darein! Fürchterlich fliegt, rauscht Donnersturm! Wehklagend ruft drein Gebährerinnangst.

Zween Erzengel schwebten voran, da sang der Eine:

44) Sie sinds ach! die wehdrohend der Aufruf schreckt: Sie stehn auch von dem Tod auf! O ver-

Dd 4

schlöß Nacht stets in dem Graunthal der Verwesung
(die) die des Throns Ausspruch in den Abgrund
stürzt.

Zweene Erzengel strahlten voran, da sang der
Andre:

45) Gerichtsdonner, ach, zu furchtbar tönest
du in die Grabmahle! Längerer, ewiger Schlaf ist
ihr Flehn; aber sie kommen aus der Nacht, und wehklagen: o falle Gebirg, deck uns!

Stille war jezt in den Chören der Siegsbeglei-
ter. Da flogen, leicht wie Blüthen, die Luft weg-
athmet, Benoni und Mirjam, (Maria) Lazarus
Schwester hervor. Wie des Sommers sanftere
Mondnacht und wie der röthliche Frühlingsmorgen
schwebten sie vorwärts. Und sie würdigten Satan,
den liegenden Ueberwundnen hören zu lassen, wie
groß der Triumph der Todten des Herrn sey.

46) Donnr' es, o Gesang,*) in der Nacht Schrecken hinab, zu Gehennas Empörer hin: die am Staub

---

*) Donnr' es o Gesang 2c.) Warum wählt er eben Mir-
jam und Benoni zu Sängern dieses männlichen Bildes?
Des Contrasts wegen, meine ich. Er hat sagen wollen:
Selbst die schwächsten sollen dann stärker als Satan seyn.
Uebrigens ist so ein Affect des bittern höhnenden Vor-
wurfs in dieser Ode! die in jeder Strophe wiederholte

einst Elend und der Tod traf (deren irdisches Daseyn
unglücklich war, und die starben) sie erwachen zu dem
Schaun! — Mörder, zu dem Schaun! vom Beginn
Mörder! sie alle, die jemals des Todes Angst, der
Verwesung Graun traf, sie entschwingen sich dem Grabe
dahinauf, wo, (o du Genoß jedes Entsetzens!) Jesus,
der Vollender, in schreckender Herrlichkeit sich gesezt hat.

— — — Hosianna, er entschwung, ein Sieger des
Empörenden, sich auch dem umschattenden Thale der
Todesruh! und verwarf dich, Satan, du Verkläger!
der sie (nämlich diejenigen die des Todes Angst traf)
Tag und Nacht vor dem Thron mit Grimm schuldigte,
(beschuldigte) — du Feind! beschuldigtest sie nicht nur
Sünden, (schwerer Vergehungen) sondern, kleine Vergehungen, Staub des Gebrechs und der Fehle, nahmst
du, (und gabst ihnen in deine Anklage noch eine falsche
Wendung,) umgabst sie mit Gewölk! (ganz die sinnliche orientalische Vorstellungsart vom Teufel, als An-
kläger des menschlichen Geschlechts, die schon in älteren
Zeiten, in dem Buche Hiob herrscht!) — — — Zischender Verkläger, dich stürzt Jesus der Herrscher, hinab.

Dd 5

Anrede: "Mörder! Mörder vom Beginn! .. du Genoß jedes Entsetzens! Satan, du Verkläger! du Feind!..
Zischender Verkläger! .. So spricht allerdings die Leidenschaft.

in tiefe Nacht, wo die Quaal ist, Wehklag', und der Tod ist! kein Erwachen zu dem Schaun!

Einer der Todesengel erhob die furchtbare Stimme, also sang er, indem mit der Hand die Posaun ihm hinsank:

47) Wehklagen, und bang Seufzen vom Graunthale des Abgrunds her, Sturmheulen, und Strom brüllen nud Felskrachen das laut niederstürzt', und Wutschreyn und Rachausrufen, erscholl' dumpf auf! Wie der Strahl (der Bliz) eilt, (so schnell) schwebten wir schnell und in Wehmut fort.*) (Der Todesengel singt's, prophetisch, als käme er eben von der Begleitung der Verdammten zur Hölle her.)

Gabriel weinet' und fühlte sie gern die himlische Thräne; also floß mit der Thräne die Stimme des Schauers der Zukunft:

48) Das Gewand weis, bluthell hub zum Thron sie sich empor, stand ernst, anschaunseelig da, schimmerte die Braut! sanften Ton, festliche Melodien, freudigeres Gefühl strömtet (sangt, ihr, Donnerer im Gericht! (die Seeligen sind Donnerer im Gericht, weil sie mit Christo furchtbar richten.) — Und der Gottmensch sah rein neben sich sie an dem Thron voll Unschuld stehn, sah sich ihm heiligen die Braut! Nun er

---

*) Wehklagen — Wehmut fort) Eine Strophe in der so viele zusammengesetzte Wörter, als die Sprache nur hatte, sich drängen! ach! — und die folgende wieder so sanft melodisch! —

scholl, seeligern Gefühls, strömet' ins Paradieß euer
Psalm, Donnerer in dem Gericht!

Hingerissen von dieser Begeistrung des Schauers
der Zukunft schwebt' im lichten Meere der Himmels=
heitre die Heerschaar, schwebte mit schnellerer Eile da=
hin; und keine der Harfen schwieg in den Chören, und
aller Posaunen erschütternde Stimmen redeten ihre Don=
ner, und alle himlische sangen:

49) Da ihr Gang (derer, die nun im Gericht, daß
sie sich als gehalten denken, selig gesprochen worden
sind) und ihr Ausruf Gesang ward der Entzückung;
da vom Gefild her sich der Triumphzug zum Gerichts=
thron emporschwang: nahm zu dem Erb auf Er der
am Kreuze Gott sah, in das Lichtreich auf, (diejeni=
gen) die des Altars Blutruf vom Gericht lossprach
(die Versöhnten.)

Aber das Chor Erzengel begann von neuem die
die Wonne seiner Gesänge gegen die Seher hinüber zu
strömen:

50) O ihr die auch im Erdgrab und Weltmeer
verwest einschloß der Gerichtspruch, den in Eden, da
es kühl ward, *) der Herr aussprach, Erstlinge, schwebt
strahlend empor, im Triumphflug, eilt, richtet mit

---

*) in Eden, da es kühl ward,) 1 B. Mos. 3, 8. Und
Und sie hörten die Stimme Gottes des Herren, der im
Garten ging, da es kühl ward.

dem, welchem ſich die Höh' und das Gebeinthal buͤckt!
Die folgenden Strophen ſind eine ſchwere Stelle. Den
Erzengeln faͤllt der Zug, der ſchreibenden Hand des Belſa-
zer: ein; und dieß wenden ſie auf das allgemeinere Gericht uͤber das ganze Menſchengeſchlecht an. Der Sinn,
wenn ichs umſchreiben ſoll iſt: Gleichwie einſt die Hand
hervor kam, und dieſe Schrift ſchrieb: Dich wog Jova,
und es fand dich), König, derjenige, der den Erdkreis,
wie er will, beherrſcht, zu leicht — — — alſo gebot
Gott von des Throns Höhe, (damit der Tag des Gerichts es vernaͤhme, wie leicht uͤberhaupt ein jeder ſey,
welcher an ihm, (an Gott) ſuͤndige,) alſo: Es zeug einſt
des Gerichts Buch was des Staubs Sohn, der Menſch,
lebend that! eben ſo werden die Handlungen der Menſchen aufgeſchrieben! — — ein componirter Periode! —
und nun: O Raͤcher, dein Heer, die Engel, vollfuͤhrte
den Befehl, das Heer ſchrieb in das Buch des Gerichts,
mit Schrift, die ſo hell iſt als wie der Blizſtrahl durch
die Nacht herfleugt, das was der Menſch that! grub
das, was nunmehr in dem Gericht laut toͤnt, thraͤ-
nenvoll ein! — —

Am Thron rollt die Heerſchaar, als goͤß ſie ein
Meer weit aus, des Gerichts Buͤcher voll Ernſt auf!
Und die Glanzſchrift erſchreckt fern her! Eilet empor,
Erſtlinge, ſchwebt den Triumphflug, kommt, richtet
mit dem, welchem ſich die Höh und das Gebeinthal
buͤckt!

Ihn (den Tag) fah Gott herannahn! kein Tag
war, wie der Tag ift, der dem Rath des der geherrfcht
hat vom Beginn an, die Hüll aufdeckt! Jauchzet,
und fchaut tiefer hinab (lernet den Rath mehr ver-
ftehn) denn der Lichttag kam! Wandelt umher froh
im Labyrinthe (ihr,) die Gott hindurch führt! (die
ihr nunmehro am Ende des Labyrinthes feyd, ergrün-
det es nun.)

Noch währt er, noch, währt der Grauntag!
(immer fich die Scene noch als vorgehend gedacht! Es
wird gerichtet. Das Gericht dauert lange. Erft am
Ende des Gerichts wird das Urtheil vollzogen.) Ein
Jahr floh fchon, und es fäumt noch der Gerichtstag! Noch erfchreckt den des Ausfpruchs Ernft, welchen der Sohn Gottes verwirft! Es entfliehn quaal-
voll Könige noch! rufen dem Gebirge: O Gebirg,
deck uns! .... Allein deckt Gebirg euch? Noch
fäumt ftets des Urtheils Tag! Noch entfezt fich, wer
o Lamm, dir, das erwürgt ward, wer Hohn dir
fprach! Stürzet, ihr Berg' über uns her, denn die
Allmacht zürnt! Der an dem Kreuz blutete! gebeut
von dem Gerichtsthron, Tod!

Noch ftrahlt er, der Heiltag! Noch theilt Gott
des Lichts Erb aus! noch verklärt fich Labyrinths-
weg! Noch enthüllt Gott der Verficht Pfad! Stets
noch empfäht, weiffes Gewand, von des Sohns

Blut hell, Kronen empfäht, Palmen, wer dem
Sohn bis in den Tod treu war!

. Thräne des Himmels im Blicke der Erſtlinge
Gottes (der Erlöſten) wie glänzteſt du dem Geber
des Erbes im Licht an dem feſtlichen Tage ſeiner
Entſcheidung! Sie wagten es kaum, voll inniger
Dehmut nach dem Vergelter hinauf, der ihnen
ſtrahlte, zu ſchauen. Säumend begann ihr Harfengetön; als aber der Geber immer belohnender ſtrahlte, da flog's und ſchnell war es Jubel:

51) O Aufgang aus der Höh! o des Herrn
Sohn! du o Licht von dem Licht, (du) der erlöſt
hat, doch dereinſt auch, auf den Thron des Gerichts,
mit der Wagſchaal ſteigt, und es wägt, was gethan
hat, wenn umſonſt floß Golgathas Blut, o! Preis
dir, und Geſang, du des Herrn Sohn! du o Licht
von dem Licht! der erlöſt hat, (diejenigen) die dereinſt ach, an dem Thron des Gerichts, bey der
Wagſchaal ſtehn, und ſein Weh mit verkünden,
dem, wem umſonſt floß Golgathas Blut! (die mit
die Sünder richten.) — O Urquell! o des Heils
Quell! es ergeußt wie ein Strom, wie ein Meer —
ſo gebeutſt du — von dem Lichtthron ſich herab der
Erſchaffenen Glück! Erzengel, merkt auf, wie das
Heilmeer durch den Weltkreis ſich ergießt!

Ihr, ihr ſahts von Beginn, da die Nacht uns
noch umgab! es der Tod noch verbarg! ach, da noch

Gott, wir, o wir Staub! aus der Nacht von dem
Grab' her richteten! und Gott (gleichwohl noch)
mit Erbarmung es vernahm! schwieg! Blize nicht
warf! (uns wegen dieser kurzsichtigen Beurtheilung
seiner Wege nicht strafte.)

   So weit für heute.

———————————

Was noch übrig war, von diesem Gesange, wußte ich,
würde man fast ohne alle Anmerkungen verstehen.
Denn, die Lobgesänge, welche Anspielungen auf geschehene oder zukünftige Begebenheiten enthalten, hatten wir
durch; die wenigen folgenden beziehen sich nur auf das,
was unmittelbar wegen des Triumphzuges geschieht.
Dieß Allgemeine sagt ich ihnen nur davon; doch konnt
ich nicht umhin, den Gesang der Erzengel noch einmal
vorzulesen, mit dem wir gestern schlossen. O wie ganz
wehrt von Erzengeln gesungen zu seyn! O mehr als
menschliche Poesie beynah! Auch weis ich, daß dieß
unter allen Sylbenmaaßen des Dichters, das schwerste,
das unnachahmlichste ist. Ich stand vor ihm lezt, der
Messias bey uns. Ich schlug diese Ode auf, wies darauf: Wie viel Monate haben Sie wohl an der zusam-
mengesezt? — Er lächelte; und winkte so mit dem
Kopfe, als hätt ichs getroffen. Das weis ich, sagte
er, daß ich nicht noch eine solche Ode machen möchte. —

Allein zur Sache! — Der epische Dichter spricht von nun an fast so viel wie der lyrische.

Unterdessen da Jesus den Weg durch die Heitre zum Throne Gottes ging, entschied er von ferne das Schicksal der Seelen, welche das Leben der Sterblichkeit izo verließen. Sie musten sinken, oder steigen, nachdem in ihnen der Richter Triebe erschuf, sich empor zu der Wonne Gefilden zu heben, oder hinab sich zu senken, hinab wo ewige Nacht herscht.

"Seelen vor kurzen Verstorbener, auch Heiden, kommen zu dem Triumphheere und bleiben auf einem Sterne zurück.,,

Izt rief einer der hohen Triumphbegleiter: Es steigen, sieh! aus allen Landen, aus allen Völkern der Erde, steigen Seelen herauf! ein Anderer rief im Frohlocken seines Herzens den Auferstandenen zu: der Entschlafenen Seelen machen sich auf, und werden Licht! denn ihr Licht strahlt ihnen entgegen und über ihnen geht des Versöhners Herrlichkeit auf! — der Unsterbliche schwieg. Noch war es den Seelen unbekannt, wer der in der Mitte dieses Triumphs sey, wer die Schaaren um ihn; bald aber erkannten sie Menschen unter den Schaaren, und süsses Gefühl daß sie Menschen erblickten, überströmete sie. Doch da sie von Antliz zu Antliz ihre Brüder sähen, erstaunten sie, zweifelten, sanftes Schauers voll. Denn die Auferstandnen und Himlischen waren furchtbar und schön,

voll Hoheit, wie keine Hoheit sie kanten; waren vielleicht
(so dachten sie,) auch Götter! Allein der Götter einer
(einer von diesen, die sie für Götter hielten, wollte sie
nicht in dem Irthume lassen, sondern (sprach zu ihnen,
und lieblich erscholl des Redenden Stimme: Menschen
waren wir einst, wie ihr vor kurzem noch waret; aber
Er hat hat uns zu dieser Vollendung erhoben, welchen ihr hier bey den Sternen wandeln seht, mit des
Urlichts Glanze bedeckt, und mit Wundenmaalen!
Lernet! ihr könnt hier vieles lernen! Erwählet ihn euch
zum Helfer, *) erwählet ihn auch nicht! So frey wie
izt seyd ihr nie noch gewesen.

---

*) erwählet ihn euch zum Helfer 2c.) Vergl. damit die Rede
des Lazarus im 17 Gesange des Meßias. S. 73. "Vergleichet, vergleichet aber auch nicht, 2c. „ — diese sehr
schwere Rede verdiente eine Paraphrase. Der darinnen
herschende Hauptgedanke, völlig in die epische Sprache
eines discursiven Raisonnements gehüllt ist: Laßt uns
Christi Leiden, mit dem Leiden eines Socrates zum Exempel, vergleichen, und wie viel wird Christus dabey
gewinnen! denn 1) Christus ist Gott, Gottes Sohn; Socrates nur ein Mensch! Hier schwindet zu nichts das Bild
vor dem Urbild. 2) Socrates Handlungen sind nicht so
groß als Christi. — 3) Socrates und Christus haben
gelitten; aber wie viel mehr Christus als Socrates.
Alles was der Mensch durch sich selbst erklärt, ist fern
von dem Leiden, das der Heilige litt! 2c.

E e

Dreymal die Zeit die ein Engel, bevor er von einem Entschluße übergehet zum Andern, die dann der Unsterbliche zweifelt, folgten die Seelen jezo nur nach und blieben auf einem Sterne zurück, und warteten dort auf Lehrer, die Jesus, ihnen, so sagte Gabriel, senden würde vom Himmel!

Weit in der Ferne sah des Ewigen Thron die Triumphschaar, und des Allerheiligsten Nacht an dem Throne. Schon verhüllten ihr Antliz mit ihren Flügeln der Engel viele. Das Antliz deß, der geopfert auf Golgathas Altar blutete, ward lichtheller. Ein Chor Erstandener bebte freudig, und erst nach langem Verstummen begann es von neuem seine Psalme, beganns hinauf nach Sion zu singen.

Und nun die lezten Preise deß, der Weltbeherrscher und Vollender sey, und den nun bald das Anschaun des Vaters beseeligen werde.

52) Begleit ihn zum Thron auf, o Lichtheer! Mit der Harf ihn! der Posaun Hall, und dem Chor psalm (ihn) Jesus, Gottes Sohn! Menschlich ist Er Gnädig! Das rufest du laut blutiger Altar! —— Es preis' ihn der Toderb' und Seraph (Menschen und Engel) es erheb ihn die Versamlung der Gerechten, ihn Jesus! Hehr ist er! Heilig! Es gab, (siehe) dem Herrlichen, Jehova das Gericht! —— Es sing ihm der Heilerb' (dort: der sterbliche Mensch und Engel; hier der unsterbliche Mensch und Engel.) und Cherub!

ihr Chör' all' in dem Lichtheer, Hosanna! Jesus! Sohn,
du bist König der Welt! ewiger König der Stadt Got=
tes in der Höh!

Wie wirst du am Thron den empfangen; der es
ganz litt! der es ganz that! den Vollender! Vater!
du den Sohn! Donner des Throns, gebt der Unsterb=
lichen Chor Flügel und Triumph! (Triumphlieder)

Und sie schwiegen. Es schwebet' an einer Sonne
Gefilden langsamer fort ein andres Chor Erstandne.
Sie sangen ihm der stets lichtheller des Vaters Rechte
sich nahte:

53) O Vollender! wie wird Er, der ewig ist, dich
in des Throns Höh empfangen! Ewiger, wie wirst
du hingehn! des Herrn Sohn den Herrn schaun! der
erhabne, der unendliche Genoß deß, der seyn wird
und war!

Du o Licht von dem Licht! Gottmensch! groß
durch den Tod an dem Kreuz! Hehr Sühnopfer! Herr=
licherer dem Menschen der abfiel, und umkehrt! o du
der (als) Staub schlief, und drauf erst ein Unsterbli=
cher wie sie (die Engel) Glanz der Engel empfäht.

Der erlösende Sohn, Allerheiligstes! ging in die
Nacht deines Grauns ein! Aber wie hat ihn erhöht
Gott! Ihr Knie sinkt dem Aufgang aus der Höhe,
dem Erniedrigten und Herrn aller Endlichen Knie!

Und wie schallet empor, hoch im Himmel empor,
und im Staub, ihres Zurufs Wonnemelodie! Erhöht
wird des Herrn Sohn! der Gottmensch! der Gesalbte!
dem Unendlichen zum Preis, Gott dem Vater zum
Preis!

Auch sie schwiegen, und immer wurden der fey=
ernden Chöre weniger! Sieben Erstandne, die ersten
unter den Menschen, schwungen sich freudig zitternd
hervor, und sangen dem Sohne:

54) Mißt nicht mit Maaß Endlichkeit uns? Wir
erheben, selig dadurch, die Vollendung des Erstand=
nen! Ach, der Wonne Gefühl soll ewig tönen im Strom
des Gesangs . . . Aber was ist (wie viel ist) gegen
den Preis der Erschafnen, Vater, dein Blick! du Erhö=
her zu des Throns Glanz, dein Anschaun! Ver=
stumt, Strom stündst du, winkte nicht Eile dir
Gott!

Danke dem Herrn! Preise, daß er uns vergönt
hat, uns Endlichen, Ihn, mit dem Stammeln des
Triumphlieds, ihn mit feyerndem Psalm zu singen,
mit der Erstaunungen-Ruf!

Herlich ist Er! seelig ist Er! und der Nachhall des
Donners seiner Gewalt (die er ausübt,) wenn er
(indem er) handelt und beseeligt, (ist) unser Gesang.
Strömt Jubel! Jauchzet den Thaten des Herrn.

Mitler! zu dem steigst du hinauf! Es erhebt dich
der zu der Höh, o Messias, zu der Höhn Höh, seiner

Rechte: begleit ihn, Siegslied, bis zu dem Fuße des Throns!

Aber hundert Cherubim schwebten hervor, und enthüllten wieder ihr Antliz, und wiesen hoch mit der Palme gen Himmel!

55) Begleit ihn zum Thron auf, Triumphheer! Mit der Harf ihn, der Posaun Hall, und dem Chorpsalm, Jesus, Gottes Sohn! Herscher ist Er! Herscher! das rufet ihr laut, Donner um den Thron!

Es ruf ihm der Heilerb und Cherub! o ihr Chör' all in dem Lichtheer Hosianna! Jesus! Gottes Sohn! Dulder! du steigst, Todter zur Rechte des Herrn, Ewiger empor!

Izo kam der Triumph dem Himmel so nah, daß Gottes Thron sie strahlen in seiner ganzen Herlichkeit sahen. Da den Triumph, den Triumph die nähsten Engel erblickten, standen sie alle zuerst erstaunt; bald aber erhub sich Wonnausruf des frohen Erschreckens! Die Stunde da Christus, der Ueberwinder, wieder würde den Himmel betreten, war der Himlischen keinem bekant, war selber der Thronen ersten nicht. Sie hatten nur fern durch der Welten Getöne Jubel gehört. Von Gebirge lief zu Gebirge, der Cherub rief: Der Messias! dem Cherub, aus Haine riefen in Haine Seelen, und Seraphim sich: Der Messias! von Strahle zu Strahle,

Ee 3

bis hinauf zu den Opferaltären, hinauf zu den hohen Wolken des Allerheiligsten, scholl: Der Messias!
hinauf scholl zu dem Thron: der Messias! daß weit
um sie her die Wälder, daß der Ströme Geräusch
unhörbar ward, des Crystallmeers Woge selbst, vor
der Stimme des Rufenden! *) Aber da Jesus, da
der große Vollender nunmehr mit einem der lezten
Sonnenschimmer den Himmel betrat, da sanken der

---

*) Von Gebirge rief zu Gebirge — Stimme der Rufen-
den. —) Aus solchen Stellen kann man lernen was
ein poetischer Periode ist. Man versuche es, ihn zu declamiren! Dieser ist so zum Ausrufen gemacht! — und
mit einer Kunst zusammengewebt! ich sage nicht zu viel,
wenn ich behaupte, daß man vergeblich im Virgil und
Homer nach einem Perioden suchen wird, der diesen
gliche, oder vielen andern, die ich bey ihm finde: (Z. E.
der: Gesang 13, S. 126. Wie den Tausendmal — Auf-
erstand! —) da kann ein Dichter was lernen! — E.
selbst spricht von poetischen Perioden ausführlicher in der
Abhandlung vom Sylbenmaaße.

Endlich, laßt mich die Würde bemerken, mit der
der Messias schließt. Welchen Schmuck hätte ein Anderer hier verschwendet! Was hätten manche seiner Leser
wohl hier erwartet! Klopstock ... nichts als Simplicität; nur die Sache gesagt! ...' er sezte sich zur Rechte des
Vaters!,, ... was ließe sich auch mehr drüber sagen ?—
O wer die Größe nicht fühlen kann! der ... doch was
soll ich hinzusetzen?

Engel Kronen, da streuten mit sanfterer Freude die
Himmlischen alle Palmen auf den erhabenen Weg,
der zum Throne des Herrn führt. Auch die Triumphbegleiter, die Auferstandnen und Engel streuten Palmen, und gingen einher mit froher Dehmut. Aber die Seelen, belastet von neuem Him-
melsgefühle, wären in einem der Hayne des Weges
geblieben; hätt' ihnen Gabriel nicht mit der goldnen Posaune zu folgen gerufen.

Jesus nahte dem Thron. Und stiller wurde die
Stille: Und die Posaune rief den Seelen nicht mehr;
die Väter standen; noch folgten die Engel, nicht lange, so blieben auch sie stehn, sanken nieder anzubeten. Gabriel hatte, keiner der Endlichen sonst, des
Thrones unterste Stufe mit dem Messias betreten.
Dort kniet' er, beynah unsichtbar durch den her-
unterströmenden Glanz, und schaute zu Gott auf.

Siehe, der Hocherhabne war, der Unendliche
war, er, den Alle noch kennen, dem Alle danken
noch werden, Aller Freudenthränen noch weinen,
Gott und der Vater unsers Mitlers, der Allbarmherzige war in voller Gottesliebe verklärt . . . . . .
der Sohn des Vaters, des Bundes Stifter, Er,
der erwürgt vom Anbeginn der Welt ist, den noch
alle kennen, dem Alle danken noch werden, Aller
Freudenthränen noch weinen, siehe das Opfer für

die Sünde der Welt, der Getödtete war, der Er=
standne, Jesus der Mitler, der Allbarmherzige
war in voller Gottesliebe verklärt! . . . . . So
sahen den Vater die Himmel aller Himmel! So sa=
hen den Sohn des Vaters aller Himmel Himmel!
Indem betrat die Höhe des Thrones Jesus Chri=
stus, und setzete sich zu der Rechte des Vaters!

Das glaub ich! da konnte Klopstock wohl froh seyn, da
er dieß Werk geschlossen hatte! da's so ganz geflügelt aus
seiner Seele hergeschwebt war! So zu stehn, und mit
dem Blick drauf zurückzuschaun, mit dem Blick der fro=
hen Vollendung! Die schlaflosen Nächte, die es ihm ge=
kostet, alle die Empfindungen die ihn durchbebt hat=
ten, die Schicksale des Lebens, die seine Seele wäh=
rend der langen Reihe von Jahren erschüttert hatten!
Freuden, und Abgründe von Leiden, die ihn betroffen!
Kanst du dich in eine Seele hineindenken, die von sol=
chen Erinnerungen bestürmt wird! Diesem Mann ins
Gesicht schauen, wenn er so vor der eben vollendeten
Pyramide seiner Unsterblichkeit still steht? Windéme
hat mir einiges von dem Morgen erzählt, an dem er
seine Dankode gedichtet. Er hätte, sagte sie, mit einem
ungewöhnlichen Ernst, mit zurückgebeugten Händen auf
dem Rücken, einer Stellung die ihm überhaupt sehr eigen
ist, gestanden. Sie ist eben bey ihm. Sie sieht ihn an!
Er schweigt immer ernster. Er athmet kaum. Der An=

blick von ihm frappirt sie so, daß sie ihn frägt: fehlt Ihnen was, Klopstock? Noch ein Augenblick, so stürzen ihm die Thränen aus den Augen, er geht an seinen Tisch, ohne zu antworten, und in wenigen Minuten ist sein Dank aus dem Herzen hineingeströmt:

Ich hofft' es zu dir! und ich hab es gesungen, Versöhner Gottes von dir das heilige Lied! Durchlaufen bin ich die furchtbare Laufbahn, und du hast mir mein Straucheln verziehn.

Beginn den ersten Harfenlaut, heißer, geflügelter, ewiger Dank! Beginn, beginn, mir strömet das Herz! und ich weine vor Wonne!

Ich fleh um keinen Lohn, ich bin schon belohnt, durch Engelfreuden, wenn ich sang! Der ganzen Seele Bewegung bis hin in die Tiefen ihrer ersten Kraft, Erschütterung des Innersten, daß Himmel und Erde mir schwanden, und flogen die Flüge des Sturms nicht mehr, durch sanftes Gefühl, das wie des Lenztags Frühe säuselte.

Der kent nicht meinen ganzen Dank, dem es da noch dämmert, daß wenn in ihrer vollen Empfindung die Seele sich ergeußt, nur stammeln die Sprache kann! Belohnt bin ich! Belohnt! Ich habe gesehen die Thräne des Christen rinnen: Und darf hinaus in die Zukunft nach der himlischen Thräne blicken! (Belohnt) durch Menschenfreuden auch!

Umsonst verbürg ich vor dir, mein Herz der Ehrbegierde voll. Dem Jünglinge schlug es laut empor; dem Manne hat es stets, gehaltner nur geschlagen. "Ist etwa ein Lob, ist etwa eine Tugend, dem trachtet nach!„ . . . . Die Flamm' erkohr ich zur Leiterinn mir! Hoch weht die heilige
Flamme voran, und weiset dem Ehrbegierigen beß-
seren Pfad! —

Sie war es, sie thats, daß die Menschenfreuden mit ihrem Zauber mich nicht einschläferten; sie
weckte mich oft der Wiederkehr zu den Engelfreuden!

Sie weckten mich auch, mit lautem, durch-
dringenden Silberton, mit trunkner Erinnerung
an die Stunden der Weyhe, sie selber die Engelfreuden, mit Harf', und Psalmen, mit Donnerruf!

Ich bin an dem Ziel, an dem Ziel! und fühle,
wo ich bin, es in der ganzen Seele beben! So wird
es, (ich rede menschlich von göttlichen Dingen,)
uns einst, ihr Brüder, deß der starb und erstand!
bey der Ankunft im Himmel seyn!

Zu diesem Ziel hinauf hast du, mein Herr! und
mein Gott! bey mehr als einem Grabe mich — ach
vor Metas Grab! und vor so vielen seiner Freunde! —
mit mächtigem Arme vorübergeführt! Genesung
gabst du mir! gabst Muth und Entschluß in Gefah-

ren des nahen Todes! . . und sah ich sie etwa die
schrecklichen unbekannten, die weichen mußten, weil
du der Schirmende warst? Sie flohen davon! und
ich habe gesungen, Versöhner Gottes von dir das
heilige Lied! Durchlaufen bin ich die furchtbare
Laufbahn! ich hoft' es zu dir! *)

—————————

Von Klopstocks Liebe zu schreiben, wie kannst du mir
das auferlegen, Beste? So in die geheimsten Falten
der Seele zu dringen, und in Worten darzustellen, was

—————————

*) Zur Ode an den Erlöser:) ich bin belohnt) durch
der ganzen Seele Bewegung. ꝛc. . . . . . . der kent nicht
meinen ganzen Dank, dem es da noch dämmert: der
kent nicht meinen ganzen Dank, der das noch nicht weis,
daß ꝛc. . . . . Ist etwa ein Lob ꝛc. die Ermahnung
Philipp. 4, 8. Die nennt er eine Flamme. (Die ist hier
nicht etwa der Artikel, sondern das Pronomen.) — Der
Sinn: Selbst die Offenbarung rechtfertigt solchen menschlichen Ehrgeiz! und diese Flamme lehrt den Ehrbegierigen bessern (einen edlen) Pfad. Die Ehrbegierde hat
mich entstamt, daß ich durch Zerstreuungen mich nicht
habe hindern lassen . . . aber nicht blos die Ehrbegierde, selbst die höheren Empfindungen und Gefühle der Andacht weckten mich darzu. Dieß läßt uns tief in Klopstocks Herz schauen! — Muth und Entschluß in Gefahren des nahen Todes ꝛc.) S. die Anmerkung zur
einen Schrittschuode. —

Andre empfunden haben; was ein Anderer wie Klop=
ſtock empfunden hat! was überhaupt mit Worten ſich
nicht darſtellen läßt! auch mit ſeinen Warten nicht!
den Gang einer ſolchen Seele! die Irren einer ſolchen
erhabenen Leidenſchaft! — Indeſſen eins kann ich ſehr
leicht, wenn du dich damit begnügen willſt. Das in
Ordnung ſtellen, was er uns ſelbſt in zerſtreuten Stü=
cken davon hat wiſſen laſſen wollen; und dann dir eini=
ge Namen nennen; einige hiſtoriſche Umſtände da=
bey zur Ausfüllung von Lücken. Wenn du dieſe ſo im
Zuſammenhang ließt, nicht abgeriſſen mehr, ſo haſt
du ein Bild ſeiner Seele — alſo ohne Vorrede: hier!

Wie ein Herz fühlt, das ſich zum glücklichen Leben
der Liebe geſchaffen weis, das früh den Samen davon
in ſich trägt; herlicher Same duftender Blüte und wür=
ziger Frucht! — eines der erſten Gedichte, noch in Leip=
zig (1747) gemacht, iſt wohl die Elegie: die künftige
Geliebte: *) Dir nur liebendes Herz ꝛc.

---

*) Wie viel enthält dieſe Elegie wenn man ſie Vorſtellung
vor Vorſtellung zergliedern will; Wort vor Wort ihre
Schönheit empfinden! und zergliedern muß man doch
wenn man ſagen ſoll können, man habe den Dichter ganz
verſtanden! wenn man eine Ehre darinnen ſucht, die Sa=
chen die man ließt, genau zu verſtehen. Rümpfe darü=
ber die Naſe wer will — ich habe mirs nun vorgeſetzt es
zu thun; und die Leſer mögen ihre Parthey über meine
Zergliederung nehmen, ſo wie ich meine ſchon über ihr
Naſerümpfen genommen habe. . Ut itaque ornatiſſimam

Völlig ähnliche Empfindungen ſinds, faſt die näm⸗
lichen Gedanken, die in der Ode an ſeine Freunde das

---

poetæ orationem declararem & explicarem, nulla mihi ratio viſa
eſt commodior, ſagt ein Mann der unter den meiſten, die ich
kenne, am geſchmackvollſten über die Alten geſchrieben hat,
quam ut verſu indicato, ſententiam ſoluta oratione, & verbis
propriis ſubiicerem, usque, dilectu, poſitu, & iunctura ita
temperatis, ut poetici ornatus ſemina & cauſſas continerent;
unde adeo adoleſcens — und das iſt ſehr beſcheiden ge⸗
ſprochen, denn man mache nur einmal die Erfahrung und
ſehe, welche Männer unter dieſe adoleſcentes gehören. —
ſemel monitus, comparatis poetæ verbis, facile aſſequi poſſit,
qualis poetici phantaſmatis ratio & natura per ſe ſit, qualis-
que amplificatio & exornatio acceſſerit; unde color poeticus,
ſententiæ dignitas vel ſublimitas, orationis dignitas & ornatus
petitus ſit; quid in ipſis verbis, verborum dilectu, ſtructura,
collocatione, gravitate, pondere, ornatu, copia, exquiſitiore
aliqua flexione, aut toto orationis habitu, cultu, elegantia
& dignitate, immutato & inverſo vulgari ordine, poetæ ar-
tem & iudicium commendare debeat — — — Poteſt enim
aliquis verborum ſenſus tenere præclare; poteſt poetarum le-
ctione eſſe tritiſſimus, in libris quoque æſtheticis verſatiſſimus,
fac critica opera quoque eſſe exercitatum; tamen is non pa-
rum forte hæreat, ſi poeta paulo doctior ipſi ita declarandus
ſit, ut rerum a poeta expoſitarum claras ubique habeat no-
tiones easque aliis perſpicue & diſerte declarare poſſit. ——
Welches alles hier ſo zur Sache gehörig, beſtimt und auf
Klopſtock anwendbar iſt, daß ichs nicht unterlaſſen kunnte
anzuführen — und daß es verdient hätte, deutſch geſagt
zu werden.

Dir nur liebendes Herz — Ohr.) Der Sinn: ich will
ganz in der Einſamkeit meinen liebevollen wehmütigen
Klagen nachhängen. — Vertraulich von den Thränen

vierte Lied ausmachen: Ihr Freunde fehlt noch, die
ihr mich künftig liebt! Wo seyd ihr? Eile! säume

---

sehr neu. — Mein Auge solls durchirren. Also denkt
sich der Dichter nicht blos als gesungen das Lied, sondern
auch als aufgeschrieben. — Mein leiseres Ohr — mein
sehr leises Ohr.

Unzärtliche Mutter,) den genauern Begriffen nach
bezieht sich unzärtliche auf beyde Hemistichien. Die Natur ist nicht an sich eine unzärtliche Mutter; auch nicht,
weil sie ihm ein zum Gefühl zu biegsames Herz, und ins
Herz dauernd Verlangen gab; sondern weil sie ihm keine
Geliebte dazu gab. —

Nun komt er von der allgemeinen Klage auf den noch
nicht gesehenen Gegenstand selbst. Und wie ist diese Phantasie bearbeitet! Mit welcher Innigkeit! wie ist der ganze
weibliche Character so idealisch schön gebildet, den er ihr
beylegt! —— Der fliehende Fuß — entweder den leisen
ätherischen Tritt des Mädchens zu bezeichnen, oder auch
ihre weibliche, schüchterne Schaamhaftigkeit. — Die
der frohen entflicht! — lateinische Sprache. Also Fröh-
lichkeit ist ein Hauptzug seines Ideals. Ich hab es an unzähligen Stellen der Alten bemerkt, besonders im Virgil,
daß er nicht leicht einen Gott oder eine Göttin auftreten
läßt ohne das Beywort *lætus*. — einst glückliche — weil
sie durch seine Liebe glücklich werden soll. — nach mir hin
— sehr guter Schluß dieses Verses. — meinem Ach gleicht
— dieser trochäische Ausgang sehr mit Absicht hier. Wie
drückt er das Ach aus! — der Ort der dich hält) qui te
tenet. — Der Himmel umwölbt sie eigentlich selbst, aber
indem sie hinauf zu ihm schaut auf ihr Auge. Umar-
met die sehn — nämlich: selbst sie umarmen, unter deinem Anblick. — Aber ich sehe dich nicht, es ging die
fernere Sonne, Sol remotior — niemals nicht) Klopstock

nicht, schöne Zeit! Kommt auserkohrne helle Stun=
den, da ich sie seh, und sie sanft umarme. Und du,

---

braucht öfter diese pleonostische Verneinung (Du den ich
nie nicht erfüllt seh. Oden. S. 227.) Man merke auf
die verschiedenen Situationen in die er sich mit ihr hinein
denkt. Er will des Frühlings mit ihr genießen. — Des
Abendsterns genießen. — Dem Schmerz unüberwindlich:
der Schmerz den er izt fühlt, der Schmerz seiner Sehn=
sucht, kann die gewisse Hofnung nicht überwinden, die er
hat, sie einst gewiß doch zu finden. — Unbesingbare
Lust ...... Wangen entfiel) nämlich: weissagt dich
mir. Nun bald drauf die Anrede an die Mutter; so voll
söhnlicher, kindlicher Ehrfurcht! und die Bitte die Toch=
ter frey zu lassen, denn sie eilt zu den Blumen, will nicht
belauscht, nicht gesehen seyn. Wie tief diese Feinheit
aus der Natur der Liebe und der Erfahrung geschöpft!
So sonderbar es auch ist, so viel auch das Compendium
dagegen einwenden mag, so ausgemacht ist es doch,
daß sich auch die reinste unschuldigste Liebe Zeugen,
auch den Eltern, und den besten Eltern verbirgt! —
Er will sie nennen; aber er weis keine Nahmen. Heißest
du Laura? Nein, Laura heißest du nicht! Und nun kommt
so ein kleiner Hieb gegen Petrarca. Das sind specielle Mey=
nungen des Dichters, die mir immer interressant sind,
ästhetische Urtheile, ihm eigenthümlich — wenn auch nicht
jeder Leser damit übereinstimt. Wenigstens ich prote=
stire wider dieß Urtheil. Petrarcas Gedichte sollten nur
dem Bewunderer, dem einseitigen Urtheiler, nicht dem
Liebenden schön seyn? sollten also keine wahre Empfin=
dung enthalten? Nimmermehr! Darin hat Klopstock die
Gefühle ganzer Nationen von Liebenden wieder sich! Ich
empfinde so lebhaft als ers kann, Petrarcas Fehler; seine
Concettis, seine Spizfindigkeiten, die Sünden des Ge=

o Freundinn, die du mich lieben wirſt, wo biſt du?

Dich ſucht, Beſte, mein einſames, mein fühlend

ſchmacks der damaligen Zeiten der Galanterie, und vielleicht der italieniſchen Empfindungsart überhaupt... aber
ihn demohngeachtet ſo rund und rein zu verdammen. ...
hätte er auch nur die einzige Canzone gemacht: Chiare
fresche e dolci acque .. ſo hielt ich ihn doch als Liebes-
dichter ſo unſterblich als Klopſtock ſelbſt. — Wirſt du
Fanny genannt, iſt Cidli dein feyrlicher Nahme?
Dieſer Vers iſt ſpäter durch die Feile hinein gekommen.
Denn damals kannte er weder Fanny noch Cidli, als er
die Elegie ſchrieb.   Sonſt wäre dieſe Stelle eine Weiſſagung im eigentlichſten Verſtande.

  Singer die ꝛc.) Meta liebte beſonders die Briefe der
Rowe; vielleicht erweckten dieſe Briefe zuerſt in ihr die
Idee, auch Briefe der Verſtorbenen zu dichten.   Wer
kennt aber die Rowe nicht, die mit ihrem jungfräulichen
Namen Singer hieß; und ein Heldengedicht, Joſeph,
geſchrieben hat, und die zum Theil ſehr vortreflichen Gedichte an ihren Mann.   Daß Klopſtock ſie auch ſchätzt,
und ſehr ſchätzt, ſieht man ſowohl aus dieſer Stelle, als
aus einer andern, wo er ein alltägliches Weib mit dem
einzigen Zuge mahlt, daß ihr die Singer zu dunkel iſt.
(Oden S. 76. S. auch die Ode am Badmer. S. 114.)
— Eile nicht ſo; daß kein Dorn dir den Fuß verleze! ꝛc.
welch ein Zug der zärtlichen Beſorgniß! — wie überein-
ſtimmend mit tauſend Erfahrungen ähnlicher Zärtlichkeit,
die mein Auge von ihm geſehen hat! — und welche mo-
raliſche Züge ſeines Ideals in den folgenden Verſen!
jungfräulicher Ernſt! Betrübniß über hintergangnes Zu-
trauen! wie zart ein Gefühl, das darüber in Thränen zer-
fließt! — Das tiefere Denken! — So wahr die Natur
... ſind, ſchuf; Eine ſehr feyerliche Beziehung der

Herz, in dunkler Zukunft durch Labyrinthe von
Nacht hin suchts dich! Hält dich, o Freundinn, etwa
die zärtlichste von allen Frauen, mütterlich Unge=
stüm; Wohl dir! Auf ihrem Schooße lernst du Tu=
gend und Liebe zugleich empfinden. Doch hat dir
Blumenkränze des Frühlings Hand gestreut, und
ruhst du wo er in Schatten wacht; So fühl auch
dort sie! Dieses Auge, ach dein von Zärtlichkeit vol=
les Auge und der in Zähren schwimmende süße Blick
die ganze Seele bildet in ihm sich mir! Ihr heller

Liebe. Er nennt sie den heiligsten Trieb derer die ewig
sind. Also zielt sie selbst auf Ewigkeit ab! erstreckt sich
übers Grab! alle diese Ideen liegen in diesem Nebenzuge
wie Keime, in einer Knospe. — Winde wie die in der
goldenen Zeit 2c. Ein Zug der uns auf einmal aus dieser
nach viel feiner modificirten Herzensliebe, in die Zeiten
der schäferlichen, arcadischen, aus einer angenehmen
Erinnerung zurück versezt. Ich bin redlich; mir gab
die Natur Empfindung zur Tugend; aber mächtiger
war, die sie zur Liebe mir gab. — Auch dawider möchte
nun wohl das Compendium was einzuwenden haben, wenn
er nicht gleich sich erklärte, in folgendem, daß er die Liebe
selbst für die schönste der Tugenden hält, für den Keim,
für die Erweckerin, Beförderinn der Tugend. — wie
sie den Menschen in der Jugend der Welt stärker und
edler sie gab — man braucht wohl nicht dabey zu sagen,
daß in diesem Verse dichterische, nicht philosophische
Wahrheit ist. Und über die folgenden — nichts mehr!
denn wer das nicht fühlen kann, dem kann man auch
nicht erklären.

Ernst, ihr Flug zu denken, leichter als Tanz in dem
Weſt, und ſchöner! Die Mine voll des Guten, des
Edlen voll, dieß vor Empfindung bebende ſanfte
Herz! Dieß alles, o die einſt mich liebet! Dieſes
. . . . geliebte Phantom iſt mein! Du, du ſelber
fehlſt mir! Einſam und wehmutsvoll und ſtill und
weinend irr' ich, und ſuche dich, dich Beſte, die
mich künftig liebet, ach, die mich liebt, und noch
fern von mir iſt!*)

---

*) Tellow hat Recht daß eine auffallende Aehnlichkeit nicht
allein zwiſchen den Hauptgedanken dieſer Ode und der
vorhergehenden Elegie iſt, ſondern auch zwiſchen ihren
beſondern Nebenausbildungen. Zum E. in beyden, daß
er der Mutter gedenkt, die ihre Tochter von der Liebe zu-
rückhalten will und doch nicht ſoll. — hat dir Blumenkränze ꝛc.) dieſe hypothetiſche Wendung ſagt weiter
nichts als: Nunmehro da es Frühling iſt, den du ſo ſehr
zu empfinden vermagſt, ſo fühl auch die Liebe! — Der
Frühling iſt perſonificirt; als ein Gott ſtreut er Kränze —
er weht im Schatten; durch eine ſchnelle Verwechslung
des Frühlings mit dem Zephyr. —— ihr heller Ernſt)
nämlich: der Seele. Es iſt eine meiſterhafte Compoſition in
der Strophe. Die Worte J. H. E. i. F. z. d. ſind Paren-
theſe — unterdeß, daß ſie nicht iſolirt ſtehe, connectirt er
den Vers durch das Fürwort der dritten Perſon: Er könnte
ſonſt eben ſo leicht geſagt haben: dein heller Ernſt ꝛc. ——
Flug zu denken) zu iſt ſtärker als im. Man kann ſagen
Auge zu ſehen; Ohr zu hören. Flug wird alſo dadurch
gewiſſermaßen eine Seelenkraft ſelbſt, davon das Denken
nur eine Modification iſt, dahingegen wenn er geſagt hätte;
im denken, Flug nur eine Modification des denkens ge-

Aber er fand bald, oder glaubte bald zu finden, was er suchte, ich meine: Fanny . . . .

. . . .

. . . . ja wohl! ja wohl! die Zeit da man lieben kann und liebt ist die Glorie des menschlichen Lebens, sagte einst Gerstenberg zu mir; einer von denen, die geliebt haben wie Klopstock, und dessen weiblicher Engel einen Kranz verdiente wie Meta, wenn einer würdig genug wäre ihn zu binden.

In dieser Zeit der Glorie, des alllebendigsten Gefühls, voll Aussichten in eine glückliche Zukunft, schon an der Schwelle seines Ruhms, und ganz genährt mit den Empfindungen, die du kennst, mit dem Ideale in Kopf und Herzen kam er von Leipzig weg, aus dem

Ff 2

wesen seyn würde. Noch deutlicher mich zu erklären: Vor wessen Seele überhaupt Flug prädicirt wird, der hat in Allem Flug, Schwung, sowohl im Denken als Empfinden, hingegen, derjenige dessen Denkkraft man nur Flug beylegt, kann eine sehr sehr matte und flügellose Empfindung haben.

Dieses . . . . geliebte Phantom rc.) die Punkte hinter dieses sind vielbedeutend. Es ist eine schwere Stelle zum declamiren. Er denkt sich alle diese Züge vereint, den schwimmenden Blick, den Flug zu denken, den hellen Ernst, dieß Ideal steht vor ihm, er glaubt es schon zu umarmen, realisirt es in der Einbildung . . . er ist im Begriff auszurufen: — dieses Weib! — — aber in dem besinnt er sich, es ist nur ein Phantom! —— sie, sie selber, dieß Ideal wirklich, . . fehlt ihm.

Kranze seiner Freunde. Diese wurden, das gewöhnli=
che Schicksal! in alle Welt zerstreut. Er ging mit sei=
nem Freunde und Vetter Schmidt nach Langensalze.
(Anno 1748.) Schmidt war sein Unzertrennlichster
in Leipzig gewesen. Sie hatten ein Zimmer bewohnt,
Freud und Leid, Ernst und Scherz mit einander ge=
theilt — derselbe Schmidt im Wingolf, den "die Un=
sterblichen des Hains Gesängen mit Kl. auferzieh'n „ —

In Schmidts Hause ward er mit seiner Schwester
bekant, und bald wuchs ihre Bekantschaft zur Liebe
auf. — Glückliche Fanny! dreymal glückliches Weib!
Entfernte Jahrhunderte werden dich kennen, und wer=
den fragen war, wie es möglich war, daß die Er liebte,
sich auserkohr in seinem Sinn zur Gefährtinn seines
Lebens, daß die ..."Er der Begeisterer des Barden und
des Skalden, Er! und dennoch floh ihn Rußtens Elisff!
..."„ -- Zu schwanken und zu zweifeln -- zu lieben und nicht
zu lieben — zu wünschen und nicht zu wünschen! bald Hof=
nung zu geben, und bald sie zu nehmen! — die Blu=
men die sie ihm einst nachschickte, da er sich selbst nun
zu besiegen und abzulassen gedachte — lieber Himmel,
welchem Erdensohne würd' es nicht eben so gehn! —
hin war der Entschluß, und . . . .
. . . . . . *) genug Klopstocks römischer Bruder hat

---

*) Warum muß ich doch so discret seyn, mich so verblümt
hier auszudrücken, statt umständlich zu erzählen? warum
so viel auslassen! —

wohl genug das wankelmüthige Geschlecht gekant — varium et mutabile semper, Foemina! und doch wer euch darum haffen wollte. Weiber, ... ach! man kanns dennoch nicht!

Den auszeichnenden Character seiner Liebe trug doch auch diese schon an sich. Schwermüthiges, erhabenes Gefühl, mit dem Blick hinaus auf die Ewigkeit, und jene künftige Welt. *) Eine Frucht solch einer

Ff 3

---

*) Hohe Geistigkeit und Platonismus, immer mit Religionsempfindungen und Gedanken an Unsterblichkeit verknüpft, ist das Characteristische von Klopstocks Liebe — nie werdet ihr solche fleischliche Gemählde bey ihm finden als bey Wieland und Crebillon — oder bloße Tändeleyen. Gespaßes mit Küssen, wie bey der großen Schaar der erotischen Dichter der Franzosen und unserer Nation — nie die wütende Liebe, die Göthe so treflich dargestellt hat — noch die Liebe so mit Augen des Philosophen betrachtet, wie bey Rousseau. — Nichts ist mir begreiflicher, als, daß ihm bey dieser so eigenthümlichen Art zu empfinden; weder Petrarka noch Rousseau wahr genug zu seyn, und wirkliche Empfindungen ausgedrückt zu haben scheinen; wie wenig ich übrigens dieß sein Urtheil unterschreibe. Psychologisch dieß Capitel anzusehen, und seinen Character darinn zu untersuchen, halt ich für eine der lehrreichsten Betrachtungen, ob ich gleichwohl weiß wie schnippisch lächelnd gewisse Leute dieß Fragment lesen werden. — "Anomalien des großen Manns! Anomalien! Dichter-Jünglingsschwärmerey! — Diese Liebe, ist, seit die Welt steht, der interessanteste Gegenstand aber auch der verrufenste gewesen; der, der am gewaltigsten die Herzen der

Stunde der Schwermut ist die berühmte Ode an
Fanny.

Menschen fortreißt, und der, über den d.e Pseudoluc'ane
Bonmots und Persiflage herauspfeifen, wie Sand am
Meer. Denn die Vielen bey denen die Liebe nun einmal
nichts ist als Finanzoperation — oder die die Lieben weils
zum Schlendrian und zur Lebensbahn mit gehört, weil
man eine Haushälterinn braucht; und denn die Liebenden
nach Wielands Sitte — sie lieben nicht, sie hungern sagt
Fielding — die Dou Sylvias de Rosalva, die wenn sie
sehn daß es mit der Ritterliebe nicht so recht fort will,
die ohnehin nur Frazengesicht und Grimaße bey ihm war,
den Spieß umkehren und damit anfangen, sich selbst aus=
zulachen . . . . Das machen sie gut! Sie schwingen sich
vom Lieben bis zur Würde des Begattens empor — und
denn haben sie freylich das Recht, auch über Klopstock zu
lächeln, herab aus ihrer Höhe und Fülle der Menschen=
kennerey.

Friede indeß mit den Edlen! Auch ich lasse mir ja gern
ihr Mitleid gefallen! Als Klopstock damals Meta ihr Denk=
mal stiftete, ist's nicht zu sagen, was für ein Geschrey
unter den Hofschranzen in — — und den hamburgschen
Belesprits entstand. Das war ein Achselzucken! er hätte
sich selbst ins Clairobscur gestellt! was? ins Clairobscur?
auf den Vordergrund des Gemählds! — den gelindesten
Beurtheilern wars wenigstens — Anomalie! Bernstorf
selbst und einige seiner Freunde, die vor dem Geschrey
sich entsezten, hättens gern widerrathen. Aber wie vie=
ler Herzen haben ihm nicht seitdem schon mit Thränen
gedankt, daß er sie hat Meta kennen gelehrt! und sein
Herz dabey: "wie sichs gehalten hat in allerley Jahr und
Noth„ in Luthers Worten zu reden — und haben aus
seinem Schicksale gelernt — und Trost geschöpft, und...

Ich wünschte sehr die Gelegenheit zu wissen, bey
der diese gemacht ist. Denn da dieß alles wahre gehabte
Empfindungen sind, nicht blos wie erotische Gedichte
bey so vielen andern Phäntasiestücken; so gehören sie zur
eigentlichsten Geschichte des Lebens. Wie viel stärker
würden wir mit dem Verfasser fühlen, wenn wir zu jeder die genaue Veranlassung wüßten, die Personen selbst
kennten. Indeß er weis diese Veranlassungen vielleicht
selbst nicht einmal mehr; und könnte uns nichts als das
Allgemeine sagen, daß Hindernisse in dieser Liebe waren; wie wir hier sehen — von Seiten Fannys. Er
aber ist ganz sichtbar in dieser Ode. Sein Ernst, sein
Blick in eine geistige Welt der Zukunft; der Schwung
seiner Seele den Messias zu dichten und vollenden zu
wollen; sein edler Stolz; Beruhigung des Herzens bey
traurigen Schicksalen; — o das ist wahre Nahrung für
wahre Liebende! und Leidende! — Und so glaubtest du
denn wirklich, theurer Mann, du würdest ewig trau-
ren? dein Leben würde umwölkt seyn, bis zu der Stunde,
da dich die Cypresse rufen wird . . . die lange noch fern
sey! — Wie oft habe ich Dich darauf angesehen, in so
manchen heitern Stunden deiner allerheiternden Heiter-

Klopstock sah weiter, und blickte edel kühn über das Quen-
dirat'on hinaus. Die Spreu des Geschwätzes verfliegt,
das Korn des Nutzens bleibt nach.

keit! O Täuschungen der süssesten der Leidenschaften! der einzigen, die des Menschen werth ist! O Elisa, mußte ich dich darum kennen lernen, daß ich den eiteln Vortheil hätte, dieß aus Erfahrung zu verstehn! —

.... Wenn ich einst todt bin .... und still anbetend, da, wo die Zukunft ist, nicht mehr hinaufblickst ꝛc.) wenn ich wirklich in der Zukunft seyn werde — nicht blos mehr hinaufdenken, mich mit meinen Empfindungen hinein versetzen werde. — — — edlere Thaten.) edle, sehr edle Thaten. — Dann trennt kein Schicksal mehr die Seelen, die du einander, Natur, bestimmtest!) Und denkt das Klopstock noch? Tröstet er sich noch damit? Fannys Gedächtniß ist jezt ein Traum in seiner Seele. Die Ode giebt viel zu denken, wenn man sie nicht blos als Gedicht, sondern als Geschichte betrachtet! So oft sind also die Tröstungen der besten Menschen nur Wahn; Bethörung des Verstands durch die Einbildungskraft — und nirgends mehr als in der Liebe! denn der wahre Trost wäre damal gewesen: ich werde dich einst nicht mehr lieben! —

In einer heiterern Stunde, als diese, hat er zu derselben Zeit Bardale gedichtet. Das sind Empfindungen, und eine Mädchengestalt, mit Guidorenis und Titians Punsel gemahlt! die genaue Veranlassung weis ich wieder nicht; er hat hat mir aber gesagt, daß es ihm ein sehr merkwürdiger Tag gewesen. Rathen steht jedem frey; und so viel ergiebt sich von selbst, daß er von ihr

abweſend geweſen; und daß er auch in dieſer um ihre
Liebe warb. Die Ode hat in der Form das ſehr Eigne,
daß in der lezten Strophe eine ganz andre Perſon, als
in allen vorhergehenden, der Dichter ſelbſt ſpricht. Die
Fabel iſt die: Bardale, (vorher hieß es Aedone; ſpäter
hat ers in dieſen nordiſchen Nahmen verwandelt) eine
Nachtigall, die zur Perſon wird, iſt von ihrer Mutter,
(die Dichtung iſt um ſo vielmehr wahrſcheinlich,
da wie wir ſchon gewohnt ſind an Progne, Phi-
lomele, Tereus zu denken) gelehrt worden, wenn
und wie ſie ſingen ſolle vor Nachtigallen; und wie vor
Menſchen. Es iſt alles deutlich. — flötend Lied!! —
Bachdes Geſpräche ſprachen am Ufer hin!! — Das
Gefühl glühte mir! — Spräch die Stimme den Blick
aus) die Stimme überhaupt; irgend eine Stimme;
nur ſoviel als: Könnte dieſer Blick mit Worten beſchrie-
ben werden ꝛc. — wenn . . . . entzückt) vor junger Luſt
entzückt, von den Zweigen des Strauches in den Wipfel
des Hains fliege. — Reizt ohn ihn dich Iduns goldne
Schale noch) in ſofern die Nachtigall ſie als Göttin betrachtet. — Freud' in dem Hain Wollhalls?) oder
himliſche Seeligkeit? ꝛc.

Nun zulezt die Strophe, wo der Dichter nicht gerade zu, ſondern durch einen Wink Fanny zu verſtehen
giebt, ſie ſey es, von der das die Nachtigall geſagt
habe — und eben ſo durch einen Wink, er ſey der Jüng-

ling, der die Beredsamkeit dieser Augen fühle; denn der
zwölfte May öd' und traurig vorüberfloß . . . . . . ist
jemals eine feinere, zartere, die Bescheidenheit schonen‑
dere Wendung genommen worden, als diese?

Unter diesen und ähnlichen Herzensangelegenheiten
verschwanden ihm die Jahre acht und vierzig und neun
und vierzig; bis er die Schweiz besuchte. Auch hier
vergaß er Fannys abwesend nicht, wie auch diese Abwe‑
senheit sonst auf sein Herz wirken, und es dem stärkern
Eindrucke vorbereiten gewußt hat, den Meta darauf zu
machen bestimt war. Er gedenkt Fannys noch in der
berühmten Ode auf die Zürcher Seefahrt.

In dieser ist ein sichtbarerer, hier könnte Herder
einmal fast sagen horazischerer Plan als gewöhnlich in
den Oden Klopstocks. Der Hauptinnhalt: Süß ist der
Anblick der belebten und unbelebten Natur; süß die
darüber empfundene Freude; lieblich winket der Wein;
reizvoll ist der Gedanke an würdigen Dichterruhm und
Unsterblichkeit; —— aber süßer als alles dieses, das
Gefühl wahrer, inniger, empfundener Freundschaft!
— Dieß ist das Gerippe der Ode — aber nun merke
man, wie fein er das versteckt, und wie er durch immer
eingemischte Geschichte und Empfindungen des Tags, die
Regelmäßigkeit dieser Ordnung zu stören gewußt hat. ——
Schön ist Mutter Natur.... schöner ein froh Gesicht ꝛc.
also, schön die leblose Natur, schöner noch die belebte.
Und zwar ein Gesicht, das den großen Gedanken deiner

Schöpfung noch einmals denkt! das also eine ernsthafte
Freude fühlt; die so sehr der Character seiner Freude ist.
— — Er ruft drauf die Freude an; die entweder gar
nicht auf Erden mehr ist; (flohest du schon wieder zum
Himmel auf) oder wenigstens doch nur sich unter dem
unverdorbenem Landvolke, unter den Winzern (von des
schimmernden S. T. h.) noch findet. Welch ein Schwung
in diesem Perioden, durch die Versezung des Subjectes
bis ganz hinten! Wie prosaischer würde der Gedanke so
gewesen seyn: Süße Freude komm von des schimmernden Sees Traubengestaden her, oder wenn du schon
wieder zum Himmel aufflohest, (komm) im röthenden
Strale, auf den Flügeln der Abendluft und lehre mein
Lied jugendlich heiter seyn. — — Traubengestaden:)
hier local schweizerisch; weil um den Zürcher See wirklich viel Weinberge sind. — Uto:) ein Berg an dessen
Fuß Zürch liegt — freye Bewohner,) bestimtes Beywort. Klopstocks freye Seele empfand hier genau wie
St. Preux, der nicht unterließ, Eloisen auf diesen Umstand merken zu machen, nur noch dort im Gegensatz
gegen die sclavischen italienischen Länder. — 3. 4. u. 5.
Strophe) ist nun eigentliche Beschreibung dieses Tags.
Von Zürch fuhren sie aus — vor Rebengebirgen vorbey
— in der Ferne die Alpen im Gesichte — Mittags aßen
sie in einem großen Dorfe Meilen genannt, dann Nachmit-
tags auf einer Insel ausgestiegen, die dort die Au heißt —
alles local! — 8 Strophe:) Wie wahr und groß der

Gedanke: Freude ist die Schwester der Menschlichkeit, wirkt Menschenliebe — aber welche Freude? — nur die unschuldige — und darum ist die Menschlichkeit die Gespielinn der Unschuld dieser Freude, und zugleich ihre Schwester! — wenn die Flur dich gebiert) das wenn hier, *quum*; nicht: *quando*. Schade, daß wir nur Eine Partikel für diese beyden haben! — Lieblich winket der Wein ꝛc.) Aus allem strahlt doch Klopstocks erhöhete, moralische Seele hervor! Jeder Gegenstand, Natur, Liebe, Wein, Ruhm in solchem Gesichtspuncte betrachtet, in welchem sie bessern, veredeln, weiser und glücklicher machen! Der Wein muß socratisch getrunken werden; die Unsterblichkeit ist des Schweißes der Edlen werth, insofern der Lieder Gewalt das Herz bilden, Liebe und fromme Tugend ins Herz gießen: — Freund Wieland und Voltaire, das heißt eben ein Dichter der Tugend seyn und für die Seele singen, wie eure Edeln für Laster und Leib; und wir wissens wohl, eben darum ist euch Klopstock so verhaßt! — — Liebe dich; fromme Tugend dich auch ꝛc.) warum nicht lieber: Tugend dich, und Liebe dich auch? deswegen weil Tugend ihm immer unzertrennliche Folge aus der wahren Liebe ist. Man kann sicher bey Klopstock schließen, daß selbst solche Anordnung der Gedanken nie ohne Absicht und Ueberlegung gewählt ist, — und die Apostrophe an den Goldhäufer sehr fruchtbar. Wie vielmehr ist der gute Dichter als der bloße zusammenscharrende Besitzer von Geld!

— Und nun zulezt die vier Strophen in denen sich seine
sein ganzes freundschaftliches liebes Herz ergießt! —

Dieser Tag ist ihm freylich einer der angenehmsten
in seinem ganzen Leben gewesen, so wie überhaupt sein
ganzer Aufenthalt in der Schweiz. Bodmer war derjenige der ihn einlud. Er und viele andre Zürcher, die
izt zum Theil auch würdige Schriftsteller geworden sind,
empfingen ihn da mit offenen Armen; und noch außer dem
Ruhme, in dem Klopstock schon damals, als das Erste
aufkeimende Genie seiner Nation in Deutschland stand,
trugen die litterarischen Streitigkeiten, die der Zeit, zum
Theil in Absicht seiner, zwischen den Gottschedianern
und Schweizern obwalteten, das ihrige dazu bey; das
Interesse seiner Gegenwart in der Schweiz zu vermehren. Er hat mir oft noch jezt, mit der lebhaftesten Wärme des Jünglings, von den seligen Tagen jenes Alters
erzählt, und auch die Geschichte dieser Fahrt mit glänzenden Farben. Sie war blos ihm zu Ehren von seinen zürcher Freunden angestellt worden. Ein Boot
voll fröhlicher Gesellschaft — meist junge Leute — liebe
Mädchen — Hirzel — seine Frau — ein gewisser Werthmüller — eine Madam Müralt, eine würdige Matrone,
die man mitgenommen, daß die Lästerzungen in der
Stadt nicht Glossen über die jüngere Gesellschaft machen möchten — eine Ms. Schinzen, ein liebenswürdi-
ges Mädchen, jezt Hessens Frau, die Klopstocken den
Tag daß wohlgefiel, so daß man sie bald für die Köni-

ginn des Tags erklärte, und Werthmüller noch aus ihrem Handschuh ein Cokarde für Kl. Hut machte — (man legte noch die Worte, wie sie in der ersten Ausgabe dieser Ode standen: ganz der fühlenden Sch * * * gleich — aus, als ob er nicht die Schmidten sondern die Schinzen gemeint hätte,) — und andre — wer kann die Nahmen behalten? sie fuhren aus, an einem sehr schönen Morgen — und wie sie sich belustigten, kann man aus der Ode selbst sehen — mit Singen, *) Lachen, innigem fröh-

---

*) Hallers Doris sie sang selber des Liedes wehrt, Horzels Daphne den Kleist zärtlich wie Gleimen liebt ꝛc.) Als ich lezthin von ohngefähr im deutschen Museo, blätterte, fiel mir eine Stelle in einem Briefe von Heyne an Voß, der seinem edlen Herzen so viel Ehre macht, als seinen Einsichten, zu sehr als in meinen Kram dienend auf, daß ich mich nicht dabey verweilen sollte. "Bey solchen Misdeutungen,„ sagt dieser Gelehrte, der dem Virgil und Pindar das ist, was ich Klopstocken zu seyn wünschte, "die eine genauere Aufmerksamkeit auf "die Sprache verhüten oder berichtigen könnte, bin ich "immer mit mir unzufrieden, wenn ich sie übersehe. Aber "bey Dunkelheiten und Misverständnissen, die entweder "durch des Dichters Schuld, bey einem gezwungenen "und gesuchtem Wortbau und unnatürlichen Bild= oder "Wortverbindung, oder durch eine uns entrissene Kennt= "niß besonderer Zeitbegebenheiten und individueller Um= "stände entstehen, weis ich mich ganz gut zu fassen, wenn "ich auch falsch gerathen habe. Es war des Dichters "Schuld, wenn ich ihn nicht verstand. Schrieb er für "die Nachwelt, so hätte er wenn er zeit= oder persönliche "Umstände mit einmischen wollte, auch sorgen sollen,

lich ſeyn — viva la Joya! — und doch auch wieder mit
ſehr ernſten Geſprächen — denn was auch, wie das ſelbſt

"daß ſie zugleich mit auf die Nachwelt kämen. Hat er
"dieß nicht gethan, und vielleicht auch nicht thun können:
"was bleibt mir nun anders übrig als zu rathen? Ein
"glücklicher Blick führt zuweilen auf den rechten Punkt:
"aber noch größer und häufiger iſt die Gefahr, des Zwecks
"zu verfehlen, und ſogar zuweilen über das Ziel hinaus
"zu gehen. Bei einem Dichter, von deſſen Geiſtes
"Schwung ich mir einen hohen Begriff machte, kann es
"alſo leicht geſchehen, daß ich ihm einen erhabneren
"Ideengang beylege, als er wirklich gehabt hat. Allein
"in dieſem Fall iſt es nicht meine Schuld, wenn der Dich=
"ter etwas trivialers und alltäglicheres gedacht hat, als
"ich ihm zutraute, ich folge den Regeln der Wahrſchei=
"lichkeit.„

In Abſicht dieſes von ihm ſo gut beſtimmten Grund=
ſatzes, denke ich völlig mit ihm überein; doch vielleicht
ſehr verſchieden in Abſicht ſeiner Anwendung. Verſchie=
den indeß oder nicht; das weis ich wenigſtens, daß unſre
Kunſtrichter gar gern die Anwendung davon auf Klopſtock
machen möchten. Und um ihrentwillen iſt mirs denn lieb,
hier Gelegenheit zu finden, die Materie ein wenig ausein=
ander zu ſetzen.

Ich räume alſo allerdings Heynen gern ein, daß es
Stellen in Dichtern giebt, die zweydeutig, d. i. mehrerer
Auslegungen fähig ſeyn können, unter denen eine frey=
lich nur die richtige iſt, wobey aber doch der Ausleger,
ohne ſeine Schuld, auf die unrichtige verfällt. Derglei=
chen Stellen finden ſich bey den beſten Schriftſtellern der
ältern und der neuern Zeit; und eben dieſes ſollte uns
ſchon ins Ohr ſagen, daß dieſe Zweydeutigkeit nicht ſchlech=
terdings fehlerhaft iſt. Sie iſt es nehmlich nur alsdann,

eine Gesellschaft Engel nicht vermeiden könnte, hernach
in der Stadt davon gerätscht ward, so hatte sich doch,

---

wenn der Dichter durch die feinere Bestimmungen, oder
die Stellung der Worte oder sonst wodurch dem Leser An=
laß giebt, eher auf die unrichtige als die richtige Erklä=
rung zu fallen. Ist dieß aber nicht, so kann der Ausle=
ger oft ohne etwas zu versehen, dem Dichter einen Sinn
beylegen, den er nicht gehabt hat, ob gleich auch der
Dichter nicht zu tadeln ist, der die Stelle in dem Entge=
gengesezten hinschrieb. In solchem Fall auf die richtige
Erklärung zu kommen, ist gemeiniglich mehr Glück und
Zufall, als Furcht unsers Scharfsinns.

Zum Er. in dieser Stelle die mir zu dieser Anmerkung
Gelegenheit giebt: Hallers Doris sie sang, selber des
Liedes wehrt, Hirzels Daphne, den Kleist zärtlich
wie Gleimen liebt . . . . Wenn man es nicht weiß oder
auch nicht dran denkt, daß Hallers Doris, ein Lied dieser
Aufschrift von Hallern ist, welches Hirzels Daphne (Hirzel
war ein sehr genauer Freund, so wohl von Kleist als von
Gleim, die er auf seinen Reisen hatte kennen lernen) auf
dem Boote sang — so werde ichs niemand verargen, der
hier: Hallers Doris, nicht für das Object, sondern für
das Subject, und das sie sang, nicht für den Accusativ,
sondern für den Nominativ meint. Gleichwohl hat der
Dichter hier keine Schuld; denn die Inversion hier, die
gesungne Sache vorauzusetzen als den Hauptbegriff, auf
den der Gedanke zuerst fällt, ist dem Nachdrucke sehr ge=
mäß, und gehört nichts weniger als "zu dem gesuchten
gekünstelten Wortbau, der nur zur Dunkelheit dienet und
um das σκοτισον! σκοτισον! willen gesezt ist.„ — Uebri=
gens behauptet Klopstock, mit dem ich einmal drüber sprach,
daß die andre Erklärung, (Doris als Subject genommen)
deswegen nicht anginge, weil sonsten das selber von der

weis ich, der Wirth in Meilen beklagt, sie wären nicht
lustig genug gewesen, und hätten nicht Wein genug ge=

Daphne nicht gesezt hätte werden können — und weil es
hätte heißen müssen: eines Liedes, nicht: des Liedes werth.
Allein ich gestehs, daß ich darinn seiner Meynung nicht
bin. — Wichtiger finde ich den Einwurf, daß auf diese
Art, die Ellipse des Prädicats: sang im zweyten Verse
der Strophe eine bey Klopstock nie vorkommende Härte
wäre.

Aber lasset uns nun ja nicht diese Art von wirklicher
Zweydeutigkeit, wovon es zwar Fälle wiewohl selten giebt,
allen schiefen, schielenden, unrichtigen Erklärungen zu
Gute kommen, die ein Mann, den die Natur mit etwas
richtigerem Blicke ausgerüstet hat, so nestweise bey dem
Haufen unserer Schulgelehrten und vermeinten Con=
noisseurs antrift. Die Umstände, unter denen eine Erklä=
rung jener Art sich rechtfertigen läßt, sind genau zu be=
stimmen; eine der ersten Bedingungen ist, daß sie gram=
matisch möglich, daß sie logisch richtig, daß sie mit allen
Nebenbestimmungen der Stelle übereinkommend seyn
müße. Ist das nicht, so thut der Ausleger sehr übel,
wenn er, um sich zu entschuldigen, die Sünde seiner Vor
beysicht oder Uebersicht auf den Schriftsteller schiebt.

Exempel? hier! — Hätte sich wohl der sonst scharfsin=
nige Mann, der Klopstocks Ode an Cidli als eine Allegorie
aufs ewige Leben erklärte, hinter dieser Entschuldigung
Heinens verbergen können? Gewiß nicht. Denn dunkle
Wortfügung ist da nicht. Umstände sind zwar da, auf die
der Dichter anspielt, allein die unbeschadet des Sinnes
ignorirt werden können. Ob die Cidli Meta sey, ob der
Strom der Welt sey, darauf kam eben so wenig an, um
sie zu verstehen, als bey der vierten horazischen Ode drauf

G g

fodert — so daß also das Socratische Weintrinken hier nicht blos Theorie, sondern Praxis war — Kurz: es

---

ankömmt, ob — Die Erklärung aber die die Ode zur Allegorie macht, kann sich auf keine Weise vertheidigen. Denn man versuche nur einmal die Metaphern, die alsdenn da seyn würden, in eigentliche Sprache zu entkleiden. Ich begreife: der Weg der im Sande verzogen wegschleicht könnte tropisch das menschliche Leben seyn; auf dem Wege schlummern, könnte heißen: sicher und unbesorgt in Absicht seines Schicksales seyn, u. s. w. — aber was wäre denn; der Strom, zu dem das Meer wird! den Tropus entwickle er mir einmal! Da finde er mir einmal mit noch so sinnreichem Witze das dritte der Vergleichung zwischen dem jetzigen und ewigem Leben, und einem Meere, das zum Strome wird, auf. (Umgekehrt, ein Strom der zum Meere würde, da begriffe ichs noch.) — Warum fühlte also der Interpret da nicht gleich, daß seine Erklärung haperte? Warum bekannte er nicht lieber, daß er die Ode gar nicht verstünde, eher als einem Dichter, wie Klopstock, eine Zeile zuzutrauen, die nach dieser Erklärung gar keinen Sinn hat? Warum sträubte er sich nur einen Augenblick da ihm die wahre Erklärung gesagt ward, einzusehen, daß sie nicht allein die richtige, sondern auch die einzige mögliche ist!

Kann wohl Ramler sich damit entschuldigen, wenn er in der Ode: die beyden Musen, die Ziele, nach denen daselbst wettgelaufen wird, von Zielen der höhern und der niedrigern Gattungen der Dichtkunst erklärt, da so viele Parallelstellen in den Oden ihn auf die richtigere Bestimmung hätten leiten müssen, da es so bekannt ist, wovon Eiche, Lorbeer und Palme die Symbole sind; die eine von der vaterländischen Dichtkunst, der andre von der Poesie überhaupt; die dritte von der heiligen; da Young schon den bekannten Gegensaz gemacht hat.

war ein seeliger Tag gewesen, und Kl. verewigte ihn durch diese Ode, die mit der an Bodmer zugleich gedruckt

---

Kann Herder sich damit entschuldigen, wenn er in der Ode: der Bach, die Stelle: Nachahmer wie Nachahmer nicht sind, nicht vom Horaz selbst, sondern von seinen Nachahmern erklärt? Grammatisch richtig wäre die nun zwar; aber paßt sie? Giebt es denn so viele Nachahmer des Horaz, daß es der Mühe wehrt wäre, sie hier anzureden, wo über ganze Nationen geurtheilt wird? Und kann man auf irgend eine Art sagen, daß ihr Schlaf graue Zeit währte? Und sieht er nicht, daß dieser Schlaf, und die Worte: Hesperien schläft, sich auf ein Subject beziehe?

Und, an Tellow selbst ein Beyspiel zu geben, weil ich denn doch die Nuß selbst öfnen muß, die ich voriges Jahr den Berlinern, Mercuriusschreibern und anderm Recensentengeschmeis aufzumachen, wiewohl vergeblich, hinwarf —— denn auch Herr Wieland, dessen Zähne zum Anfletschen aber nicht zum Aufknakken taugten, ist weislich und klüglich drum herumspaziert —— die zwey von Tellow unrichtig erklärten Stellen in der Ode Teone sind von der Art, daß es bey der einen gar nicht Tellows Schuld, bey der andern aber es sehr war, daß er sie misverstand.

. . . daß Achills Leyer sank —— heißt nicht: daß Homeren die Leyer, die den Achilles besungen hatte, entsank; sondern es wird die eigentliche Leyer des Achilles selbst verstanden, deren Homer im 6ten Buche der Ilias erwähnt, auf der er spielte, da die Gesandten des Agamemnon, Phönix, Diomedes, Ulysses zu ihm kommen. Unterdessen wars sehr verzeyhlich, hier nicht die Leyer des Achills, sondern des Mäoniden zu verstehen, zumal

ward, und sogleich die ganze Schweiz durchcurſirte. Noch vieles wäre von der Reiſe zu ſagen. In dieſem

---

da von dieſem eben die Rede geweſen, und jene Anſpie‐ lung ſo ſehr ſpeciell war. Grammatiſch, oder wenn man will, logiſch richtig war ſie auch, dieſe Erklärung, weil nach einer bey Dichtern ſehr gewöhnlichen Metonymie Achills Leyer nicht allein die Leyer die Achill beſeſſen, ſondern auch die ihn beſungen hat, bedeuten kann, eben wie beym Virgil Typhoea fulmina, nicht Blize, die Typheus beſeſſen, ſondern womit er erſchlagen worden iſt, wie vulnus crudelis Ulyxi, nicht die Wunde, die Ulyß an ſich ge‐ habt, ſondern die er gemacht hat, bedeuten.

Aber bey der andern Stelle: dicht an Homer ſchrie ſein Geſchrey hat Tellow wiederum ſehr unrecht, ſie er‐ klärt zu haben, wie er thut. Denn dicht an jemand ſchreyen, kann keinem Sprachgebrauche zu Folge ſo viel heißen, als zu wähnen, daß Eines Geſchrey dem Ver‐ dienſte eines Andern gleich komme. Dieß war alſo bloß gerathen, und ſchlecht gerathen! Warum fiel ihm die viel ſimplere Erklärung nicht ein: der Rhapſode ſteht, und lieſt vor, und etwa auf dem Tiſche an dem er lieſt, liegt von Ohngefähr ein Homer, aus dem er hätte lernen können, was Zeitausdruck, was Wohlklang iſt, wie das ge‐ leſen werden muß, und dem ohngeachtet brüllte er ſo — und bildete ſich doch ſo viel ein, und glaubte gewiſſer‐ maſſen auf dem Dreyfuß (nicht: des Dichters, wie Tellow meint) ſondern überhaupt auf dem Dreyfuß, oder auf dem Dreyfuß des Apolls zu ſitzen, das heißt, er glaubte mit göttlichem Feuer und Enthuſiasmus begeiſtet zu ſeyn. — Plato läſt Socrates vom Rhapſodiſten ſagen: wenn er vollkommen ſeyn ſolle, müſſe er göttlichen Enthuſiasmus beſitzen.

edlen Lande, unter den freyheitathmenden Kindern der
Natur, sog seine Seele noch tiefer diese Gesinnungen
ein, wurzelte darinn, und wuchs! Auf Schweizer
Grund und Boden keimten die großen Ideen von Vaterland, und Herman, die hernach zu solchen Bäumen
gewachsen sind. Die unverdorbene deutsche Einfalt der
Sitten dort, nährte die hohe Einfalt seiner Seele!
Man wollte dort sogar ihn behalten, und durch Heirathen fesseln; es fehlte wenig, so wäre er ganz ein
Schweizer geworden. Der ungeheuchelte warme Beyfall, den jedes Herz dort ihm gab, der lebendige Enthusiasmus fürs Schöne und Große, der fast nur im südlichern
Deutschland recht glüht, entflammte seinen heißen Durst
nach wahrem Ruhm noch mehr! Die beyden Mädchen
die einmal herüberkamen über den See, und von Glaris,
um ihn zu sehen, die eine, die sich nicht halten konnte,
und ihn bey der Hand nahm: "ach wenn ich in der
Clarissa lese, und im Messias, so bin ich ausser mir!„ —
das giebt der Seele einen Stoß, und weissagt künftiges Daseyn, bey der Urenkelinn Sohn und Tochter!
Unsterblichkeit! — O wenn du ihn noch solltest von allen
den Tagen reden hören, von den Verfassungen des Landes, von den Thaten der Schweizer, von Henzys edlem
Tode — von dem Amman, der sie in Zug so gastlich aufnahm .... doch ich verirre mit Weitläuftigkeit, und
muß abbrechen — aber ungern!

Gg 3

In der Schweiz bekam er noch im Sommer von funfzig durch Bernstorf und Molike den Ruf nach Coppenhagen. Dort also ist noch die Ode an Friedrich den fünften gemacht, und etwas später drauf, in einem der Wintermonte ein und funfzig, auf einer Reise von Schafhausen nach Schwaben, die an Bernstorf und Moltke; voll seines Characters, und Gedanken über die Würde der Religion — Klagen über des preußischen Friedrichs Denkungsart! den Jordans Tod und Sinnesänderung, nicht zum Christen zu machen vermochten. — Im Frühlinge reisete er nach Dännemark ab, und lernte unterwegens Meta kennen, wie ich schon erzählt habe. Eine Correspondenz mit ihr ward angefangen, und die Verbindung mit Fanny ganz abgebrochen. Sie liebte nicht so wieder, daß Klopstock weiter hätte lieben können.

Laß mich kurz seyn; über die nachfolgenden Jahre seiner Liebe. Denn ich fühle, daß die Materie so groß ist, daß ich nicht weis, wo ich anfangen und wo ich endigen soll. In Coppenhagen ward er mit mehr als Achtung; mit Freundschaft von Bernstorf aufgenommen. Er lebte damals sehr still und eingezogen. Er hat sich niemals zum Hofe gedrängt; widmete sich ganz seinem Gedichte; und vermied gleich im Anfange die Bekanntschaften, die theils zu leer, theils zu zerstreuend für ihn gewesen seyn würden. In diesem und dem folgenden Jahre hat er sehr viel am Messias gearbeitet, und große Stücke davon ausgebildet. Young und Richardson scheint er in diesen Zeiten sehr gelesen, und seine Seele mit ihnen genährt zu haben. Er fing mit Young sogar einen Briefwechsel an. Die Ode an ihn zeigt, wie er ihn liebte und ehrte, wie sehr seine Seele durch ihn mit entzündet ward.

Doch auf Meta zurückzukommen: Er hatte mit ihr einen Briefwechsel angefangen, und sie liebten einander; sie sagten sich das — Klopstock schrieb; (das ist erstaunlich! unbegreiflich an ihm! es beweißt, in welchem Grad er geliebt haben muß!) schrieb, wie er mir gesagt hat, alle Posttage. Von den Briefen sind keine mehr da — was gäb ich nicht darum, zu wissen, was sie schreiben! und wie sie schreiben! und wovon sie schrieben. Die Ode Clarissa seh ich als ein kostbares Fragment eines solchen Briefes an; sie ist an Meta gerichtet; sie zeigt mir den Dichter, dessen Herz und Sinn selbst mit idealischen Schönheiten schwanger, von den großen Urbildern entzückt werden kann, die seine Mitbrüder schufen.

Häusliche, ökonomische Umstände hinderten unterdeß noch die sehnlich gewünschte Verbindung der beyden Liebenden, deren gegenseitige Wahl entschieden war. O daß man von tausend Kleinigkeiten abhängt in der bürgerlichen Welt! — Da hat man entweder noch nicht Einnahme genug; oder man sollte ein Amt und einen Titel haben; oder es sind Verwandten da, die Kauf-

leute ſind; Hamburger — ich kenne die Art ſchon — ſie
theilen, welche wenigſtens, die Welt ein in Griechen
und Barbaren, Butenminſchen und Hamborger; und
Klopſtock iſt ein Butenminſch — kurz: es hatte viele
Schwierigkeiten, ehe es ganz eingeleitet war. Ich
ſchließe mehr, daß das ſo war, als daß ichs wüßte.
Denn ſonſt waren dieſe Verwandte wackre biedre, und
dabey vermögende Leute; die meiſten davon ſind todt;
die die ich ſelbſt kenne, freue ich mich zu kennen, vor
allen die liebe Schmidten. Liebe; ich verlange von keinem Vogel andre Federn, als er hat; ich nehme jeden
für das, was er in ſeinen Umſtänden ſeyn muß und ſeyn
kann, und ſo komm ich am beſten durch die Welt. Der
ehrliche Kaufmann, der ſeinen Wechſelcurs nur verſieht,
kann mir ſehr ſchäzbar ſeyn, und von der Art war Metas
Stiefvater. Ich freue mich noch ſo herzlich über den Zug
auf dem Robbenſchiff. Er hatte eins ein bekommen ſehr
früh, und mit einem reichlichen Fang. Man macht eine
Parthie aus, das Schiff zu beſuchen, das auf der Elbe
liegt. Klopſtock und ſein Vetter Leiſching ſind mit; aus
Gefälligkeit. Aber der Duft ſo eines Schiffs, wo alles
von der Salbung des Robbenthrans trieft, iſt kein
Weyhrauch nicht; und wie dieſe das ſpüren, wenden ſie
voll Abſcheu ihre Naſen ab. Der Wirth aber nicht faul
nimt ein Zwölfſchillingsſtück heraus und hälts ihnen hin:
"Stinkt das auch?„ — Und warhaftig er wußte von
Veſpaſians lucri bonus odor nichts!

Verzeyhe! — ich komme zu Klopstock zurück. Er blieb den Winter in Coppenhagen, wo er, wenn ich mich recht entsinne, in der Gotterstrasse wohnte. Den Sommer pflegt der dänische Hof immer aufs Land zu gehn; damals nach Friedensburg, einem sehr ländlichem Schlosse; Klopstock folgte dahin mit Molkke. Dieser, der damalige Favorit, sah Klopstock viel, führte ihn auch oft beym König ein. Klopstock galt viel beym Könige; blos auf seine Entscheidung käm Basedow nach Soroe; er war die Veranlassung zu Cramers Rufe von Quedlinburg nach Dännemark. Damals wars im Werke eine königliche Druckerey zu errichten, um die besten Schriftsteller unentgeldlich die Kosten der Bekanntmachung ihrer Schriften zu schenken, das sich aber zerschlug. Der König bezeugte ihm jedesmahl, daß er ihn säh, wie er ihn schäze, wie wenig Eindruck die Feinde bey ihm machten, die Kl. damals hatte. So oft! daß Klopstock einmal sagte: er freute sich sehr darüber, aber er müßte Se. Maj. daran erinnern, Sie haben es ihm schon mehrmal gesagt; und er wäre schon längst von diesen Gesinnungen überzeugt — So lassen Sie mir wenigstens das Vergnügen, antwortete Friedrich mit der Menschenmilde, daß ichs Ihnen wiederhohle! — Ja so war er! der gute König! Wer ihn näher gekannt hat, und näher sein schönes Leben betrachtet; wird Friedensburg verstehn, und mit Klopstocks dankbarem Herzen entbrennen, und fühlen, daß sie nicht

von der gewöhnlichen Art Weyhrauchskörner ist, die die
Dichter den Fürsten streun!

In Friedensburg blieb er den Sommer von ein und
funfzig. Den Winter wieder mit dem Hofe nach Coppen=
hagen zurück. — In diese Zeit kömmt noch die Ode:
Lang ans Trauern verwöhnt ꝛc. — Zwey und funfzig
starb die Königinn Luise, deren Tod er so gerührt mit so
simpler Wehmut besang; und da der König auch sich zu
zerstreuen, den Sommer drauf eine Reise nach Holstein
that; brauchte Klopstock die Gelegenheit, nach Hamburg
zu Meta zurückzukehren, wo er den Sommer über blieb.
Dieß ist eine reiche Periode an Arbeit. Er genoß, und
doch nicht müßig, der schönen Zeit der Liebe! Herman und
Thusnolda, die Fragen, An Young, Die beyden Musen,
gehören hierher. Aber ich halte mich nur mit meinen
Erklärungen bey denen an Cidli hier auf.

Die erste davon ist die: Unerforschter ꝛc. Man muß sie
mit der vorigen vergleichen — denn sie harmonirt so sehr
mit ihr! Der Gedanke: Ich kann lieben; ich habe vorher
geliebt, izt bin ich glücklich! — und kann nur so glücklich
seyn! es ist etwas sehr platonisches in der Idee; eine Den=
kungsart, die Wenige verstehn.

Die Ode: Zeit Verkündigerinn der besten Freuden ꝛc.
ward, wie er mir selbst gesagt hat, bey Hofnung der sehr
nahen Verbindung mit Meta gemacht. Darum sagt er:
nahe, seelige Zeit. Wenn nicht von der Zeit der Verbin=
dung die Rede gewesen wäre, sondern nur von der Zeit

des Wiedergeliebtwerdens, hätte er das nicht sagen kön=
nen; denn die war nicht nahe; die war schon da!—

Die darauf folgende dichtete er in einer Krankheit
Metas, als Braut, die er für gefährlich hielt! Nicht blos
bey einem gewöhnlichen Schlaf, aus dem er sie nicht
wecken will. Nun verstehst du die Bitte an den Schlum=
mer, ihr geflügeltes balsamisch-Leben über ihr Herz
auszugießen — und den Zug: "da wo der Wange die
Röth' entfloh. „

Ihre Verbindung ward indessen doch noch aufge=
schoben. Er verließ Meta noch einmal, um mit dem
König nach Kopenhagen zu gehen. Bey dieser Gele=
genheit nahm er Abschied von ihr, mit der schon ehe=
mals von mir erklärten Ode: Cidli du weinst. ꝛc. und
blieb das ganze folgende Jahr (1753) von ihr getrennt,
in Dännemark. Endlich nahete sich die Geschichte ihrer
Entwicklung. Dieß gab die Veranlassung zu der lezten
im zweyten Buche: Der Liebe Schmerzen ꝛc.

Diese Ode ist nichts weniger als leicht, aber so
tief aus dem Herzen! — Ihr Inhalt kurz der: Ich
wollte von den Schmerzen der Trennung, des Ab=
schiedes singen, aber ich thats nicht, das Bild unsers
Wiedersehens ward mir zu lebendig, es verdrängte
jene Schmerzen, ich unterließ es. Nun folge man
dem Dichter durch seine tropenvolle Ausbildung. Der
Liebe Schmerzen wollte ich singen. Aber aus wie vie=
len Gesichtspunkten kann man sich Schmerzen der Liebe

denken! Alſo — nicht der erwartenden und eben des=
wegen alſo noch (noch: iſt hier nicht etwa: *neque*, ſon=
dern *adhuc*) ungeliebten, die (dieſe) Schmerzen nicht,
[denn die kann ich jezt nicht mehr ſingen; denn ich
liebe, ſo liebte keiner! ſo werd ich geliebt!] ſondern die
ſanftern Schmerzen, welche zum Wiederſehen hinbli=
cken, welche zum Wiederſehn tiefaufathmen, (welche
Gradation! wie ſtärker das Athmen, als das Hinſehen!
ach! wie wahr!)... [und gleichwohl ſind dieſe Schmer=
zen ſüß ... doch liſpelt ſtammelnde Freude mit auf]
nun endlich erſt der Nachſaz: die Schmerzen wollt ich
ſingen. — Die Compoſition dieſes lyriſchen Perioden
iſt ganz meiſterhaft, durch die beyden Parentheſen. —
Ich hörte ſchon des Abſchieds Thränen am Roſenbuſch
weinen! d. i. ich ſtellte mir ſchon den Abſchied, den ich
einſt von dir — und um zu individualiſiren — an einem
Roſenbuſche genommen hatte, wieder vor ... und das
war ich nun im Begriffe zu ſingen, ich hörte der Thrä=
nen Stimme weinen die Saiten hinab! ... doch in=
dem bezwang ich mich! wollte mich mit dieſen düſtern
Vorſtellungen nicht mehr martern, ſchnell verbot ich
meinem zu leiſen Ohr, d. i. zur Wehmut nur allzuge=
neigtem Herzen, zurückzuhorchen! *) Die Thräne

---

*) Eine Eigenheit von ihm iſt, daß er das Abſchiednehmen
überhaupt ſchon haßt. Faſt nimmer, wenn er Freunde
verläßt, pflegt er Abſchied zu nehmen. Abſchiednehmen,
ſagt er, iſt eine abgeſchmackte Sache! das Abſchiedneh=

schwieg; ich erheiterte mich, und schon waren die
Saiten, Klage zu singen, verstummt, ich hatte also
auch den Abschied nicht gesungen; und warum das? ---
denn ich dachte mir lieber dafür die Freude des Wie-

---

men hat Gottsched erfunden! --- So erinnre ich mich, da
er mit Bernstorf Dännemark verließ, waren wir alle seine
Freunde die er so zärtlich liebte, viele gute Männer und
Weiber bey Preißlers versammelt, in Lyngby und bey
Resewitz in Hegby. Manche davon waren so traurig!
denn sie glaubten sie würden ihn ewig nicht wiedersehen.
Er schien die ganze Zeit so heiter! vermied so sorgfältig die
Materie zu berühren. Die Stunde der Trennung eilte
herzu; man rüstete sich mit Thränen ihm das lezte Lebe-
wohl zu sagen. Aber er betrog uns alle. Er fing einen
Discurs von Pferden an nach Tisch, verbreitete auch darüber Salz und Blumen der Poesie. Er redte von verschiednen Bereiterkünsten. Man war neugierig das zu sehen.
Führt mein Pferd vor! sagte er. Er sezte sich drauf, uns
die Künste zu zeigen, ritte einige Schritte auf und ab...
drauf das Pferd gespornt und ohne Adieu war er in derselben Minute verschwunden! Ach! da reitet er hin, wir
sehen ihn niemals wieder riefen die Freunde. --- Das war
sein lezter Abschied von denen mit denen er einige 20 Jahr
in der zärtlichsten Freundschaft gelebt! --- So versüßt er,
und mildert sich die Bitterkeiten des Lebens.

Auch stand ich oft dabey wenn er Andre, Weiberchen
z. E. sich beym Abschiede so innig küssen sah ... und
hörte wie er spöttelte. Da küssen sie sich nun ... sehn
Sie?... schlürfen in langen Zügen den Schmerz des
Abschieds... fort! fort! wozu das Zaudern! ---

Hh

derſehns: denn ach ich ſah dich, trank die Vergeſſenheit
der ſüſſen Täuſchung mit feurigem Durſte, ſchwer!
mit Anſpielung auf den Fluß Lethe — Vergeſſenheit
einer Sache trinken, alſo ſo viel: als eine Sache ver=
geſſen; ſie mit heißem Durſte trinken, ſo viel als: ſie
gern vergeſſen — und der Sinn der ganzen Zeile alſo:
ich ſtellte mir dich vor, und vergaß gern dabey, daß
nicht die Sache ſelbſt, ſondern eine bloße Täuſchung
meiner lebendigen vergegenwärtigenden Phantaſie war
— Cidli! ich ſahe dich, du Geliebte! dich ſelbſt! Wie
ſtandſt du vor mir Cidli! wie hing mein Herz an dei=
nem Herzen, Geliebtere als ſich Liebende lieben! (die
ich mehr liebe, und von der ich auch mehr geliebt
werde — als ſich die Liebenden zu lieben pflegen —
eine ſehr wahre Hyperbel wohl jedes Liebhabers das
von ſich zu denken!) du die ich ſuchte und fand.

Man würde alſo den Sinn und Hauptpunkt dieſer
ſehr feinen Gedankenreyhe ganz verfehlen, wenn man
ſie ſo ganz verſtünde, alſo wäre ſie bey einem wirkli=
chem Wiederſehen zwiſchen ihm und Meta gedichtet.

Den Sommer des folgenden Jahres (1754)
reiſte er wieder nach Hamburg; und Meta ward end=
lich den 10 Junius ſeine Frau.

———

Und hier ſey denn fürs erſte dieſer Fragmente genug!
— Nicht, daß nicht noch viel ſchnelle Pfeile in ſeinem

Köcher wären, die nur für die wenigen Verständigen
tönen, und mit der ganzen Kraft tönen, welche sein
starker Arm ihnen gab; — nicht, weil ich nur von fern
glaubte, das Gemählde sey vollendet, davon ich die
ersten Linien zu ziehen mich unterfing; sondern weil, da
ich nur Fragmente versprach, niemand eine Vollstän-
digkeit von mir verlangen kann, zu der ich mich nicht
anheischig machte. Ich sagte nicht, ich wollte Genug,
sondern ich sagte, ich wollte Etwas geben.

Als ich dieses Etwas zu sammeln anfing, beste
Gräfin, — denn ich endige wieder billig mit Ihrem
Nahmen, so wie ich damit begann, — schrieb ich es
eigentlich und zuerst für Sie. Darum ward es so und
nicht anders. Nicht einfältig genug, um nicht vor-
auszusehn, was dieser und jener dazu sagen würde —
müßte — überließ ich mich ganz der Empfindung meiner Seele, und es ward statt eines Buches ein Brief!
Es war mir so süß, von dem Manne reden zu können,
den ich so innig liebe als ich ihn ehre! Es war mir
nicht weniger süß, Sie dabey im Gesichte zu haben,
Ihnen zu erzählen, Ihren lieben Nahmen zu nennen,
und bey Ihnen an die Wenigen zu denken, die es lesen
würden wie Sie. Wenn ich, demohngeachtet im Fort-
gange des Briefs, einige Seitenblicke hin auf das warf,
was man Publicum nennt — wenn Verdruß über schiefe
Beurtheilungen Seiner, und der beleidigende Angriff

Hh 2

eines Mannes auf mich, für den ich gewiß nicht schrieb, mich sogar unter Ihren Augen — Sanfteste! — Lanzen zu brechen zwang, so ist das das einzige, warum ich Sie um Vergebung zu bitten habe, und — bitte.

Doch kein Wort mehr zu meiner Rechtfertigung oder Entschuldigung! Vorreden und Nachreden sind immer Thorheit. Der Leser, der in dem rechten Gesichtspuncte steht, steht schon darinn, und den andern wird man nicht hinein versetzen. Am besten denn: Der Schreiber schreibe was er will, und der Leser denke was er will. Prüfet alles und das Beste behaltet! Was Sie über das Geschriebene denken, weis ich; und vor Klopstock will ichs verantworten.

Carl Friedrich Cramer.